박PD의 좌충우돌 다큐멘터리 제작기

세상, 약간 삐딱하게 보기

박PD의 좌충우돌 다큐멘터리 제작기

세상, 약간 삐딱 하게 보기

박태명 지음

언론인은 세상을 살짝 삐딱하게 봐야 한다.
그래야 세상이 바뀐다.

심미안

에필로그를 대신하여

1987년 6월 첫 인연을 맺었다 2015년 12월 헤어졌으니 정확히 28년 7개월을 방송과 동고동락 해온 셈이다.

돌이켜 보면 보람과 회한이 교차하지만 그 세월 동안 나는 비교적 행복했다.

나는 그동안 방송이라는 것이 '일이 놀이가 되고 놀이가 일이 되는' 몇 안 되는 직업 중 하나라고 생각해왔고 내가 바로 그 일을 해왔다고 믿기 때문이다.

마지막 몇 년간은 후배들에게 싫은 소리나 하는 못된 선배 역할을 해야 했지만… 혹시 나 때문에 마음의 상처를 입은 후배들이 있다면 지금이라도 혜량을 바란다.

PD 초년병 시절, 한 선배가 이야기해준 〈프로듀서 되기 6 단계 설〉이 생각난다. 이건 그냥 '설(說)'이다. 프로듀서의 성장과정을 단계별로 워낙 재치 있고 설득력 있게 설명한 것이어서 지금도 잊히지 않는다.

1단계는 주로 AD(Asistant Director,조연출)시절에 경험한다. 선배들의 온갖 잔심부름과 갖은 구박을 견뎌내기 위해 단 하루도 '피로주사'를 맞지 않으면 생존할 수 없는 〈피로주사〉단계.

다음은 '이제 방송 알 만큼 아니까 나에게도 프로그램을 달라' 는 〈프로주소〉 단계.

하도 울고 보채서 프로그램을 줬더니 프로그램을 망치고 마는 〈프로

죽쒀〉 단계.

심기일전, 각고의 노력으로 어느 정도 프로그램을 제작할 수 있게 되는 〈프로됐어〉의 단계, 이 단계에서 특히 조심해야 한다. '프로그램은 좀 하는데 애가 싸가지가 없다'는 비난이 있을 수 있는 단계이다. 자중자애, 벼가 익으면 머리를 숙이듯 더욱 겸손해야 한다.

다음으로 '저 프로듀서에게 맡기면 무조건 프로그램 된다'고 소문이 나면서 프로그램이 줄을 서는 〈프로줄서〉의 단계, 이때 타 방송사에서 스카우트 제의가 들어오기도 한다.

마지막으로 〈프로도사〉의 단계, 프로듀서들에게는 모두 한번쯤 오르고 싶은 입신의 경지이다.

이것이 어디 PD 사회에서만 통하는 원칙이겠는가? 모르긴 몰라도 어느 직장, 어느 조직에도 이런 단계 변화의 원칙은 다 있게 마련이다.

나는 어느 단계쯤에서 방송을 떠났는지 모르겠다.

프로듀서들의 또 다른 고민은 시청률이다.

PD들은 매일 아침 게시되는, 또는 자리로 배달되는 '시청률 조사표'를 수능시험 성적표를 받아든 고3 수험생의 심정으로 확인한다. 자신이 연출하는 프로그램의 시청률이 잘나오면 '역시!' 하면서 우쭐하고 잘 못 나오면 '조사가 잘못 됐겠지, 상대사에서 그 시간대에 특집했나?' 하면서 다른 이유를 열심히 찾는다.

시청률이 안 나와 아픈 상처를 안고 괴로워하는 후배 PD에게 선배는 소금까지 뿌린다. '애국가도 그 정도 시청률은 나오겠다' 또는 '컬러바(정규방송 전 화면 조정용으로 띄우는 삼색 바)시청률도 그보다는 낫겠다' 심지어 '방송사고'라고 극언하는 선배들도 있다.

후배들의 마음을 아프게 하는 선배는 대개 프로그램을 제작하지 않는 국장이나 부장들이다. 하기야 요즘은 인력이 부족해 국, 부장들이 직접 프로그램을 제작하는 방송사도 적지 않지만, 이럴 경우 위와 같은 '멘

트'는 상호 자제한다.

돌이켜 보면 나도 프로그램 제작한답시고 괜히 국민의 소중한 재산인 전파나 낭비하지 않았는지 은근히 걱정도 된다.

지난 29년 동안 나는 '아티스트'와 '저널리스트' 사이를 오가면서 여러 장르의 프로그램을 제작했다. 그중 다큐멘터리를 만들 기회가 다른 PD들에 비해 많았던 것 같다. 모든 프로그램이 다 소중했지만 특히 다큐멘터리는 꼭 '내 속으로 낳은 자식(어머니께서 자주 쓰시는 표현, 멋지다)' 같다는 생각이 든다. 우선 호흡이 길고 쏟아 붓는 정성이 그만큼 더 크기 때문일 것이다.

그런 프로그램이기 때문에 PD들은 자신들이 제작한 다큐만큼은 한 편씩 카피해 소장한다. 나도 그랬다.

나에게 주어진 모처럼 만의 SB(Station Break, 프로그램과 프로그램 사이에 잠시 쉬어가는 시간. 광고나 캠페인, 프로그램 예고를 주로 방송한다. 이때 시청자들은 대개 화장실에 다녀온다)를 이용해 소장하고 있던 프로그램 중 14편을 가려 뽑아 프로그램의 내용, 제작 후기, 그 프로그램이 '지금' 우리에게 어떤 의미를 주는지(혹시 있다면) 정리해보기로 마음먹고 자료를 모았다.

그런데 자료라고는 달랑 DVD 한 장씩밖에 없었다. 최종 원고도, 제작 관련 메모도 아예 없거나 턱없이 부족했다. 오래된 프로그램인 경우는 더욱 그랬다.

나는 함께 일했던 작가들에게 연락해 몇몇 프로그램의 원고를 받았고, 제작 스태프들에게 물어, 제작 당시의 여러 기억의 파편들을 모았다. 끝내 원고를 확보하지 못한 프로그램은 DVD에 실린 내레이션을 내가 출강했던 학교의 졸업생을 시켜 받아쓰게 했다. 물론 사례는 했다.

둔필승총(鈍筆勝聰)! 방송인들이여 기록하라, 그리고 잘 보관하라.

그렇게 해서 어렵사리 엮어낸 것이 이 책이다. 말하자면 처음부터 끝까지 PD였던 한 전직 방송인의 '작은 기록'이자 방송생활을 마감하는 마지막 '에필로그'인 셈이다.

글을 쓰면서 뼈저리게 느꼈다. 역시 글의 영역은 전문 작가들의 것이라는 사실을. 재즈 카페를 운영하던 무라카미 하루키가 어느 날 야구 경기를 관람하다 벼락같은 영감을 얻어 작가가 된, 그런 결정적 계기가 나에게 없다면 나의 글쓰기(또는 책 내기)는 이것이 처음이자 마지막일 것이다.

서툰 글이지만 행간에 있을지도 모르는 '진정성'만 찾아 읽어주시면 감사하겠다.

방송 프로그램은 PD 혼자 만드는 것이 아니다. 철저한 협업의 결과가 바로 프로그램이다. 그런 의미에서 나와 함께 오랜 기간 프로그램 제작에 신명을 다해주신 모든 제작, 방송 스텝과 취재과정에서 만났던 분들(너무 많아 일일이 호명하지 못함을 양해해주시기 바란다)과 주옥같은 방송 원고를 써준 김영란, 박경아 작가에게 감사한다. DVD에 실린 내레이션을 받아 적어준 이귀선 양, 스틸사진 캡처 등 온갖 도움을 준 임영곤 감독, 출판 과정에서 여러모로 도움을 주신 5·18기념재단 김양래 상임이사님과 관계자 여러분, 내 프로필을 실물보다 멋지게 그려주신 '광주 아트가이드'의 서동환 편집장, 방송자료화면을 책에 실을 수 있도록 배려해주신 kbc 광주방송 양철훈 사장님, 졸고를 잘 편집해서 그럴듯한 책으로 만들어 주신 심미안의 송광룡 대표께도 감사를 드린다. 두 달 남짓 뭔가를 쓴다고 방에 틀어박혀 있던 남편의 '무위'를 끝까지 인내해준 아내에게 특히 감사한다.

2016년 6월 박태명

국가폭력 그 어둠을 넘어

2005년 11월 방송

국가폭력 그 어둠을 넘어 2005년 11월 방송

차 안에서 아이템을 줍다

〈국가폭력 그 어둠을 넘어〉라는 다소 길고도 어두운 제목의 다큐멘터리 프로그램을 처음 기획한 것은 2005년 여름 어느 날, 퇴근길 차 안에서였다.

라디오를 켜자 전화 인터뷰가 한창 진행되고 있었다. 국내 고문피해자들을 위한 재활센터 설립의 필요성을 주장하는 내용이었는데 출연자는 전북의 모 대학 여교수로 이름은 '주' 자가 들어간다는 것만 기억한 채 집에 도착했다.

다음 날 회사에 출근했더니 편성제작국장이 프로그램 제작비 지원사업공모공문이 왔으니 참고해 보라고 지시했다. 방송문화진흥회에서 매년 실시하는 제작비 지원사업이었다. 제작 지원금은 3천만 원.

이곳저곳에서 제작비를 지원해 준다는 공문이 한 해 몇 차례 오지만 PD들은 자신이 맡은 프로그램을 제작하느라 여유가 없어, 또는 마땅한 아이템이 없어서 응모 기회를 그냥 흘려보내는 경우가 대부분이었다.

어쨌거나 공문을 다른 PD들도 볼 수 있도록 게시하고 나도 아이템을 생각해봤다. 문득 어제 라디오에서 들었던 고문피해자 재활과 관련한 내용이 머리를 스쳤다.

해방과 전쟁, 그리고 오랜 권위주의 시대를 거치면서 양산된 국내 고문피해자들, 더불어 광주항쟁과 관련된 우리 지역의 피해자들을 추적해 그 실상을 담아내고 나름의 대안까지 제시한다면 로컬성이 담보된 한 편의 프로그램이 될 것 같았다. 해외 사례도 소개한다면 내용은 더 풍부해질 것이다.

나와 함께 건강 프로그램과 특집성 프로그램을 제작하던 작가에게 계획을 설명하고 우선 라디오 프로그램에 출연했던 그 여교수를 찾기 시작했다.

내가 들었던 라디오의 채널도, 교수의 이름, 소속 대학과 학과도 분명치 않은 상태에서 당사자를 찾아내는 일은 서울에서 김 서방 찾는 것보다는 못하지만 실로 지난한 일이었다.

작가는 국정원에 필적하는 정보력과 끈질김으로 3일 만에 문제의 교수를 찾아냈다. 전북대학교 간호학과 변주나 교수였다.

기혼 남자 PD피디의 경우 최소한 두 가지 여복은 타고나야 한다고들 한다. 우선 방송이라는 특수한 분야를 잘 이해해주는 마누라 복, 그리고 능력 있는 작가와 함께 일할 수 있는 작가 복. 나의 경우 두 가지 복 모두를 타고난 셈이다.

며칠 후 나와 작가는 변주나 교수가 살고 있는 대전에서 그녀를 만났다.

KRCT(Korea Rehabilitation Council for Torture Victims, 한국고문피해자 재활협의회) 대표직을 맡고 있는 변교수의 고향이 광주라는 사실도 그날 만남을 통해 알게 됐다.

나는 프로그램의 기획의도를 설명하고 그녀의 적극적인 도움을 요청했다. 물론 제작비 지원을 받게 될 경우라는 이상한 단서가 붙긴 했지만.

그날 변주나 교수는 '전 세계에서 여전히 고문이 자행되고 있으며 한국도 예외가 아니라는 것' 과 '고문 예방과 더불어 피해자들을 위한 치유센터 설립이 왜 필요한가' 에 대해 열정적으로 설명했다.

응모 마감까지 앞으로 일주일, 우리는 변주나 교수로부터 받은 책 두

권과 인터넷 자료 등을 기초로 제작비지원서류를 작성하기 시작했다. 지원서 내용 중 가장 중요한 부분은 프로그램의 기획의도와 이를 뒷받침해주는 구성안이다. 물론 본격적인 취재와 제작 과정에서 당초의 구성 내용이 다소 달라지기는 하지만 얼추 80% 정도는 처음 구성안과 일치했다. 이것은 나의 일종의 경험칙이다.

응모 마감 하루 전에 서류를 인터넷으로 접수하고 결과를 기다렸다. 보름 쯤 후에 방송문화진흥회로부터 제작비 지원이 결정됐다는 연락이 왔다.

일단 제작비를 확보한 우리는 구체적인 제작 계획을 세웠다. 먼저 국내외 고문피해자들의 유형과 실태, 그들의 재활을 돕기 위해 노력하고 있는 사람들과 시설을 중심으로 프로그램의 내용을 구성하고 본격적인 섭외에 들어갔다.

고문 – 인류의 역병, 인권의 무덤

'인류의 역병, 인권의 무덤'이라고도 불리는 고문은 주로 정치적 반대자와 소수민족, 소수 종교인을 억압하고 그들로부터 필요한 정보를 캐내기 위해 사용되는 가장 잔인하고 비겁한 폭력이다. 지금까지 알려진 고문 기법은 80여 가지. 고문 기술도 문명이 발달하면서 더욱 정교해지고 있다.

일찍이 프랑스의 계몽주의 사상가 볼테르를 비롯해 실존주의 철학자 사르트르 등 세계의 수많은 양심들이 오랜 기간 동안 고문 방지 운동을 벌였고 그 결과 1984년 UN에서는 '어떠한 경우라도 고문은 금지되어야 한다'는 내용의 고문 방지 협약을 채택했다. 2005년 현재 협약 당사국은 한국을 포함해 129개국이었다. 그러나 아직 고문 방지 협약에 가입하지 않은 나라는 물론 협약 당사국 중에서도 고문을 자행하고 있는 나라가 적지 않다는 것이 유엔의 입장이었다.

고문은 주로 정치적 반대자와 소수민족, 소수 종교인을 억압하고 그들로부터 필요한 정보를 캐내기 위해 사용되는 가장 잔인하고 비겁한 폭력이다.

취재 당시에도 미국의 이라크 포로에 대한 고문과 한국 검찰의 연예기획사 임원에 대한 폭행이 사회적으로 큰 논란이 되고 있었다.

2005년 당시 자료에 의하면 국내의 생존 고문피해자 수는 28만 여명으로 추산됐다. 지금은 그 숫자가 늘어났는지 줄어들었는지 모르지만 일단 놀랄 만한 피해규모다. 그러나 우리가 이들을 주위에서 쉽게 만나지 못하는 이유는 그들이 고문피해자라는 사실을 숨기기 때문이며 가해자들 역시 그들의 범죄 사실을 철저히, 그리고 조직적으로 은폐하기 때문이다.

전 세계의 생존 고문피해자들의 숫자는 정확하게 알 수 없었지만 당시 IRCT(International Rehabilitation Council for Torture Victims, 국제고문피해자 재활협의회)와 협력관계를 맺고 활동하고 있는 고문피해자 치유센터는 73개국 170곳에 이르렀다. 미국이 27개로 가장 많고 아시아 지역에서도 방글라데시, 인도, 필리핀, 파키스탄, 네팔 등에 15개의 치유센터가 있었다. 지금은 센터가 200여 개로 늘어났다고 한다. 그러나 안타깝게도 한국을 비롯한 동북아 3개국에는 당시만 해도 관련 센터가 하나도 없었다.

KRCT가 구성되어 있기는 했지만 국내에는 고문피해자의 재활을 위한 전문시설이 아직 만들어지지 않은 상태였던 것이다.

5월 관련 고문피해자들

먼저 5월 관련 고문피해자 취재부터 시작했다. 취재팀이 맨 먼저 만
난 사람은 이성전 씨였다.

그는 1980년 5월, 광주항쟁에 참여했다 조사받는 과정에서 머리에
큰 상처를 입었다. 그의 두부에는 약 10센티미터 길이의 흉터가 길게 남
아 있었다. 당시의 충격으로 언제부턴가 팔과 다리가 마비되어 제대로
걷지도, 팔을 들어 올리지도 못했다. 그의 작은 방은 각종 약 봉투로 가
득했는데 잠시나마 고통을 잊게 해주는 진통제가 대부분이었다. 그는 말
끝마다 '죽고 싶다' 고 했다.

이발사로 일하다 그해 5월 계엄군에게 끌려가 폭행을 당해 팔과 손가
락을 크게 다쳐 생업을 포기해야만 했던 손홍무 씨도 만났다. 그날 이후
그는 결혼도 하지 못하고 망가진 몸뚱이에 기댄 채 괴롭고 쓸쓸한 중년
을 보내고 있었다.

박달종 씨는 군대폭력의 희생자였다. 1981년 전남 장성역에서 입영열
차를 탔던 그는 그때 일로 평생 잊을 수 없는 상처를 입었다. 플랫폼에서

군대폭력 피해자 박달종 씨(오른쪽).

손을 흔드는 할머니를 창밖으로 내다봤다는 죄 아닌 죄로 박달종 씨는 호위병들에게 집단 구타를 당했다. 저항하는 박달종 씨에게 군인들이 총을 겨누자 그가 총을 빼앗아 호위병들에게 겨누는 일대소동이 벌어진 것이다. 그 길로 그는 훈련소 대신 군 헌병대로 끌려가 혹독한 고문을 당했다. '광주의 폭도'가 군 내부 반란을 배후 조종하기 위해 위장 입대했다는 '사실 아닌 사실'을 자백하라는 것이었다.

1983년에는 탈영을 했다는 혐의를 뒤집어쓰고 군사재판에 회부돼 1년 6개월 동안 영창생활을 해야 했다. 광주에 가해진 또 다른 폭력이었다.

박달종 씨는 그때 당한 고문 후유증으로 여전히 양 무릎과 어깨의 통증에 시달리고 있었다. 박달종 씨 부분은 장성역 현장 스케치와 삽화, 그리고 본인 인터뷰로 구성했다.

이미 저 세상 사람이 됐지만 지금도 여전히 마지막 시민군으로 불리고 있는 김영철 씨. 1980년 5월 항쟁 이후 그가 살아낸 20여 년의 삶은 한 인간이 견뎌내기에 얼마나 혹독한 시간이었는지를 웅변해주고 있다. 항쟁 직후 김영철 씨가 아내에게 보낸 옥중 편지에서 그는 '말조심하려고 혀를 깨물었다'고 썼다. 고문에 못 이겨 혹시 동료들에게 피해를 줄 수도 있는 자백을 할지 모른다는 걱정으로 그는 혀를 깨물고 모서리에 머리를 찧어 자살하려고 했던 것이다. 석방 후에도 그는 수감생활 중에 얻은 정신적, 육체적 후유증 때문에 나머지 삶의 거의 대부분을 정신병원에서 보내야 했다.

2011년 11월 현재, 5월 관련 부상자와 고문피해자 중 사망자는 380명, 그중 42명이 자살로 생을 마쳤다. 일반인의 350배에 이르는 자살률이다. 2011년 이후 관련 통계는 아직 없다. 관련 피해자 수는 아마 훨씬 늘어났을 것이다.

고문의 흔적은 아무리 오랜 시간이 지나도 온 몸 곳곳에 문신처럼 남아 피해자들을 끈질기게 괴롭히고 있었다.

나도 두들겨 맞고 갇힌다는 것이 인간에게 어떤 고통을 주는지 어렴

풋이는 안다. 이 이야기를 하기 전에 먼저 고백할 것이 있다. 1980년 5월 18일, 새내기 대학생이었던 나는 그날 오후 계엄군에게 붙잡혀 3일 동안 상무대 영창에 갇혔던 경험이 있다. 나는 지금까지 연행된 장소를 '친구와 길거리에서'라고 주위 사람들에게 말해왔다. 사실은 동네 당구장에 난입한 5~6명의 계엄군에게 함께 있던 친구와 붙들려갔다. 숭고한 희생과 저항의 상징 5월 광주와 한낱 놀이에 불과한 당구! 이 상극의 이미지가 너무나 부끄러워 지금까지 나는 '허위자백'을 해온 것이었다.

어쨌거나 연행 과정에서, 금남로 군용트럭에서, 그리고 상무대 영창에서 경험했던 그 무자비한 폭력과 공포는 아직도 나의 뇌리에 생생히 남아있다. 내가 경험한 5월에 대해서는 〈내 친구 병규〉편에서 좀 더 자세히 이야기하겠다.

매년 6월 26일은 UN이 정한 고문피해자의 날이다. 이날 KRCT의 주관으로 서울과 광주에서 고문방지캠페인 행사가 열렸다. 서울 행사에는 5월 관련 고문피해자들도 여러 명 참여했다. 불편한 몸을 이끌고 누구보다도 열심히 캠페인을 벌이던 이성전 씨는 "자신이 고문을 당하지 않았다면, 그리고 초기에 제대로 치료를 받았다면 부인이나 자식들에게 부끄러운 남편, 아빠가 되지 않았을 것"이라며 한숨을 쉬었다.

간첩, 못 잡으면 만들어라!

최근 영화로 만들어지기도 한 서울시청 공무원 유우성 씨 간첩조작사건이 사회적으로 큰 충격을 주고 있다. 이 정도라도 민주화 됐다는 지금도 이럴진대 과거 권위주의 시대의 사정이야 더 말해 무엇 하겠는가?

취재 중 민주화실천가족운동협의회의 송소현 총무로부터 국회에서 국가보안법 관련 청문회가 열린다는 얘기를 들었다. 우리는 다른 취재일정을 뒤로 미루고 청문회장으로 달려갔다.

정신과 전문의 정혜신 박사와 노회찬 의원 등 몇몇 국회의원들이 마련한 이날 청문회의 증인으로 나선 사람은 1981년 3월 이른바 '진도 가족 간첩단 사건'에 연루돼 18년 동안 옥고를 치른 박동운 씨와 그의 고모부 허현 씨였다. 증인들은 "당시의 사건이 정권안보를 위해 가족 모두를 희생양 삼아 조작해낸 것"이라고 주장했다. 간첩을 만들어내기 위해 당시 안기부가 사용했던 무기는 다름 아닌 고문이었다. 우리는 그날 청문회의 모든 내용을 빠짐없이 카메라에 담았다. 박동운 씨는 그가 당한 여러 유형의 고문과 지금도 계속되고 있는 갖가지 후유증을 생생하게 증언했다. 성고문까지 있었다는 허현 씨의 증언이 이어지자 청문회장 이곳저곳에서 장탄식이 들려왔고 여성 방청객 중에는 눈물을 흘리는 사람도 있었다.

박동운 씨는 "자신에게 가해진 육체적 고통은 참아낼 수 있었지만 가족들에 대한, 특히 당시 만삭이었던 아내와, 어머니에 대한 고문 위협은 견디기 힘들었다"고 울면서 증언했다. 그렇게 그는 '흉악한 간첩'이 되었다.

오랜 법정 투쟁 끝에 지금은 간첩혐의를 벗었지만 그동안 그와 그의 가족이 겪었던 말할 수 없는 고통과, 감옥에서 흘려보낸 그의 청춘은 그

간첩조작사건 국회청문회(2005년 10월).

고문피해자 방양균 씨와 그가 기르는 구관조.

무엇으로도 보상 받을 수 없을 것이다.

취재팀이 방양균 씨의 집을 찾았을 때 그는 구관조에게 말을 가르치고 있었다. '조작간첩 진상규명!' 이 여덟 자가 그가 구관조에게 가르치고 있는 구호였다. 1989년 세상을 떠들썩하게 했던 이른바 서경원 의원 방북 사건으로 당시 그의 비서관으로 일하던 방양균 씨도 7년 동안의 옥고를 치렀다. 잠 안 재우기 등 조사과정에서 가해졌던 각종 고문을 끝내 이기지 못하고 허위자백을 할 수밖에 없었다는 것이다. 재판 과정에서 고문논란이 계속됐지만 당시 재판부는 이를 철저히 외면했다고 한다.

그 억울함을 풀어보기 위해 구관조에게 '조작간첩 진상규명'이라는 말을 가르쳐 세상에 날려 보내겠다는 그의 안간힘이 애처로워 보였다.

북한을 탈출한 새터민도 만났다. 탈북해서 남한에 정착하는 과정에서 체포, 구금, 고문의 악순환이 계속되면서 그의 몸은 만신창이가 돼 있었다. 분단이 낳은 또 다른 비극이 아닐 수 없다. 본인의 요청으로 굵은 픽셀의 모자이크로 얼굴을 가렸다.

'간첩을 잡아라. 없으면 만들어라!' 어두웠던 시절, 국가정보 기관의 모토 아닌 모토였다. 지난 3월 2일, 여당 단독으로 국회를 통과한 이른바 '테러방지법'이 또다시 간첩을 양산하는 도구로 악용되지 않기를 온 마음으로 바란다.

고문은 영혼마저 파괴한다

고문피해자들은 육체적 고통뿐만 아니라 하나같이 심각한 정신적 후유증을 앓고 있었다.

1980년 5월 사촌 여동생을 잃고 계엄군에 끌려가 심한 구타까지 당한 장한영 씨, 그날 이후 언제부턴가 그의 말은 가족들도 알아듣기 힘들 정도로 어눌해져 버렸다.

인터뷰를 시도해 봤다. 무슨 말인지 도저히 알아들을 수는 없었지만 그는 절박한 눈빛과 처절한 목소리로 오히려 더 분명하게 뭔가를 말하고 있었다. 나는 장한영 씨의 알아들을 수 없는 인터뷰를 20초 정도 깔고 그 위에 내레이션을 입혔다.

전날 밤 악몽으로 한숨도 못 잤다는 방양균 씨와 함께 동네 신경정신과 병원을 찾았다. 전형적인 외상 후 스트레스 장애, 우울증이 방양균 씨의 병명이었다.

이성전 씨도 마찬가지였다. 부인의 증언에 따르면 남편이 잠을 자다 갑자기 소리를 질러대거나 온 방을 돌아다니면서 살림살이를 부수는 일이 매일같이 반복된다는 것이었다. 고문 가해자에 대한 분노가 또 다른 폭력의 형태로 가족이나 주위 사람들에게 표출되는 것이다. 정신과 육체에 잠복해 있던 고문의 흔적은 이처럼 언제 폭발할지 모르는 시한폭탄이 되어 항상 그들의 주위를 유령처럼 배회하고 있었다.

나도 가끔 잠을 자다 가위눌림에 시달린다. 내가 꾸는 달갑지 않은 꿈은 대개 3가지 유형이다. 대한민국 남자들의 공통된 악몽, 분명히 군대에 갔다 왔는데 또다시 입영영장이 날아와 머리를 깎아야 하는 꿈, 나도 그런 꿈 가끔 꾼다. 다음으로는 학점이 부족해 졸업을 못하는 꿈, 사실 대학 시절 공부에 별 관심이 없었던 나로서는 그런 꿈에 시달리는 것이 어쩌면 당연하기는 하다. 그중 가장 나를 힘들게 하는 것은 착검하고 나를 쫓아오는 공수부대원을 피해 도망 다니거나, 조사 받으면서 구타당하는 꿈이다.

1980년 5월 계엄군에 붙들려 불과 며칠 동안 군 영창에 있었던 내가 이럴 정도면 5월 항쟁 관련자나 조작간첩 사건 등으로 구금돼 짧게는 몇 개월, 길게는 수십 년을 온갖 폭력에 시달리면서 수형생활을 해야 했던 피해자들의 사정은 불문가지가 아닐 수 없다.

가난과 가족 해체의 원흉, 고문

고문피해자들은 또한 가난과 가족 해체라는 고통을 천형처럼 짊어지고 산다.

이성전 씨의 경우 광주민주유공자로 지정돼 얼마간의 보상금을 받았지만 그의 궁핍한 생활은 조금도 나아지지 않았다. 보상금 중 상당액이 그동안 졌던 빚을 갚는 데에, 그리고 병원 치료비로 사라져 버렸다. 설상가상으로 큰아들까지 아프기 시작하면서 그는 빈털터리가 돼 버렸다. 병원비가 없어 결국 이성전 씨는 큰아들을 저 세상으로 먼저 보내야만 했다.

외국 유학생 출신에다 촉망받던 국회의원 비서관, 그때 그 일이 있기 전까지만 해도 주위의 부러움을 한 몸에 받았던 방양균 씨도 사정은 마찬가지였다. 출소 후 그는 사회에 복귀하기 위해 무던히 애를 썼지만 극도로 피폐해진 심신상태로는 도저히 적응하기가 어려웠다고 한다. 자연스레 부부갈등이 생겼고 이혼이 뒤따랐으며 사랑하는 두 딸과도 이별해야 했다. 그에게 마지막으로 남은 것은 피폐해진 심신과 세 들어 사는 영세민 아파트, 그리고 구관조 한 마리뿐이었다.

박동운 씨, 18년간의 옥살이 끝에 특사로 석방됐지만 "주위 사람들은 물론 아내와 자식들까지 그를 간첩으로 의심하는 것이 가장 고통스러웠다"고 청문회에서 증언했다. 아내의 별거 요구로 그는 고향을 떠나 전국의 사찰을 전전하거나 사람들의 눈을 피해 외딴 산골에서 양봉을 하며 생계를 유지했다고 한다.

국가폭력의 희생자들은 주위의 냉대와 무관심이라는 또 다른 감옥생활을 감내해야만 하는 것이다.

나를 두렵게 하는 것은
고문 가해자도
다시 일어설 수 없는 몸도 아니다.

죽음을 가져오는 라이플의 총성도
벽에 드리운 그림자도
땅거미 지는 저녁도 아니다.

희미하게 빛나는
고통의 별들이 무수히 달려들 때

나를 두렵게 하는 것은
무자비하고 무감각한 세상 사람들의
눈먼 냉담함이다.

– 「나를 두렵게 하는 것은」, 어느 고문피해자의 詩에서

국내 취재를 어느 정도 마치고 해외 취재 계획을 짰다. IRCT 본부가 있는 덴마크와 전쟁, 분단, 통일을 경험한 독일, 그리고 아파르트헤이트 정책으로 흑인들이 말할 수 없는 고통을 겪어야 했던 남아프리카 공화국이 취재 대상국이었다. 좀 더 많은 나라의 사례를 취재하고 싶었지만 확보한 제작비로는 어림도 없었다. 제작비를 줄이기 위해서 우리는 국적기 대신 에어 프랑스 항공권을 구입했다. 값이 싼 대신 어디를 가든 일단 프랑스 드골 공항에서 비행기를 타고 내려야 하는 불편을 감수해야 했다.

가장 저렴한 항공과 교통편을 알아내고 해외 취재 대상과 가이드, 숙

소를 완벽하게 사전 섭외해준 작가에게 늦게나마 경의를 표한다.

덴마크, 고문피해자들의 안식처

12시간의 비행 끝에 파리에 도착한 우리는 안데르센과 치즈의 나라 덴마크행 비행기로 갈아타고 두 시간을 더 날아가 코펜하겐 공항에 도착했다.

다음 날 아침 취재팀은 코펜하겐 중심부에 자리 잡은 DOMUS PARKER를 찾았다. '파커의 집'이란 뜻이다. 파커 부부가 거액을 희사해 세운 이 건물이 바로 IRCT 본부였다.

IRCT는 말 그대로 고문피해자들의 재활을 돕고 세계 도처에서 자행되고 있는 고문행위를 근절할 목적으로 지난 1982년 비정부기구로 설립됐다.

설립자인 잉에 게네프케의 안내로 우선 건물 1층에 마련된 자료실을 둘러봤다. 고문과 관련된 서적, 기사, 보고서, 사진, 영상자료 등 각종 자료가 40여 평 크기의 방을 빼곡히 채우고 있었다. 한국에서 발간한 고문

IRCT 자료실에 비치된 한국 고문관련 자료들.

이나 5·18 관련 서적과, 한국 고문생존자들에 관한 영문 서적도 여러 권 비치돼 있었다.

　방대한 자료를 보면서 나는 생각했다. '한편으로는 고문이 근절됐다고 사람들이 아무리 우겨도 세계 도처에서 고문이 여전히 자행되고 있다는 것을 보여주기 때문에 비극이고, 다른 한편으로는 고문에 대해 이 정도라도 연구가 이뤄지고 있다는 점에서 다행'이라는.

　IRCT에서는 심리치료사, 물리치료사, 사회복지사 등 20여 명의 스태프들이 고문피해자들의 재활을 돕고 있었다. 이곳의 도움을 받는 사람들은 자국민들보다는 주로 중동과 아시아, 아프리카, 동유럽 등지에서 정치적 이유 때문에 덴마크로 건너온 망명자나 그 가족들이다. 고문피해자들 중 신체적 고통을 호소하는 환자들은 일반 병원으로 보내 치료 받게 하고 이곳에서는 주로 정신적 후유증을 앓고 있는 환자 치료를 전담한다.

　예를 들면 이를 빼는 고문을 당한 피해자는 망명지인 이곳 덴마크에서도 치과 가기를 두려워하고, 경찰에게 고문당한 경험이 있는 사람은 운전 면허증을 받으러 경찰서에 가지도 못한다. 신체 치료와 심리 치료가 병행돼야 하는 이유이다. 그래서 그런지 이곳의 심리 치료실과 물리

IRCT의 물리치료실.

치료실은 거의 완벽한 시설을 갖추고 있었다.

물리치료와 심리 치료를 함께 받고 있던 옛 소련 망명자 부부를 인터뷰했다.

부인은 "이곳 사람들로부터 받은 따뜻한 사랑이 가장 큰 힘이었다"고 말했다. 남편 역시 "치료가 끝나면 적십자사에서 일하면서 자신처럼 고문 피해를 당한 사람들을 돕고 싶다"고 말했다. 치료가 어느 정도 진행돼서 그런지 그들의 표정은 한결 밝아 보였다.

덴마크에는 IRCT를 포함해 모두 8개의 센터가 고문피해자들의 치료와 재활을 위해 활동하고 있었다. 당시까지 4만여 명의 환자들이 관련 센터의 도움을 받았다고 한다. 이들 재활센터에서는 고문피해자와 그 가족들이 덴마크 사회에 완전히 정착할 수 있도록 의료지원뿐만 아니라 사회복지, 주택, 언어, 재정, 법률 지원 등 다양한 서비스도 함께 제공하고 있었다.

자국민도 아닌 다른 나라의 고문피해자들을 위해 이토록 헌신적으로 활동하고 있는 사람들, 그리고 그들이 살고 있는 덴마크라는 나라가 더욱 아름답게 느껴졌다.

취재를 마치고 나서려는데 IRCT의 한 관계자가 UN에서 발간한 한국의 인권 관련 서류를 취재팀에게 건네주었다. 그러면서 "한국도 1995년에 UN 고문 방지법에 서명했으므로 정부차원의 실제적인 고문재발방지책 마련은 물론, 고문피해자들에게 사과하고, 보상과 함께 재활 서비스를 즉각 실시해야 한다" 당부했다.

코펜하겐에서 있었던 일

IRCT 취재를 성공적으로 마치고 다음 날 우리는 독일로 넘어가기 위해 코펜하겐 역으로 향했다.

덴마크는 유럽 대륙에서 북해를 향해 뻗어 나온 유틀란트 반도와 셸

코펜하겐 – 함부르크 선상에서. 필자와 카메라 감독.

란 섬 등 여러 개의 섬으로 구성되어 있다. 수도 코펜하겐은 셸란 섬에 위치해 있기 때문에 기차를 탄다는 것이 이상해서 가이드에게 어찌된 일인지 물었다. 가이드는 웃으면서 "나중에 알게 된다"고 말할 뿐 자세한 설명을 해주지 않았다. 우리 일행이 이런저런 얘기를 나누고 있는데 백인 한 명과 동남아 출신으로 보이는 또 한 사람이 우리에게 손을 흔들면서 아는 체를 했다. 참 친절도 하구나 생각하면서 우리도 그들에게 인사를 했다. 잠시 후 작가가 자료와 현금이 들어 있는 봉투가 없어졌다며 울상을 지었다. 아! 그놈들한테 당했구나! 인사를 하면서 우리가 한눈을 파는 사이 봉투를 슬쩍 한 것이었다. 말 그대로 성동격서, 전광석화였다. 피해액은 우리 돈으로 약 150만 원 정도. 자료는 별로 중요한 것이 아니어서 천만 다행이었다. 특히 촬영 테이프가 안전해서 더욱 다행이었다.

만약 그날, 촬영한 테이프를 분실했다면 우리는 똑같은 내용을 다시 촬영하거나 아니면 정치적, 아니 업무적 망명을 덴마크 정부에 신청해야 했을지도 모른다.

밑져야 본전이라는 심정으로 역 경찰서에 피해 사실을 신고했다. 그러나 10년이 지난 지금까지도 아직 묵묵부답이다. 덴마크 사람들 참 과

묵하다.

 괜히 미안해하는 현지 가이드를 뒤로 한 채 우리는 기차에 몸을 실었다. 한참을 달리던 기차가 캄캄한 터널 속으로 들어가더니 갑자기 멈춰섰다. 어리둥절해 있는데 승객들이 하나둘씩 자리를 떠서 나도 카메라 감독과 함께 기차 밖으로 나가 계단을 올라갔다. 계단 위는 배의 갑판이었다. 눈앞에 펼쳐진 망망대해! 우리가 탄 기차가 초대형 수송선에 실려 있었던 것이다. 현지 가이드 그리고 작가, 두 여자가 두 남자를 철저히 속인 것이다.

반면교사, 독일

 배에 실려 북해를 건넌 기차는 두 번째 촬영지인 베를린 역에 우리를 내려놓았다. 취재 시간이 별로 없었기 때문에 취재팀은 그 길로 베를린의 고문피해자재활센터인 BZFO를 찾았다.

 1990년 베를린 장벽이 무너지면서 분단된 지 반세기 만에 다시 한 나

독일 BZFO 건물.

고문피해자가 만든 찰흙인형. 왼쪽이 치료
전의 작품, 오른쪽은 치료 중기의 작품.

라가 된 독일. 베를린에 있는 두 곳의 고문피해자재활센터 중 하나인
BZFO는 나치 시대와 동서분단이라는 정치적 상황 속에서 양산된 국가
폭력 희생자들의 치료와 재활을 위해 1992년 문을 열었다.

분단 시절 동독에서 정치적 박해를 받았던 사람들뿐만 아니라 주로
동유럽, 북아프리카, 중동에서 망명해온 고문피해자들이나 그 가족들이
치료의 대상이었다. 덴마크의 고문피해자재활센터와 마찬가지로 신체적
고통을 호소하는 피해자들은 센터와 협약을 맺은 외부 진료기관에서 치
료를 받게 하고 이곳에서는 주로 심리 치료에 역점을 두고 있었다.

심리 치료실에는 고문피해자들이 촬영한 다양한 사진들이 전시돼 있
었다. 심리 치료사의 설명에 의하면 고문피해자들에게 사진을 찍게 하는
것도 치료 방법 중 하나인데 처음에는 죽은 새, 쇠창살 등 어둡고 부정적
인 것들만 촬영하다가 치료가 진행되면서 촬영 대상이 점점 더 밝고 희
망적인 것으로 바뀐다는 것이다.

찰흙인형 만들기도 마찬가지다. 아랍권에서 망명해온 여성 고문피해
자의 작품 중 치료 전에 만든 인형은 차도르로 얼굴을 가렸고 눈, 코, 입,
팔의 묘사도 엉성해 보였다. 그러나 치료가 진행되면서 그녀가 만든 인
형은 훨씬 커졌고 신체 각 부위의 묘사도 치밀해졌다. '나 여기에 있다',
'나도 얼굴이 있다' 는 자신감의 표현이라는 것이다.

이곳 재활센터에는 '치유의 정원'이라는 아담한 쉼터도 마련돼 있었다. 정원 한편에는 환자들이 직접 심고 가꿀 수 있는 텃밭도 있었다. 이 작은 정원이 삶의 토대에서 쫓겨난 사람들에게 '나에게도 딛고 설 땅이 있다'는 정신적 안도감과 마음의 평화를 제공해주고 있는 것이다.

주택가 한가운데에 자리 잡은 세니온센터도 방문했다. 환자들에게 병원이라는 느낌을 주지 않기 위해서 이곳에 터를 잡았다고 한다.

취재진이 도착했을 때 마침 음악 치료가 한창이었다. 환자들은 대부분 코소보에서 내전을 피해 망명해온 주부들이었다. 각자 악기 하나씩을 들고 음악을 연주하는 그녀들의 표정이 밝아 보였다. 음악을 통해 조국에서 그들이 겪었던 끔찍한 경험을 순화시키는 것이다.

집단 창작도 이곳의 치료 과정 중 하나이다. 심신이 피폐해진 고문피해자들에게 뭔가 만들어내는 것만큼 위안을 주는 일도 없기 때문이다. 집단 창작 활동에는 20여 명의 예술가들이 자원봉사자로 힘을 보태고 있었다.

파리에서의 반나절

독일 취재를 마치고 우리는 그날 밤 베를린 역에서 파리행 기차를 탔다. 마지막 취재지인 남아프리카공화국 케이프타운에 가려면 파리에서 다시 에어프랑스를 타야 하기 때문이다. 3층짜리 침대가 두 줄로 배치된 침대칸이었다. 실내등이 꺼진 지 10여 분 후부터 우리 열 3층에서 자갈밭에 탱크 굴러가는 소리가 들리기 시작했다. 카메라 감독의 코골이는 이미 사내에서도 악명이 높았지만 그날은 정말 심했다. 2층에서 자던 나는 손을 뻗어 몇 차례 탱크를 세우려 했지만 그때뿐, 결국 실패하고 말았다. 우리 열 1층 거주자인 작가도 잠을 이루지 못하는 눈치였다. 마침내 옆 열의 남녀 백인 승객들이 하나둘씩 방을 빠져 나가기 시작했다. 취재팀의 일원으로서 정말 미안했다. 지구상에서 고문을 박멸해야 한다며 나선 우리가 아무 죄도 없는 외국 사람들을 고문한 셈이 된 것이다. 그것도 가장 견디기 힘들다는 잠 안 재우기 고문을.

다음 날 아침, 숙면을 취해 기분이 좋은 카메라 감독과 몸이 천근만근인 PD와 작가는 파리 북역에서 내려 근처 호텔을 숙소로 잡았다.

그날은 토요일이었고 케이프타운 취재는 다음 주 월요일, 일요일에 비행기를 타면 되니까 토요일 하루는 자유시간이었다. 숙소에서 좀 쉬었다 점심 때 만나기로 하고 각자 방으로 들어갔다. 정신 맑은 카메라 감독은 촬영 장비를 점검한다며 부스럭거려 끝까지 나의 취침을 방해했다. 점심 무렵 우리는 호텔 로비에 모였다. 자유와 평등, 박애의 나라 프랑스. 지금은 생각이 좀 달라졌지만 프랑스는 한때 내가 가장 동경하던 나라였다. 그리고 혁명과 예술의 도시 파리, 불과 몇 시간이지만 파리의 겉모습이라도 보고 싶었다. 파리에 대해서 내가 호감을 갖게 된 데에는 홍세화의 『나는 파리의 택시 운전사』라는 책의 영향도 적지 않았다.

호텔 직원의 도움이 필요했다. 프랑스 사람들은 자국어에 대한 자부심이 너무도 강해 불어 말고 영어로 물어보면 알면서도 못 들은 척한다는 얘기를 들은 터라 걱정이 앞섰지만 나는 용감하게 영어로 질문했다. "우리에겐 오늘 오후가 있다. 가장 싸고 효과적인 시내관광 방법은 무엇인가?" 프런트의 여직원은 지도까지 내주면서 대답했다. 물론 영어로. "셔틀버스를 타라. 주요 관광지는 다 돈다. 내렸다 구경하고 또 타고 내리고 해라. 아주 싸다"라고 말하는 것 같았다. 정말 친절했다. 그리고 예쁘기까지 했다. 호텔 근처에서 간단히 점심을 먹고 우리는 그 아름다운 빠리지엔느가 가르쳐 준 대로 셔틀버스를 타고 콩코드 광장, 노트르담 사원, 에펠탑, 몽마르트 언덕, 루브르 박물관 등을 (비록 수박 겉핥기였지만) 잽싸게 돌았다. 평소 미술에 관심이 많은 나는 루브르 박물관을 거의 뛰다시피하며 둘러봤다. 렘브란트의 「야경」, 드라크루와의 「민중을 이끄는 자유의 여신」 등 평소 사진으로만 봤던 명작들을 직접 감상했다. 물론 「모나리자」도 몰려든 관람객들 어깨 너머로 겨우 봤다. 역시 모나리자의 인기는 대단했다. 몇 년 후 나는 가족들과 함께 다시 파리를 방문할 기회가 있었다. 물론 루브르에도 갔다. 깃발을 앞세운 가이드는 오직 모나리자로 돌진했다. 마치 모나리자만 보면 루브르는 다 본 것이나 마찬가지라는 듯. 다른 곳에서도 가이드의 '시간절약 정신'은 투철했다. 대신 면세점에서는 아주 너그러웠다. 가능하다면 배낭여행을 권하는 이유이다.

아파르트헤이트와 그 치유과정

다음 날 취재팀은 파리 드골 공항에서 남아프리카행 비행기에 몸을 실었다. 수도 요하네스버그까지 12시간의 비행, 이륙 후 기내에서 제공하는 '아점' 격의 식사를 마치자 카메라 감독은 또 순한 양처럼 조용히 잠에 빠졌다. 그렇게 자고도 또 잠이 올까? 하기야 영상 책임자로서 완벽한 역할을 해내고 있는 그가 잠하고 친하든 말든 내가 상관할 일은 아니지만. 나도 따라해 볼 요량으로 스튜어디스에게 위스키와 맥주를 여러 차례 주문해 폭탄주를 제조, 거푸 마셨다. 나중에는 작가 몫까지 빼앗아 마셨다. 장거리 비행에는 폭음 후 취침이 제일이니까.

요하네스버그에서 비행기를 갈아타고 두 시간의 비행 끝에 마지막 해외 취재지인 케이프타운에 도착했다. 희망봉과 테이블 마운틴의 고장 케이프타운은 생각했던 것보다 훨씬 크고 현대적인 도시였다. 도시환경도 무척 깨끗해 보였다. 미개한 아프리카에 가려면 미리 풍토병예방약을 꼭 챙겨 먹어야 한다며 호들갑을 떨었던 스스로가 부끄러웠다.

다음 날 아침 우리는 도시 외곽에 자리 잡은 트라우마센터를 방문했다. 1994년 흑인정권이 들어서기 전까지 남아프리카공화국 국민의 절대 다수인 흑인들은 오랜 세월 동안 소수 백인정권의 차별과 탄압 속에서 온갖 고통을 당했고 이에 저항하는 과정에서 이루 말할 수 없는 폭력에 시달려야 했다.

남아프리카공화국 케이프타운에 있는 트라우마센터에서 점심식사하고 있는 고문피해자와 그 가족들.

트라우마센터는 백인정권의 탄압이 막바지로 치닫던 1993년, 고문피해자들의 치료와 재활을 돕기 위해 문을 열었다.

취재팀이 센터를 방문했을 때 고문피해자와 가족들, 그리고 센터 관계자들이 한자리에 모여 점심식사를 하고 있었다. 병원이라기보다 오히려 가정집 같은 분위기였다.

남아프리카 공화국에는 수도 요하네스버그에 두 곳, 케이프타운에 한 곳 등 모두 3개의 관련 센터가 있다. 트라우마센터에는 의사, 심리학자, 사회복지사, 자원봉사자 등 모두 40여 명의 스태프들이 고문피해자들의 재활을 돕고 있었다.

19살 때 인종차별정책에 맞서 싸우다 끌려가 고문을 당했다는 브라이언 씨를 만났다. 흑인 배우 '모건 프리먼'을 꼭 빼닮은 그는 당시 백인 경

트라우마 센터에는 대통령이 되어 이곳을 방문한 넬슨 만델라의 사진이 걸려 있다. 만델라의 방문은 봉사자들의 그간의 희생과 노력에 대한 감사의 표시였는지도 모른다.

마사지 요법도 고문피해자들의 치유에 큰 도움을 준다.

찰에게 구타와 전기 고문을 당해 뇌가 심하게 손상됐고 갈비뼈와 이가 부러지는 중상을 입었다. 극심한 고문과 6개월간의 감옥생활로 만신창이가 돼버린 브라이언 씨에게 세상은 또 다른 감옥이었다. 벼랑 끝까지 몰렸던 그는 이곳 트라우마센터에서 치료를 받을 수 있었고 역시 센터의 도움으로 정부의 사회복지국이 지급하는 연금을 받아 생활하면서 새로운 삶을 얻었다.

또 다른 고문피해자 토마스 에슈 씨는 마사지 치료를 받고 있었다. 고문에 의해 정신적 충격을 받은 환자들은 대부분 육체적으로도 이상증세를 보인다. 신체는 과거에 있었던 모든 것을 기억한다. 따라서 외상 후 스트레스 증후군을 겪고 있는 환자들에게 마사지 요법은 치료에 큰 도움을 준다.

대개의 경우 고문피해자들은 자신의 몸과 마음의 상태를 제대로 표현해내지 못한다. '바디 맵핑'은 말 그대로 몸 위에 그리는 지도이다. 고문피해자가 종이 위에 자신의 몸을 그리고 신체 각 부위에 자신의 과거, 현재, 미래를 글로 써 넣게 하는 치료법이다. 바디 맵핑을 통해 환자들의 심리상태가 정확하게 드러나기 때문에 치료도 그만큼 빨라진다.

케이프타운에서 뱃길로 40분 거리에 있는 로빈 섬, 지금은 유네스코가 지정한 세계문화유산 중 하나가 됐지만 한때 이곳은 섬 전체가 감옥이었다. 생애 총 28년간의 감옥생활을 했던 넬슨 만델라도 이 섬에서 17년을 보내야 했다. 그가 갇혔던 독방은 방문객들로 넘쳐났다.

트라우마센터에는 대통령이 되어 이곳을 방문한 넬슨 만델라의 사진이 걸려 있다. 센터가 정식으로 문을 열기 전부터, 즉 흑인정권이 들어서기 훨씬 전부터 각 부문의 의사들은 로빈 섬에서 형기를 마쳤거나 탈출한 고문피해자들을 비밀리에 치료해주고 있었다. 그중에는 백인 의사들도 있었다. 만델라의 방문은 아마 그 희생과 노력에 대한 감사의 표시였는지도 모른다.

케이프타운에서의 취재를 마친 후 현지 가이드가 한국 교민이 운영하

광주트라우마센터 홈페이지.

는 식당에서 저녁 식사를 하자고 제안했다. 식사 중에 식당 주인의 고향이 여수라는 사실을 알았다. 주인은 우리가 광주에서 왔다는 것을 미리 알고 있는 눈치였다. 10일간의 해외 취재 중 그날 저녁 우리는 가장 풍성한 식탁을 마주했다. 멀고도 먼 아프리카에 고국, 그것도 고향 손님이 왔다며 주인은 식사비도 받지 않았다. 고향 만세!

케이프타운에서 요하네스버그를 거쳐 다시 프랑스 파리로, 인천으로, 김포를 거쳐 광주까지, 총 이틀간의 비행 끝에 우리는 마침내 고향에 돌아왔다.

방송, 그리고 남은 이야기들

다음 날부터 우리는 본격적인 편집 준비에 들어갔다. 촬영된 테이프는 40분 분량 총 30여 개, 촬영 내용을 모니터 하면서 꼼꼼히 인덱스를 만들었다. 영어, 독일어 인터뷰 번역을 외부 전문가에게 맡기고 취재 중 빠진 내용은 보충 취재했다. 최종 편집을 끝내고 원고를 작성해 음악, 성우 내레이션, 자막을 넣어 완제품을 제작, 11월 26일 밤에 방송했다. 기대 이상으로 시청률도 잘 나왔다. 이 프로그램은 2006년 4월 민영방송 주간을 맞아 SBS를 통해 전국에 방송되기도 했다.

2012년 8월, 반가운 소식이 들려왔다. 국가폭력 피해자들을 위한 치유센터가 광주에서 문을 연다는 것이었다. 몇 해 전 프로그램을 통해 그토록 호소했던 고문피해자 치유센터 설립의 꿈이 마침내 이뤄진 듯해서 개인적으로도 무척 기뻤다. 광주트라우마센터! 초대 센터장은 1985년 전남대학교 의과대학 3학년 재학 시절, 이른바 구미유학생간첩사건에 연루돼 14년간 최연소 비 전향 장기수로 옥고를 치른 현직 의사 강용주 원장이었다. 1990년대 말 우연한 기회로 『깊은 물에 큰 배 뜬다』라는 제목의 그가 쓴 옥중 서간집을 읽은 나로서는 더욱 반가웠다. '상처 입은 치유자들'이라고나 할까? 고문피해자가 또 다른 피해자들의 치료와 재활을 돕는다면 그 효과는 '닐러 무삼하리요?'일 것이다. 놀랍게도, 늦장가를 든 강 센터장과 평생 한 방을 쓰기로 한 사람은 프로그램 취재 당시 민가협에서 활동하던 송소현 총무(현재 '진실의 힘' 상임이사)였다. 취재팀에게 국가보안법 관련 청문회 소식을 전해준 고마운 분이다. 예상컨대 부인 송 총무는 서울에서 개원해 열심히 일하고 있던 남편(그도 현재 '진실의 힘' 이사이다)을 '정신적으로 고문해' 광주트라우마센터의 문을 열게 했을 것이다.

현재 광주트라우마센터 11명의 스태프는 5·18 민주화 운동 관련 등 국가폭력 생존자와 그 가족의 몸과 마음의 상처를 치료하고 그들이 정상 생활에 복귀할 수 있도록 돕고 있다. 뿐만 아니라 국제기구와의 협력을 통한 고문 예방과 홍보 교육, 인권보호 활동에도 적극 나서고 있다.

나는 광주뿐만 아니라 전국 주요 도시에도 이와 같은 전문 치유센터가 속속 들어서기를 간절히 바란다. 더불어 내가 취재 중에 만났던 고문 피해자들, 만나지 못했던 더 많은 피해자들이 남은 삶이나마 행복했으면 좋겠다. 그리고 그들의 재활을 위해 신명을 바치고 있는 사람들에게도 경의를 표한다.

고문으로 대표되는 노골적인 국가 폭력의 희생자들뿐만 아니라, 사회·경제적 양극화의 그늘 속에서 평생 흙 수저만 잡고 살아가야 하는 사람들, 세월호의 그 못다 핀 꽃송이들, 고독사로 세상을 등져야 하는 할아버지 할머니들, 구조조정으로 하루아침에 직장에서 쫓겨나는 가장들, 수많은 비정규직 노동자들, 물 대포에 맞아 아직도 사경을 헤매고 있는 농민, '안방의 세월호'로 불리는 가습기 살균제 피해자들, 이유도 모른 채 부모에게 타살 당하는 아이들, 역 화장실에서, 그리고 전동차와 스크린도어 사이에서 무참하게 죽어간 젊은 그들… 사회적 약자들에게 가해지는 헤아릴 수도 없는 유, 무형의 폭력도 따지고 보면 우리사회가, 국가가 배태(胚胎)한 또 다른 형태의 폭력이 아닐 수 없다.

국가는 나라의 주인인 국민들에게 예의를 지켜야 한다. 꽃으로도 때리지 말아야 한다. 취재 중에 만났던 한 고문피해자의 절규가 아직도 귓전에 생생하다.

"행복하고 싶습니다. 정말 행복하고 싶습니다."

조창원의 소록도 연가

2007년 3월 방송

조창원의 소록도 연가 2007년 3월 방송

소록도와 나

나는 1961년 소록도에서 태어났다. 부친이 소록도 국민학교에서 근무하시던 중 내가 세상에 나온 것이다. 아버지는 당시 〈동아일보〉와 〈사상계〉를 구독하시다 교육 당국의 눈 밖에 났고 더구나 1960년 3.15 대통령 선거 때 '1번 후보'를 지지하지 않았다는 이유로 소록도로 좌천되셨다고 한다. 우리 가족은 아버지의 전근으로 내가 첫돌을 지나기도 전에 소록도를 떠났기 때문에 나는 그 섬에 대한 어릴 적 기억이 전혀 없다.

섬 모양이 작은 사슴을 닮았다고 해서 이름 붙여진 '소록도'.
아름답다. 그래서 더 슬퍼보이는 것일까?

가끔 부모님께서 소록도 얘기를 하셨는데 "무척 아름다운 섬이었다. 특히 소록도 해수욕장은 모래가 곱고 물이 맑았다. 해산물 등 먹을 게 참 많았다. 섬이었는데도 당시에 전기가 들어왔다. 매년 봄, 가을에 있었던 한센인들의 운동회를 일반인 지역 거주자들이 구경하기도 했다. 남들은 좌천이라고 했지만 더 오래 머물고 싶었다…" 주로 이런 회고담 들이었다.

그 후 이청준의 소설 『당신들의 천국』을 읽었고 취재차, 또는 소풍 삼아 소록도를 몇 차례 방문하기도 했는데 그 섬에 대한 전반적인 인상은 우선 슬프고, 다음은 아름답다는 것이었다.

그러던 중 한 잡지에 소설 『당신들의 천국』의 주인공인 조창원 전 소록도병원 원장이 소록도에 관한 그림을 연작으로 그리고 있다는 기사가 조그맣게 실렸다. 자료를 찾아보고 그가 소록도와 관련된 시도 여러 편 썼다는 사실을 알게 됐다. 그가 그린 그림과, 쓴 시를 중심으로 소록도 이야기를 풀어내면 한 편의 프로그램이 될 것 같았다.

소록도와 조창원 원장

서울 조창원 원장의 집에서 그를 처음 만났다. 팔순의 노인, 그러나 그에겐 육군 대령 출신의 강단진 모습이 아직 그대로 남아 있었다.

취재팀이 방문했을 때 그는 캔버스 위에 백로 두 마리를 그리고 있었다. 40여 년, 그 오랜 세월 동안 소록도 환자들과 함께 해오다가 달포 전, 그러니까 2005년 11월, '나이가 들어가면서 하는 일도 없이 괜히 병원에 부담을 주기 싫다' 며 편지 한 장 달랑 남기고 홀연히 고국 오스트리아로 떠나버린 마리안느 수녀와 마가렛 수녀의 모습을 두 마리 백로로 표현한 것이었다. "그녀들의 아름다운 마음을 순백색으로 표현해야 하는데 색깔이 잘 안 나온다"며 그는 속상해했다. "백로 연작을 그려 언젠가 조그마한 전시회라도 한 번 열어볼 계획"이라고도 했다.

그중 한 사람인 마리안느 수녀가 소록도 병원 개원 100주년(2016년 5

왼쪽 소록도에 관한 연작 그림을 그리는 조창원 전 소록도병원장.
오른쪽 한센인을 보살피고 있는 마가렛(왼쪽)과 마리안느(오른쪽) 수녀.

월 17일)을 맞아 지난 4월 말 소록도를 다시 찾았다. 소록도를 떠난 지 11
년만의 방문이었다. 마가렛 수녀는 건강이 좋지 않아 동행하지 못했다.
마리안느 수녀의 방문 소식을 조창원 원장도 들었는지 궁금하다.

조창원 원장이 소록도와 처음 인연을 맺은 것은 지난 1961년 9월, 내
가 그곳에서 태어난 연도와 월까지 같다. 이것도 인연인지…

5.16쿠데타 직후여서 그런지 현역 군인, 그것도 대령 계급장을 단 새
원장이 부임한다는 소식에 소록도 사람들은 내심 잔뜩 긴장하고 있었다.
그러나 신임 원장은 병원 직원들의 환대에 오히려 역정을 낸다.

조원장을 주인공 삼은 이청준의 소설 『당신들의 천국』중 한 대목을
보자. 이 소설에서 주인공의 이름은 조백헌이다.

"저 사람들 다 뭐요? 웬 자동찰 다 끌고 나왔소?" 선창까지 마
중 나온 병원 직원들과 자동차를 보고는 못마땅한 듯 머리를 절레
절레 흔들었다.

군인이라기보다는 의사로서, 그것도 자원해서 온 마당에 병원 직원들

의 분에 넘치는 환대가 그로서는 부담스러울 수밖에 없었던 모양이다.

조창원 원장이 취재팀과 함께 소록도를 다시 찾았다. 지금이야 소록대교가 개통돼 차로 건너 올 수 있지만 그때만 해도 다리공사가 한창 진행 중이어서 녹동항에서 배를 타야 했다.

조원장과 반갑게 만난 김명훈 원생자치회장도 두 수녀의 갑작스런 귀국을 첫마디로 꺼냈다. "두 수녀님이 정부로부터 받은 보상금마저 소록도병원에 남기고 떠났다"며 몹시 아쉬워했다. 조원장은 자치회실에서 많은 원생(소록도에서는 환자나 주민들을 원생이라 부른다)들을 만났다. 평소 아는 얼굴들인지 서로 부둥켜안고 반가워했다. 원생들은 나에게도 악수를 청했다. 나는 손가락이 없는 그들의 뭉툭한 손목을 잡고 흔들어야 했다.

우리나라 한센병 치료의 중심이라고 할 수 있는 소록도 병원은 주로 한센병 후유증 환자에 대한 재활치료를 담당하고 있다. 취재 당시 700여 명의 환자들이 소록도에서 생활하고 있었다.

조창원 소록도병원장 취임식(1961년 9월).

조창원 원장이 병원장으로 취임하던 1960년대만 해도 소록도에서 생활하던 한센인들은 6,000여 명에 달했다. 당시에도 환자들은 여전히 병마와 사회적 편견을 견디며 하루하루를 살아가고 있었다.

그러나 일제강점기에 그들이 겪어야 했던 고통에 비하면 훨씬 나아진 편이었다. 1940년대에 이미 'DDS' 같은 치료약이 개발돼 한센병도 완치될 수 있다는 사실이 밝혀졌는데도 그들에 대한 냉대는 계속됐다.

당시 한센인들의 삶의 모습은 조창원 원장의 그림과 시속에서도 잘 드러난다. 그가 그린 「제비선창」이라는 그림 위에 그의 시 「수많은 황령(荒靈)」을 스크롤로 올렸다.

비탄의 파도에 울고
밀물타고 몰려드는 원(怨)
썰물타고 밀려가는 한(恨)
갈매기 떼 지어 대신 우는
한원(恨怨)의 제비선창
90년 비운의 역사
구라선에 묻고
천형원한 울고파
찾아드는 혼령의 선창
제비선창

'제비선창'은 과거 육지에서 끌려온 한센병 환자들이 처음 딛는 소록도 선창의 이름이다.

사실 조창원 원장의 그림이나 시는 아마추어와 프로의 중간 어디쯤의 수준이다. 완벽하지는 않지만 그래서 더 진정성이 느껴지는지도 모르겠다.

소록도가 한센인들의 달갑잖은 고향이 되기 시작한 것은 지금으로부

「제비선창」 조창원 作.

터 딱 100년 전인 1916년부터였다. 조선총독부는 그해 한센 환자 치료소를 소록도에 설치한다는 내용의 부령을 내리고 공권력을 동원해서 섬의 5분의 1을 매입한다. 이듬해, 일제는 소록도 자혜원을 설립하고 전국의 한센병 환자들을 강제 수용하기 시작한다.

기후가 온화하고 식수가 풍부할 뿐만 아니라 육지와 가깝다는 이유로 소록도가 선택된 것이다.

일제강점기, 소록도 원생들은 벽돌 생산, 가마니 짜기, 송진 따기, 토끼 가죽 벗기기 등 온갖 강제 노역과 굶주림에 시달려야 했다. 병 치료는 둘째 치고 오히려 다른 병까지 얻는, 참으로 고통스러운 하루하루를 견뎌내야 했던 것이다.

과거, 한센병 환자는 3번 죽는다고 했다. 소록도로 격리되는 사회적 죽음이 첫 번째라면 '천형'의 삶을 마감하는 생물학적인 죽음이 두 번째요, 주검마저 해부되는 것이 치욕의 죽음, 즉 세 번째 죽음인 것이다.

한때 악명을 떨쳤던 '감금실'을 조원장과 함께 둘러봤다. 지시에 따르지 않거나 도망가다 붙잡혀온 원생들을 가뒀던 곳이다. 한쪽에는 검시실과 단종실이 자리하고 있었다. 대리석 검시대가 아직도 옛 모습 그대로 남아 있었다. 검시나 수술 과정에서 흘린 피를 한 곳에 모으기 위해 파 놓은 홈이 섬뜩했다.

감금실에 붙잡혀 들어온 원생들 중 상당수가 형기와는 별도로 단종실에서 강제 단종 수술을 받아야 했다. 이른바 소록도 공화국의 질서를 해치는 원생들은 2세를 생산할 자격도 없다는 인권유린의 생생한 현장인 것이다.

조창원 원장은 강제로 단종 당한 한센인들의 통한을 「익지 않은 열매」라는 제목의 시에 담았다.

> 인간으로서 존재하는 기쁨
> 황령의 바다에 수장하고
> 순 잘린 동백
> 어머님께 사죄하고
> 허공 속에 방황하는
> 동박새를 부른다
> 아! 슬프도다
> 얼마나 더 울어야
> 동박새 날아와
> 서둘러 꽃피우려고 노래할까

수탄장(愁嘆場), 말 그대로 근심과 탄식의 장소이다. 조원장이 부임하기 전까지만 해도 환자 부모와 미감아, 즉 한센병에 감염되지 않은 자녀들은 한 달에 한 번씩 수탄장에서 눈물의 상봉을 해야 했다. 병이 옮는다며 부모와 아이들은 길을 사이에 두고 도열해 (바람방향은 항상 미감아쪽에서 부모 쪽으로) 서로의 얼굴만 바라볼 수밖에 없었다. 이 장면을 나는 「수탄장의 슬픔」이라는 그의 그림 위에 같은 제목의 시를 올려 처리했다.

바람도 구름도 새도
올 수 없이 막아버린
격리된 유배지에
성도 이름도 호적도 없는
허수아비올시다
그러나 죄명은 미감아
참으로 어처구니없는
용서받지 못할 장난에
희생된 영혼이올시다

조창원 원장은 이런 비인간적인 면회 방식을 즉각 폐기하고 보육소에서 부모 자식들이 서로 자유롭게 만날 수 있게 했다.

수탄장 근처에 있던 보육소 건물은 헐리고 없었지만 미감아들과 함께했던 즐거운 기억은 여전히 조원장의 뇌리 속에 생생하게 남아 있는 듯했다.

당시 호적이 없어서 상급학교 진학에 어려움을 겪고 있던 미감아들에게 '소록도 조씨'를 새로 만들어 그들의 앞길을 열어 준 것 역시 조원장으로서는 가슴 뿌듯한 기억 중 하나다. '창씨개명' 아래 '창씨' 정도라고나할까? 자신의 성을 딴 수백 명의 자녀들 중에는 사제가 된 사람, 교사가된 사람, 사업가가 된 사람, 의사가 된 사람도 있다며 그는 흐뭇해했다.

일제강점기에 조성된 중앙공원도 함께 둘러봤다. 소록도 한센병 환자들의 피와 눈물이 서려 있는 곳이다. 슬퍼서 더욱 아름다운 것인가? 소록도를 방문하는 관광객들에게 가장 인기 있는 장소가 바로 중앙공원이다. 인증 샷을 대개 이곳에서 찍는다.

2013년 다큐멘터리 〈하늘에서 본 남도〉를 제작할 때 나는 중앙공원의 봄 풍경을 항공 촬영해 편집해 넣었다. 하늘에서 본 중앙공원은 특히 아름다웠다. 나는 중앙공원을 찾는 사람들이 공원의 아름다움만 보고 갈 것이 아니라 이곳에 서려 있는 한센인들의 슬픈 역사도 함께 마음속에 담아가기를 바란다.

공원의 중앙에는 4대 '수호' 원장의 동상 받침대가 아직도 남아 있다. 해방 직후 원생들이 동상을 철거해 버렸지만 그의 악행을 영원히 기억하자는 의미로 받침대만큼은 그대로 남겨 놓았다고 한다. 원생들의 증언에 의하면, 수호 원장은 원생들에게 성금을 강제 징수해 자신의 동상을 세우고 매일 참배를 강요했다고 한다.

'이런 미××' 이란 말이 목구멍에서 치밀어 오르지만 참겠다. 히틀러조차도 자신의 동상을 만들어 독일인들에게 참배를 강요했다는 말을 나는 들어본 적이 없다. 그렇다고 히틀러가 훌륭한 사람이라는 뜻은 결코 아니다.

1942년 6월 어느 날, 원장 자신에 대한 참배 강요와 끊임없는 강제노역에 불만을 품고 있던 이춘상이라는 청년이 동상 앞에서 수호 원장을 살해하는 사건이 일어난다. 그해 8월, 그는 원장 살해 죄로 사형 언도를 받고 스물일곱, 짧은 생을 마친다.

이 사건 역시 조원장은 그림과 시로 기록했다. 「이춘상 사건」, 「호송되어가는 이춘상 열사」라는 제목의 그림과 「복수」, 「교수형을 기다리며」라는 시이다.

한때 수호 원장이 올라서서 연설도 하고 참배도 받던 널찍한 바위, 지금 그곳에는 한센인 시인 한하운의 시 「보리피리」가 새겨져 있다.

시인(詩人)이라는 한자는 조창원 원장이 직접 썼고 나머지 시는 솜씨 좋은 원생이 새겼다. 소록도 한센인들을 괴롭혔던 일본인 원장의 흔적을 한센인의 시로 보기 좋게 지워버린 것이다.

자혜원 건물 옆에 세워져 있는 제2대 '하나이' 원장의 창덕비, 1921년부터 8년 동안 재임하면서 환자들에게 베푼 선정을 기리기 위해 원생들이 돈을 모아 그가 죽은 다음 해인 1930년에 세웠다. 그런데 이 비는 해방 직후, 일제 잔재 청산이라는 이유로 땅 속에 묻히고 마는데, 조창원 원장이 소록도 병원장으로 부임하면서 다시 파내 세웠다고 한다. 악에는 저항하고, 일본인이지만 고마운 사람은 끝까지 기억하는 한센인들의 순수하고 아름다운 마음이 묻어나는 장면이다.

소록도 뒷산 중턱에는 '경천애인 탑'이 세워져 있다. 소록도 원생들이 조창원 원장의 병원장 취임을 기념해 1962년에 세웠다고 한다. 그는 탑 앞에서 무척 쑥스러워했다. "탑에 새겨진 내용대로 병원을 운영하고 환자들을 대했는지 자신이 없다"고도 했다.

일제강점기, 누구보다도 고통스런 세월을 보냈던 소록도 한센인들에게도 해방은 찾아왔다. 그러나 해방과 함께 더 큰 비극이 원생들을 기다리고 있었다.

1945년 8월 22일 의사와 환자, 그리고 직원 간의 세력다툼 과정에서 치안유지대가 들이닥쳐 원생들만 골라 무차별 학살한 것이다. 섬 곳곳에서 자행된 무차별 학살로 억울하게 희생된 한센인들의 숫자는 확인된 것만도 84명, 치안유지대는 시신에 송탄유를 부어 불태웠다고 한다.

소록도병원 앞에는 애환의 추모비가 세워져 있다. 왜 죽어야 하는지도 모른 채 학살당한 희생자들의 넋을 위로하기 위해 지난 2001년, 조창원 원장을 비롯해 많은 사람들이 힘을 모아 학살의 현장에 추모비를 세운 것이다.

이 사건 역시 조원장은 그림으로, 시로 기록했다.

그리고 전쟁, 수많은 사람들이 전쟁과 이념 갈등 속에서 희생됐다. 한센인들도 예외는 아니었다.

국가인권위원회가 파악한 한센인 학살 사건은 모두 10건, 그중 1957년 8월, 농토를 개간하기 위해서 경남 사천의 비토섬에 들어간 한센인

그림 「이춘상 사건」과 시 「복수」.

30여 명이 섬 주민들에게 학살당한 사건이 유일하게 사건 기록에 남아 있을 뿐이다.

　이 슬픔을 조창원 원장은 「비토섬의 대학살」이라는 그림과 시로 애도했다.

> ......
> 돌에 맞아 한 송이
> 죽창에 찔려 한 송이
> 지순한 꿈 펼쳐보지 못하고
> 낙엽처럼 떨어지는
> 하얀 민들레 스물여섯 송이
> 푸른 하늘에 두 손을 높이 들고
> 구원의 노래 부르며
> 푸른 파도 속으로 사라진다

오마도 간척사업

일제강점기는 물론 해방과 전쟁의 와중에서 누구보다도 고통스런 세월을 보내야 했던 소록도 한센인들, 절망과 체념을 천형처럼 안고 살아온 그들에게 조창원 원장은 뭔가 새로운 희망을 불어넣어 주고 싶었다. 그래서 생각해낸 것이 바로 오마도 간척사업이었다.

소록도 인근 고흥군 봉암반도와 풍양반도 사이의 바다를 2,800미터 길이의 둑으로 막아 330만 평의 농토를 일궈내자는 원대한 계획이었다. 그의 말이다.

> 한센인들이 뿌리를 박고 살, 제2의 고향을 함께 만들자. 그곳에
> 서 결혼도 하고 자식도 낳아 학교도 보내고 하기 위해서 오마도 간
> 척 사업을 계획했다.

그는 오마도에서 퍼 온 흙을 신주단지 모시듯했다. 서울에 있는 그의 집에는 오마도 흙을 담은 병 몇 개가 진열돼 있었다. 죽을 때 가져갈 흙이라고 했다. 취재팀에게도 뚜껑을 열어 자랑스럽게 보여줬다. 북에 고향을 두고 온 그로서는 제2의 고향으로 점찍어둔 오마도에 대한 애정이 그만큼 각별했으리라.

오마도 간척사업 계획이 공사현장 인근 마을 사람들의 반대에 부딪혀 한때 무산될 위기를 맞기도 했지만 조원장의 끈질긴 설득이 그들의 마음을 움직였고 1962년 2월, 마침내 공사가 시작됐다.

변변한 공사 장비 하나 없던 그 시절, 병든 몸으로 흙과 돌을 실어와 드넓은 바다를 메우는, 참으로 고통스러운 작업이었지만 내 땅을 가질 수 있다는 한줄기 희망이 있었기에 소록도 원생들은 고된 하루하루를 견뎌낼 수 있었다.

「희망의 땅 오마도를 향해」라는 제목의 그림에 그의 시 「봄은 오는가」를 스크롤로 올렸다.

오마도 간척사업을 돕고 있는 국제대학생근로봉사대원(왼쪽)과 그림 「희망의 땅 오마도를 향해」, 시 「봄은 오는가」(오른쪽).

당신들의 천국에도 봄은 찾아오는가

땅에서 쫓겨나

한의 땅에서 살아보려는 원은

사람대접 받아보려는 희망은

바다에 돌을 던져

바다와 바닷물을 몰아낸

옥토 330만평의 영광의 땅

이 간척지는

나라의 영토를 확장한

우리들의 땅

......

1963년 여름에는 6개 나라 130여 명의 국제 대학생 근로 봉사대가 한 달 동안 오마도에 머물면서 간척사업을 도왔다. 근로봉사 대원뿐만 아니라 한하운 시인도 공사현장에 찾아와 시를 직접 써주기도 했다.

조창원 원장은 그들의 숭고한 뜻을 영원히 기억하고 한센인들에게 힘과 용기를 북돋아 준다는 의미에서 소록도 중앙공원 안에 구라탑을 세웠다. 중앙공원 한가운데에 서 있는 그 하얀색 탑이 조원장이 세운 것이라는 사실을 나도 처음 알았다.

소록도 축구단

이와 같이 주위의 따뜻한 관심과 도움도 적지 않았지만 공사기간이 길어지면서 오마도의 한센인들도 점점 지쳐가기 시작했다.

그래서 생각해낸 것이 소록도 축구단이었다. 외부에서 코치도 초청했다.

나도 축구를 무척 좋아한다. 직접 하는 것, 보는 것 다 좋아한다. 신체끼리 맞부딪치면서 공을 다투고 패스하고 골 망에 차 넣는, 그 원초적 몸놀림… 거기에다 축구공 말고는 특별한 장비가 필요 없고 한 번에 22명, 동네 축구인 경우 몇 명이라도 더 뛸 수 있는 그 포용성도 축구의 또 다른 매력이라고 할 수 있다. 그래서 세계인들이 그토록 축구에 열광하는지도

오마도 간척사업으로 지친 몸과 마음을 치유하기 위해 만들어진 소록도 축구단. 당시 소록도 축구단의 목표는 전국 체전에 출전하는 것이었다.

그림 「소록도 축구단」.

모른다. 나도 축구공만 보면 흥분하던 시절이 있었다. 중학교 때는 너무 흥분해 경기 중 팔이 부러지기도 했다.

당시 축구팀에서 공격수로 활약했던 윤세창 씨가 조창원 원장이 소록도에 왔다는 소식을 듣고 멀리 전북 익산에서 한걸음에 달려왔다. 축구로 이야기꽃을 피우느라 두 사람은 시간 가는 줄 몰랐다.

힘든 시절이었지만 윤세창씨는 '그래도 너른 운동장을 맘껏 누볐던 그때가 가장 행복했었다'고 말했다.

당시 소록도 축구단의 목표는 전국 체전에 출전하는 것이었다. 4개 팀이 참가해서 치른 고흥군 예선에서 소록도 축구단은 연전연승을 거뒀다. 무엇보다 뭍에 나가서 정상인들을 꺾었다는 사실에 소록도 주민들 모두는 열광했다.

그런데 문제가 생겼다. 광주에서 열리는 도 대표 선발전에 출전하려는 소록도 축구단을 고흥과 보성 경계 지역에서 경찰이 막아선 것이다. 고흥군 예선 때는 뭍에 나가 아무 탈 없이 경기를 치렀는데 광주에서의 결승은 안 된다는, 참으로 이해할 수 없는 조치였던 것이다. 조원장은 뚝심으로 이 난관을 극복해낸다. 그의 말이다.

결국 뚫고 나갔다. 광주에 있는 여관에서 우리 선수들을 안 받아 줘서 성당의 도움을 받아 그곳에서 숙식을 했다. 그런데 마지막 결승 상대팀이 육군 특수부대 팀이었는데 우리랑 시합을 안 하겠다는 거다. 그래서 내가 '안 하려면 우승컵 내놔라. 만일 전쟁 나서 김일성이가 38선에 나환자 세워두면 전쟁 안 할 거냐'며 호통을 쳤다.

그래서 어렵사리 경기가 치러졌다는 것이다. 신이 나서 옛 이야기를 하는 그의 모습은 마치 달리기 대회에서 일등을 하고 엄마에게 자랑하는 어린애처럼 달떠 있었다.

이규태는 그의 논픽션에서 당시 조원장의 모습을 이렇게 묘사했다.

군복 입은 한 고급장교가 라인 밖을 돌며 발악에 가까운 응원을 했다. '임마, 모두 똑같은 사람이야! 똑같은 축구선수란 말이야!' 이 장교는 고함을 치며 시든 투지에 불을 붙이며 뛰어 다녔다.

– 이규태의 논픽션 「소록도의 반란」 중

2:0 승리였다. 소록도 축구단이 당당히 전남 대표 팀으로 선발된 것이다. 나는 이 감격적인 장면에 「소록도 축구단」이란 제목의 그림과 같은 제목의 시를 올렸다. 배경음악도 아주 경쾌한 걸로 골라 넣었다.

열중 쉬어
쉰 채로 들어라
우리는 편견과 차별을 물리치고
힘들게 여기까지 왔다
우리는 이겨야 한다
꼭 이겨야 한다
왜냐
우리는 공을 차러 이곳에 온 것이 아니라
인권과 자유를 찾으러 왔다
발가락이 떨어져 없다
손가락도 떨어져 없다
솜을 꾹꾹 눌러
축구화 속에 처박고

2000년의 한과 설움을 차 부수어라
......

비록 전국체전 본선에서는 지고 말았지만 당시 소록도 축구단이 보여준 용기와 열정은 지금도 모든 이의 자부심으로 남아 있다.

조창원 원장이 천주교 신우회 사무실을 찾았다. 모두 다 반가운 얼굴들이다. 당시 선수로 뛰었던 원생이 조원장을 보자 또 소록도 축구단 얘기를 꺼냈다. 축구 얘기는 해도 해도 물리지 않은 모양이다.

땅을 빼앗기고

소록도 축구단의 승리를 뒤로 하고 오마도 간척사업은 그 후로도 계속됐다.

조창원 원장이 수십 년 만에 다시 오마도를 찾았다. 오마도 둑이 과거 육지와 바다 사이를 야멸차게 가르며 서 있었다. 2월의 바닷바람이 매서웠다. 조창원 원장이 무릎을 꿇고 언 땅에 엎드리더니 한참 동안 흐느꼈다. 온갖 회한이 일순간에 몰려든 모양이었다.

오마도 간척지 근처 이곳저곳에는 토석 채취로 제 모양을 잃어버린 섬이며 언덕들이 아직도 그대로 남아 있었다. 수천 한센인들의 피와 땀과 눈물의 흔적들인 것이다.

오마도 간척사업이 3년여 공사 끝에 약 80%의 공정률을 보일 즈음, 어처구니없는 일이 벌어졌다. 지역 국회의원 등 정치권이 결탁해서 사업을 정부로 이관해 버리고 만 것이다.

조창원 원장의 말이다.

돌과 흙만 쌓은 게 아니라 환자들 손가락, 발가락으로 쌓은 것이다. 세상에 이걸 빼앗는 일이 어디 있나. 정부가 예산 준 것도 아니고 내가 미국잉여물자 얻어다 한 것인데 이걸 빼앗아가?

　그 후 정부 주도로 간척 사업이 완공됐지만 소록도 한센인들에게는 단 한 뼘의 땅도 돌아오지 않았다. 오마도 간척지에 제2의 고향을 만들어 보겠다는 그들의 꿈이 하루아침에 물거품이 돼 버린 것이다.
　당시의 억울한 심정을 그는 「희망의 땅 오마도의 봄을 기다리며」와 「오마도에 뿌린 우리들의 피를 말리지 마소서」라는 시에 절절히 담았다.

　　　헌 걸레같이 살다
　　　헌신짝같이 버려지는 인생인데
　　　사람대접 받아 보려고
　　　고향의 땅을 만들어 보려고
　　　떨어져 나간 마지막 손가락에
　　　희망의 나래를 펼쳐 보았지만
　　　군정(軍政) 나팔 소리에 부러진 날개
　　　아! 신이여
　　　오마도에 뿌린 우리들의 피를
　　　말리지 마소서

　푸른 바다와 마을이 한눈에 내려다보이는 언덕 위에 자리잡은 만령당을 찾았다. 야만의 시절을 거치면서 지금까지 소록도에서 생을 마친 원생들이 영면하고 있는 곳이다. 만령당에는 당시까지 모두 10,409위가 안치돼 있었다. 매년 10월 15일, 이곳에서는 영령들을 위한 합동 추도식이 열린다. 조창원 원장은 만령당을 바라보면서 만약 원생들이 허락한다면 자신도 이곳에 함께 묻히고 싶다고 했다.
　오마도 간척사업과 관련해 국회에 불려 다니는 등 온갖 고초를 겪던 조창원 원장은 부임한 지 4년 만에 정들었던 소록도를 떠난다.

고흥군 봉암반도와 풍양반도 사이 2,800m를 잇고 있는 오마도 둑 위에 선 조창원 원장.

그 후 그는 결핵 전문 치료기관인 국립마산병원과 부산재활병원에서
일하게 된다.

다시 소록도로

그가 꿈에도 그리던 소록도로 다시 돌아온 것은 1970년 봄, 섬을 떠
난 지 6년 만에 다시 환자 곁으로 돌아온 것이다.

병원장으로 재 취임하면서 그는 무엇보다 먼저, 빼앗긴 오마도 간척
지를 되찾아오는 일에 적극 나선다. 그러나 그를 돕던 지역 국회의원이
임기 중에 갑자기 사망해 버리자 오마도를 되찾는 일 역시 포기할 수밖
에 없었다.

흐뭇한 기억도 있다. 당시 소록도 환자들을 위해 헌신하던 오스트리
아 출신 세 수녀의 공적비를 그가 손수 디자인해서 공원 한쪽에 세운 것
이다. 다행인 것은 얼마 전 소록도를 떠난 마리안느 수녀와 마가렛 수녀

의 이름도 그 공적비에 새겨져 있다는 점이다.

병원장의 임기를 마친 그는 그 후 강원도 탄광촌 등지에서 환자들을 돌본다.

당시 소록도에서는 한센인과 간호사가 결혼하는 일이 가끔 있었는데 신랑, 신부의 요청으로 조창원 원장이 소록도에까지 내려와 몇 차례 주례를 서기도 했다. 그러나 그들은 세상이 축복하는 결혼식을 올릴 수 없었다.

당시의 안타까움은 「스스로 차별과 멸시의 거미줄에 걸린 천사들」이라는 제목의 그림과 「소록도 천사들 결혼의 말로」라는 시에 고스란히 녹아 있다.

> 신이 주신 선물
> 사랑 하나만을 움켜쥐고
> 장밋빛 꿈속에서
> 하얀 나비가 되어
> 분홍색 노래를 불렀습니다
> 흰 빛을 마시며
> 사랑을 밝히는
> 청실홍실의 뜨거운 입맞춤은
> 어머니가 날 버리고
> 아버지가 날 쫓으니
> 세상이 나를 버립니다
> ......

한센인과 사랑에 빠진 간호사를, 세상의 편견이라는 사슬에 묶여 날지 못하는 한 마리 나비에 비유한 시구가 애잔하다.

소록도를 떠나 있는 동안에도 그는 시와 그림으로 끊임없이 소록도와 만났다. 1990년대 중반부터 그는 본격적으로 소록도의 애환을 담은 시와 그림을 쓰고 그리기 시작한다. 몇 차례 전시회도 열었다. 1995년에는 대전에서 '소록도의 빛과 어둠'이라는 제목의 개인전을 열었고 이듬해에는 일본 왕실의 후원으로 도쿄 한센 환자 기념관에서 전시회를 열기도 했다. 조원장은 당시 전시됐던 작품 모두를 기념관에 기증했다.

일본과 관련해 생각나는 것이 한 가지 더 있다. 지난 2004년 2월, 한국으로 말하면 민변(민주사회를 위한 변호사모임) 계열의 일본인 변호사 10명이 이상갑 등 한국민변소속 변호사들과 함께 소록도를 방문했다. 일제 치하에서 소록도 한센인들에게 가해졌던 각종 인권침해에 대해 일본 정부를 상대로 배상을 청구하기 위해서였다.

그즈음 후배와 함께 〈PD 르포 줌인〉이라는 주간 시사 프로그램을 제작하고 있던 나는 '도쿠다' 등 일본인 변호사들의 당시 활동을 취재해 25분 정도 방송했다. 며칠 동안 소록도에 머물면서 원생들 모두를 인터뷰해 피해 사실을 꼼꼼하게 조사하던 그들의 겸손하고 열성적인 모습이 지금도 잊히지 않는다. 일본 변호사들은 그 후 몇 차례 더 소록도를 방문해 조사활동을 벌였다. 국립소록도병원 개원 100주년을 1주일 앞둔 지난 5월 10일, 마침내 일본 정부는 1945년 이전에 이뤄진 한국 국적 한센인 강제격리에 대한 피해보상(590명 대상)을 완료했다.

질문을 우리에게 돌려보자. 베트남 전쟁 당시 베트남 민간인에 대한 한국군의 가해사실을 한국 변호사가(아니면 누구라도) 조사해 우리 정부를 상대로 배상을 청구할 수 있을까? 그럴 수 있을 때 비로소 우리는 세계와 역사 앞에 떳떳할 수 있을 것이다.

일본인 변호사들이 소록도에서 조사활동을 하던 당시, 국내에서도 여야 국회의원 62명이 공동 발의해 해방 이후 한센인들이 당한 피해 사건의 진상을 규명하기 위한 '한센인 특별법'이 국회에 상정되었다. 2006년 말에는 국가 인권위원회의 '한센인 인권실태조사 보고서'도 나왔다. 그래서인지 조창원 원장의 국가인권위원회에 대한 기대와 애정은 각별했다. 지난 2006년 그는 한센인들에 대한 계속적인 관심을 부탁하면서 그가 그린 소록도 그림 6점을 국가인권위원회에 기증했다. 그중 한 점 (소록도 소나무)은 취재 당시 위원회 입구 로비에 걸려 있었다. 지금도

소록도 한센인과 간호사간의 사랑은 세상의 편견으로 결실을 맺지 못하는 경우가 많았다.

그 그림이 그 자리에 걸려 있는지 궁금하다.

뿐만 아니라 조원장은 정부에서 개최하는 한센인 관련 회의나 조사 활동에도 빠짐없이 참석했다. 조창원 원장의 마지막 소원이 있다면 생존 한센인들이 그간의 설움과 차별을 딛고 여생을 어깨 쭉 펴고 살아가는 날을 보는 것이었다.

그러나 한국 정부는 1945년 해방 이후 벌어진 단종, 낙태에 대한 법원의 잇단 국가배상 판결에 대해 항소, 상고로 일관하면서 책임을 회피하고 있다.

이청준은 "소설 『당신들의 천국』 속의 조원장과 한센인들이 지금도 세상을 향해 뭔가를 이야기하고 있는 한 소설은 아직 끝난 것이 아니다"라고 말했다.

우리가 이청준 작가를 취재하러 경기도 일산에 갔을 때 그는 "건강이 좋지 않아 인터뷰를 사양하려고 했지만 취재팀이 고향에서 일부러 왔고, 조창원 원장과 관련된 내용이라 기꺼이 응한다"고 했다. 그리고 프로그램이 방송된 지 1년 만에 우리 곁을 떠났다.

에필로그

프로그램의 마지막은 소록도 해수욕장을 배경으로 연출했다. 조창원 원장이 멀리 오마도 간척지를 바라보며 해변을 걷는 장면을 슬로우로 편집했다. 「아디에무스」의 BG 음악 위에 얹힌 성우 김상현의 목소리가 에필로그에 썩 잘 어울렸다.

젊은 시절, 소록도와 맺은 두 차례의 인연이 그에겐 아름다운 족쇄가 돼버렸다. 한때 그는 '당신들만의 천국'을 '우리 모두의 천국'으로 만들기 위해서 무던히 애썼다. 그러나 강퍅한 세월이 이마저도 허락해 주지 않았다.

항상 빼앗기고 억눌려 왔던, 그래서 더 애처롭고 아름다운 섬 소록도와 사랑하는 사람들이 이곳에 있는 한 그는 결코 섬을 떠날 수 없다.

조창원 원장을 만난 지 벌써 10년의 세월이 흘렀다. 올해 90세, 살아 계시다면 그분의 건강을, 만약 돌아가셨다면 명복을 온 마음으로 기원한다.

그 섬에 간 사람들

2009년 5월 방송

그 섬에 간 사람들 2009년 5월 방송

독도의 이름을 전라도 사람이 붙여줬다고?

2009년 2월 경, 호남대학교에서 전국을 돌며 독도수호특별전을 열고 있다는 소식을 들었다. 우리 땅 독도수호는 대한민국 국민이라면 누구나 발 벗고 나서야 하는 일이기는 하지만 왜 경상북도 소재 대학이 아니라 하필 광주에 있는 대학에서 그런 전시회를 열고 있는지 조금 의아했다.

그래서 평소 잘 아는 그 대학 홍보실장에게 전화를 했다. 그가 물었다. "전남 고흥군 금산면에 독도라는 이름의 섬이 있다는 걸 아는가, 이

이규원의 『울릉도 검찰일기』.

규원의 『울릉도 검찰일기』를 아는가?"

사실 나는 독도가 동해에만 있다고 생각했고 이규원의 일기는 금시초
문이었다. 그가 설명을 덧붙였다. "동해의 섬, 그 독도 이름을 전라도 사
람들이 붙여줬다"고.

구미가 확 당겼다. 올해 5월 창사특집은 바로 이거다! 울릉도, 독도와
호남과의 관계를 조명해보고, 더불어 독도를 탐하는 일본 정부의 억지주
장을 논리적으로 반박하는 기회로 삼는다면 한 편의 역사 다큐멘터리가
될 것 같았다.

시간이 얼마 남지 않았다. 나는 작가와 함께 관련 자료를 조사하기 시
작했다. 먼저 가장 빨리 확보해야 할 자료는 이규원의 『울릉도 검찰일
기』 전문이었다. 수소문 끝에 어렵사리 검찰일기 사본을 구했다.

이규원의 『울릉도 검찰일기』

1881년 고종 18년, 7명의 왜인이 울릉도에 불법입도해서 벌목행위를
하다 조선 수토사에게 적발됐다. 보고를 받은 고종은 이듬해 이규원 검
찰사를 울릉도로 보내 그곳의 상황을 보고하도록 명을 내린다. 이 장면
은 연극배우를 분장시켜 화면을 구성했다.

검찰사(檢察使)란 옛 수토사(守土使)의 새 이름이다. 열흘간의 조사
결과 나온 것이 바로 『울릉도 검찰일기』이다. 조선정부가 그동안의 수토
정책을 포기하고 울릉도 개척을 결정하게 한 역사적인 기록인 것이다.

우리가 이 기록에 주목하는 이유는 이규원 검찰사가 울릉도를 검찰
할 때 만났던 조선사람 중 거의 대부분이 울릉도와 가까운 경상도나 강
원도 사람이 아닌, 전라도에서 온 사람들이었기 때문이다.

조선시대뿐만 아니라 통일신라, 고려시대부터 누대의 왕조들은 도서
지역에 대해 공도정책과 수토정책을 번갈아 써왔다. 공도정책(空島政策)
이란 말 그대로 섬을 비우는 정책이다. 외적이 섬을 본토침략의 근거지

1881년, 고종은 이규원 검찰사에게 울릉도에 불법 입도한 왜인의 동향을 파악, 보고하라고 명한다.

로 삼지 못하도록 아예 섬을 비워 버리는 것이다. 수토정책(守土政策)이란 도서지역을 정기적으로 감찰함으로써 외적으로부터 국토를 지키는 정책을 말한다.

PD, 작가, 카메라 감독, 카메라 보조, 호남대학교 역사문화학과 김기주 교수. 이렇게 다섯 명으로 팀을 꾸리고 본격적인 취재에 들어갔다.

검찰사 일행의 역정을 따라서

울릉도의 역사가 곧 독도의 역사라고 믿고, 우리는 우선 이규원 검찰사의 행적을 그대로 따라가 보기로 했다.

포항에 도착했을 때 풍랑 때문에 울릉도행 여객선의 발이 묶였다는 사실을 알았다. 3, 4월에는 자주 있는 일이라고 했다. 취재팀은 논의 끝에 울릉도와 독도를 다녀온 후 취재하기로 했던 구산포로 차를 몰았다. 취재 현장에서 상황변화에 따라 갑자기 계획을 바꾸는 것을 우리는 '현장 박치기'라고 말한다.

어려운 형편에도 때가 되면 찾아오는 수토사 일행을 접대해야 했던 구산포 지역 주민들의 희생 정신은 울릉도 개척과 독도수호의 역사에 반드시 기록돼야 할 것이다.

경북 울진군 구산포는 1882년 4월 27일 이규원 검찰사 일행이 울릉 도행 배를 타기 위해 도착한 포구이다. 이곳에 있는 대풍헌(待風軒)은 철 종 2년에 지어졌는데 취재팀이 도착했을 때는 복원 공사가 한창이었다. '바람을 기다리는 집' 이란 뜻의 대풍헌에 머무르면서 수토사 일행은 울 릉도로 떠날 준비를 한 것이다.

출항 전까지 100명이 넘는 수토사 또는 검찰사 일행을 먹이고, 재우 고, 수발들던 구산포 주민들의 활동내역은 1823년 작성된 「수토절목」에 상세히 기록돼 있다. 검찰사 일행이 울릉도에서 돌아왔을 때도 주민들은 일정 기간 그들에게 편의를 제공해야 했을 것이다. 주민들의 부담이 너 무 크다는 것을 알고 그 후 조정에서도 지원방안을 마련해 백성들의 부 담을 줄여줬다. 어려운 형편에도 때가 되면 찾아오는 수토사 일행을 접 대해야 했던 지역 주민들의 희생정신은 울릉도 개척과 독도수호의 역사 에 반드시 기록돼야 할 것이다.

1882년 4월 29일, 102명의 조사단은 3척의 배에 나눠 타고 구산포를 출발, 울릉도로 향한다.

이 프로그램에는 범선항해 장면이 자주 나오는데 모두 CG로 처리했다.

구산포 취재를 마치고 우리는 다시 포항으로 내려왔다. 다행히 다음 날은 울릉도행 여객선이 떴다.

폭풍 뒤끝이 더 무섭다고 바닷바람이 만만치 않았다. 배가 항구를 떠난 지 얼마 후부터 여기저기에서 신음소리가 들려오기 시작했다. 배 멀미였다. 객실 TV에서는 마침 김연아 선수가 참가한 세계피겨스케이팅대회 결승전이 생중계되고 있었다. 김연아가 당당히 우승했다. 객실은 일순간에 축제분위기로 변했다. 대-한-민-국을 외치는 승객도 있었다. 그 시각, 화장실 주변에는 수많은 사람들이 멀미를 하거나 지쳐서 널부러져 있었다고 한다. 작가의 전언이었다. 자신도 그랬다며.

풍랑 탓에 울릉도까지 평소 3시간 걸리던 뱃길이 4시간이 넘게 걸렸다. 천신만고 끝에 울릉도 도동항에 도착한 취재팀은 숙소에 짐을 푼 후 도동항 근처의 풍경을 스케치했다.

이규원 검찰사 일행이 4월 30일 오후에 도착한 곳은 울릉도 소황토구미, 지금의 학포였다. 이규원 검찰사는 바닷가 바위에 자신의 이름을 크게 새긴다. 140여 년이 지난 당시에도 그 글자는 선명하게 남아 있었다.

그가 바위에 이름을 새긴 것은 북한의 김씨 일가가 명승지 암벽에 이름을 새겨 넣거나 일부 얼빠진 관광객들이 똑같은 짓을 하는 그런 '치기'와는 다르다. 일종의 증거 남기기였다. 당시 울릉도에 다녀온 검찰사들은 바위에 이름을 새기는 것 말고도 반드시 울릉도산 향나무와 황토를 가져와 왕에게 보고할 때 함께 제출해야 했다. 울릉도에 다녀오겠다며 출장을

이규원 검찰사 일행이 1882년 4월 30일 오후에 도착한 곳은 울릉도 소황토구미, 지금의 학포였다. 이규원 검찰사는 바닷가 바위에 자신의 이름을 크게 새긴다.

끊어 놓고 다른 데 가서 며칠씩 놀다 오는 검찰사도 있었던 모양이다.

이규원 검찰사가 울릉도에서 열흘 동안 조사활동을 하면서 만난 조선 사람은 모두 141명이었는데 전라도 사람이 대부분이었다.

『울릉도 검찰일기』를 보면 검찰사 일행이 소황토구미에 처음 도착한 날 만난 조선 사람도 흥양 삼도, 즉 지금의 거문도 사람 김재근과 13명의 격졸들이었다. 그들은 해변에 막사를 치고 배를 만들거나 미역을 채취하고 있었다.

그날 배 안에서 휴식을 취하던 이규원 검찰사 일행은 갑자기 풍랑이 일자 배에서 내려 전라도 사람 김재근의 움막에서 밤을 보낸다. 당시 상황을 이규원은 검찰일기에 이렇게 적었다.

> 5월 초하루, 병술 바람 불고 파도침
> 산신에게 기도하고 신당에서 고사를 지냈다.
> 세 척의 배에 매어 있던 닻줄이 끊어지려 했다.
> 뱃사람이 크게 놀라 떼지어 소리치니 나도 놀라 배 밖으로 나
> 갔다.
> 막인이 비축해둔 닻줄을 꺼내 배를 매어 위기를 모면했다.
> – 『울릉도 검찰일기』 중

여기서 막인이란 김재근 일행을 말한다.

검찰 이틀째, 이규원 일행은 학포를 출발해 대황토구미, 즉 지금의 태하로 향한다. 태하는 이규원 등 당시 조선 수토사들의 행적이 가장 많이 남아 있는 곳이다. 황토가 많이 나는 포구라는 의미의 대황토구미에서 검찰사 일행은 황토를 채취한다. 취재팀이 보기에도 이곳의 황토 색깔은 그동안 봐오던 색깔과는 전혀 달랐다. 붉은 핏빛이었다.

이곳에서 이규원 일행은 23명의 조선 사람들을 만난다. 평해 출신 최성서와 격졸 13명, 약초를 캐고 있던 경주 사람 7명, 연죽을 벌목하고 있

던 연일 사람 2명이 그들이었다. 조선 사람들을 반갑게 만난 이규원 일행은 태하마을에 있는 신당에 들러 제를 지냈다.

취재 중 때마침 이곳 신당에서는 온 마을 사람들이 모여 올해 첫 신당제를 지내고 있었다. 조선 태종 때부터라니 수백 년째 이어오는 제사였다.

태하마을 입구에는 '광서각 각석문'이 세워져 있었다. 조선후기 서경숙, 심순택, 이규원, 조준성 등 울릉도를 수토하고 개척하는 데 공이 큰 사람들을 기리기 위해 1890년 우의정을 지낸 손주영이 세운 것이라고 한다.

이규원 검찰사 일행이 10일 동안 뱃길과 도보로 울릉도를 샅샅이 검찰하고 작성한 지도가 외도(外圖)와 내도(內圖)이다. 해상일주를 마치고 그린 지도가 외도라면 육로순찰의 결과 작성된 것이 내도이다. 마치 새가 공중에서 내려다본 것처럼 울릉도의 여러 모습이 세밀하게 그려져 있다. 우리는 이 귀중한 두 장의 지도를 이규원 검찰사의 증손녀 이혜원 동국대학교 교수로부터 제공받아 촬영했다.

취재팀도 이규원 검찰사가 그랬듯 울릉도를 시계방향으로 한 바퀴 돌면서 검찰일기에서 언급된 지역을 순서대로 촬영했다.

나와 카메라 감독은 미리 섭외해 둔 오징어 배에 타고 촬영보조 겸 기사, 작가, 자문교수는 차에 남았다.

초봄, 동해의 바람은 매서웠다. 뱃전을 때리는 2~3미터의 파도, 앞뒤좌우로 흔들리며 나아가는 배 위에서 울릉도의 외관을 촬영하는 일은 쉽지 않았다. 나는 카메라 감독의 허리를 받쳐주면서 중심을 잡을 수 있도록 필사적으로 도왔다. 그 모습을 누군가 봤다면 아마 가관이었을 것이다.

배가 송곳바위 근처에 다다랐을 때 여기저기서 뭔가 터지고 깨지는 소리가 들렸다. 배에 줄줄이 매달려 있던 집어등이 서로 부딪혀 깨지는 소리였다. 상당히 고가인 집어등이 여러 개 깨져버렸으니 손해가 막심

태하마을 입구에 있는 광서각 각석문. 1890년 우의정을 지낸 손주영이 세웠다.

했을 텐데도 선장은 내색조차 하지 않았다. 참 고마운 분이었다.

우리 배는 섬에서 약 300미터 정도 떨어져 촬영했는데 일주도로를 따라오면서 취재 모습을 지켜본 나머지 취재팀은 배가 파도 속에서 출몰을 거듭하자 몹시 걱정했다고 한다. 만약 배가 침몰한다면 어떻게 할 것인가에 대해 나름 심각하게 의논하기도 했다는 얘기를 나중에 들었다.

4시간에 걸쳐 56.5km의 해안선을 따라 일주하는 선상취재를 마치고 도동항에 도착했다. 배에서 내리자 땅이 춤을 추는 듯했다. 지진이 나면 아마 그럴 것이다. 숙소에 와서 확인해보니 그 어려운 상황에서 촬영한 화면이었지만 상당히 안정되게 잘 찍혀 있었다. 카메라 감독 만세!

우리는 당초 울릉도에 나흘간 머물면서 독도취재까지 마칠 계획이었다. 울릉도까지의 뱃길은 열렸지만 독도행 관광선은 날씨 때문에 며칠째 발이 묶여 있다는 사실을 우리는 알고 있었다. 며칠 후면 파도가 잔잔해질 거라는 예보가 그나마 희망이었다.

다음 날도 독도행 유람선은 뜨지 못했다. 어제에 이어 오늘은 울릉도 일주도로를 따라 검찰일기에서 언급된 주요 지역을 취재했다.

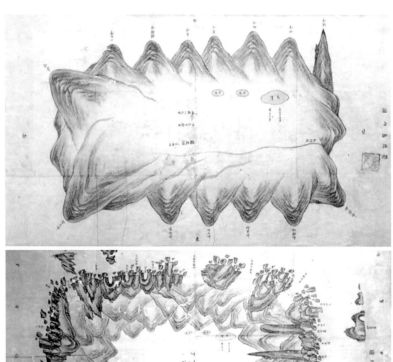

이규원 검찰사 일행이 10일 동안 울릉도를 검찰하고 작성한 내도(위)와 외도(아래). 울릉도의 모습이 손에 잡힐 듯 생생하게 그려져 있다.

검찰사 일행은 태하에서 현포로 가는 길에 이곳저곳에 흩어져 있는 석장, 즉 고분들을 발견한다. 전형적인 통일신라시대의 돌무덤이었다. 안타깝게도 일제강점기에 일인들이 유물의 상당량을 도굴해갔다고 한다. 현재 독도박물관에 전시되고 있는 유물들은 가까스로 도굴의 손길을 피한 것들이다.

고인돌도 여기저기 흩어져 있었다. 선사시대부터 우리 조상들이 이곳 울릉도에서 살았다는 증거이다.

흑작지, 지금의 현포에서 천부로 향하던 이규원 일행이 보았다는 추봉, 창우암을 육상에서 다시 한 번 촬영했다.

천부에 도착한 이규원 일행은 전라도에서 온 사람들을 여럿 만난다.

> 전라도 낙안(지금의 순천)사람 이경칠이 격졸 20명, 흥양 초도사람 김근서가 일꾼 19명과 함께 막사를 짓고 배를 건조하고 있었다.
>
> – 『울릉도 검찰일기』 중

검찰일기에서 기술한 대로 전라도 사람들이 이곳에서 배를 건조했다면 당시 이 지역의 삼림은 무척 울창했을 것이다. 그러나 아무리 주위를 둘러봐도 나무다운 나무는 눈에 띄지 않았다.

동행 취재했던 이우종 울릉도향토사연구소장은 "어렸을 때 어르신들의 말씀에 따르면 당시만 해도 삼림이 아주 울창해서 나뭇가지가 바닷물에 닿을 정도였는데 일제 때 일인들이 쓸 만한 나무는 모두 베어내 일본으로 실어갔고 땔감으로 쓰기 위해 남벌이 계속되면서 이 모양이 돼버렸다"며 아쉬워했다.

당시 베어낸 아름드리 크기의 향나무 밑동이 흉한 모습으로 남아 있었다.

검찰일기에도 당시 울창했던 삼림의 모습이 생생하게 기록돼 있다.

늘어신 나무가 하늘에 닿아 해를 가릴 듯 한 것이 보아도 보아
도 끝이 없었다.

울릉도 검찰 3일째, 이규원 일행은 오대령을 넘어 홍문동 고개를 지
나 성인봉의 정상, 나리분지에 도착한다. 검찰일기에 그는 "토질이 비옥
하여 개간을 한다면 능히 일천호수의 백성이 생활할 수 있다"고 썼다.

나리분지에는 너와집이 원형 그대로 보존돼 있었다. 많은 주민들이
지금은 울릉도 주요 항, 포구로 내려가 살고 있지만 취재 당시에도 일흔
한 가구의 주민들은 여전히 마을을 지키고 있었다.

검찰사 일행은 5월 4일 성인봉 정상에 오른다. 날씨가 좋았다면 동쪽
끝 독도도 볼 수 있지 않았을까? 바다에 안개가 자욱하게 끼어 우리들도
독도를 육안으로 보는 행운을 놓치고 말았다. 취재기간 중 자주 들렀던
식당의 주인은 "날씨만 좋으면 독도가 손에 잡힐 듯 가깝게 보인다"고
말했다. 울릉도와 독도의 거리는 87.4km, 바다에서는 훨씬 가깝게 보이
니까 식당 주인의 말이 과장이 아닐 거라는 생각이 들었다. 아쉬웠지만
이 대목은 울릉도와 독도가 한 컷에 찍혀, 말 그대로 '서로 손에 잡힐 듯
한' 사진자료를 구해 편집할 수밖에 없었다.

요즘이야 길이 잘 닦여 있어서 차로 금세 올라갈 수 있지만 해발 984
미터의 성인봉 정상까지 걸어서 올라가야 했을 검찰사 일행의 노고를 생
각하면 절로 머리가 숙여진다.

5월 5일 이규원 일행은 도방청포, 지금의 도동으로 넘어오면서 이곳
에 정박 중인 왜선과 불법으로 나무를 베고 있는 왜인을 발견한다.

이규원 검찰사가 왜인에게 호통을 친다. 연극배우 두 사람에게 역할
을 맡겨 화면을 구성했다.

이규원 검찰사 : 강토는 정해진 경계를 따라야 하는 법인데 너

희들은 지금 다른 나라 땅에 와서 멋대로 벌목하고 있으니 이것이
어찌된 도리이냐?

　왜인 : 남포규곡에 표목이 있어 우리 일본제국의 송도인 줄 알
았습니다.

　이규원 검찰사 : 이 섬의 이름은 울릉도이다. 고려가 신라에게
서 이 섬을 받았고 조선이 고려에게서 이 섬을 받았다. 하물며 수
백 년 동안 우리 조정에서 관원을 파견하여 2년마다 수토하고 있
다. 너희들이 우리나라의 법금을 몰라서 이렇게 함부로 나무를 찍
느냐? 썩 물러가라!

　왜인 : …

왜인들을 쫓아낸 이규원 일행은 전라도 흥양 삼도사람 변경화와 13명
의 조선 사람들을 만났다. 그들은 바닷가에서 막을 치고 미역을 따고 있
었다.

　이규원 일행은 다시 배를 타고 장작지, 지금의 사동에 도착한다. 이곳
에서 검찰사 일행은 인부 12명과 함께 배를 만들고 있던 초도 사람 김내
연을 만난다.

　5월 6일 장작지에서 통구미로 가던 중 왜인들이 세운 표목을 발견한
다. 1869년 왜인 '암기충조'가 세운 표목에는 이곳의 지명을 송도로 표
기하고 있었다. 이규원은 향후 일본에 의한 울릉도 침탈의 증거로 삼기
위해 이 표목을 뽑지 않았다.

　이규원 일행은 검찰을 시작한 지 8일 만에 출발지였던 소황토구미에
도착한다. 배를 타고, 때로는 걸어서 섬을 거의 한 바퀴 돈 셈이다. 소황
토구미에 도착하자 이규원은 석공을 시켜 섬 이름을 바위에 새기게 한
다. 울릉도가 우리 땅이라는 사실을 분명히 한 것이다.

　울릉도 검찰 9일째를 맞아 검찰사 일행은 배를 타고 서쪽으로 순찰하
다가 관음도와 죽도를 발견한다. 저포, 지금의 저동에서 하룻밤을 묵은

일행은 항해를 계속해 출발지였던 소황토구미로 다시 돌아온다.

이규원 검찰사가 열흘 동안 울릉도에서 만난 사람은 모두 141명이었다. 지역별로 보면 경기도 1명, 강원도 14명, 경상도가 11명이었다. 전라도 출신은 115명으로 전체의 82%에 이른다. 다른 지역 사람들이 약초를 캐거나 대나무 베는 일을 주로 했다면 호남 사람들은 대부분 배를 건조하거나 미역 등 수산물을 채취했다는 것이 특징이었다.

멀고도 먼 독도

도동에 있는 독도박물관과, 전라도 배를 타고 울릉도에 들어왔다는 주민 취재를 끝으로 울릉도에서의 일정은 일단 마무리됐지만 독도행은 여전히 안갯속이었다.

울릉도 도착 4일째, 예정대로라면 독도 취재까지 마치고 육지행 여객선을 타야 할 날짜였지만 변덕스러운 바다 날씨가 전혀 협조해주지 않았다. 그렇다고 독도 취재를 포기할 수는 없었다. 독도 자료화면은 이미 확보해 뒀지만 현장에서 반드시 촬영해야 할 인터뷰와 몇 컷의 그림을 포기할 수는 없는 일이었다. 하루를 더 기다려 보기로 했다. 그러나 다음 날도 독도행 유람선은 뜨지 못했다. 방송날짜는 다가오고 바람은 불고… 답답했지만 우리가 할 수 있는 일은 아무것도 없었다. 마지막으로 하루만 더 기다려 보기로 했다.

전 직장에서 녹음기 하나 메고 신안군의 여러 섬을 취재하다가 풍랑 때문에 한 섬에 일주일간 발이 묶였던 일이 생각났다. 민가의 구석방에서 읽었던 책을 또 읽고 또 읽고 하면서 무료한 시간을 보낼 수밖에 없었다. 전기도 밤 10시에 나가 버리고. 내 사정을 알고 가끔 식사에 초대해준 그 면장님은 지금도 안녕하신지…

그래도 울릉도에서의 '유폐'는 그때보다 훨씬 나은 편이었다. TV도 밤새도록 볼 수 있었고 동료도 세 사람이나 있었으니까.

국토의 막내, 독도. 호남사람들이 이 섬의 이름을 지어줬다.

날마다 명이나물이 식탁에 올라왔다. 어려웠던 시절, 울릉도 주민들이 먹고 '명을 이었다'고 이름 붙여진 울릉도의 특산물이다. 영영분이 풍부하고 맛도 좋았지만 매일 먹다보니 점점 지겨워지기 시작했다.

취재 6일째, 드디어 독도행 유람선이 뜬다는 반가운 소식을 작가가 전해왔다.

망망대해, 동해의 거친 파도를 헤치고 동쪽으로 나아가길 2시간, 수평선 너머에서 국토의 막내 우리 땅 독도가 모습을 드러냈다. 오래전 울릉도를 거쳐 독도에 와본 적이 있었지만 다시 만난 독도의 모습은 더 의젓해 보였다. 게다가 한때 울릉도와 함께 전라도 사람들의 주요활동 무대였다는 사실을 알아서 그런지 더 반가웠다.

동도 서도를 한 바퀴 도는 유람선상에서 카메라 감독은 열심히 독도의 모습을 영상에 담았다. 나는 특히 '보찰바위'를 집중적으로 촬영해달라고 요청했다.

독도에 도착했다고 모두가 독도 땅을 밟을 수 있는 것은 아니었다. 파도가 거칠어 접안이 불가능하면 그냥 섬을 한 바퀴 도는 것으로 만족해야 한다. 따라서 그날 독도에 발을 디딘 사람들은 15일 만에 행운을 잡은 셈이다. 독도 선착장에서 머물 수 있는 시간은 20여 분, 취재팀은 독도와 선착장 주변을 잽싸게 스케치했고 프롤로그에 쓸 자문 교수와 독도 경비대원의 인터뷰도 땄다.

다시 이규원 검찰사 일행을 따라가 보자.

5월 11일 소황토구미를 떠난 3척의 순찰선은 5월 13일 평해 구산포에 도착한다. 떠난 지 보름 만에 다시 육지에 돌아온 것이다.

6월 4일 이규원은 고종을 배알하고 검찰 내용을 상세히 보고한다. 이 보고에 따라 고종은 그동안의 수토정책을 폐지하고 '울릉도 개척령'을 내린다. 또한 일본인의 울릉도 불법 입도에 대해 일본 정부에 엄중 항의토록 지시한다.

조선 정부의 항의를 받은 일본외부경 '이노우에'는 1882년 일본인의 울릉도 도항을 금지하고 이를 위반한 자를 처벌해 달라는 문서를 일본 태정대신에게 보낸다. 울릉도 독도 취재를 마친 취재팀도 6일 만에 뭍으로 돌아왔다.

거문도/초도에 남은 울릉도, 독도의 흔적들

이규원 검찰사가 울릉도에서 만난 전라도 사람들은 주로 초도, 흥양 삼도 출신들인데 현재의 행정구역을 중심으로 본다면 모두 여수 시민들이다. 또한 지금은 순천으로 편입된 낙안 사람들도 여럿 만났다.

3개의 섬으로 이뤄졌다고 해서 한때 삼도로 불렸던 거문도는 외부문물의 유입이 과거 남해안 지역에서 가장 활발했던 곳이다.

이규원이 만난 조선 사람의 80% 이상이 전남 동부지역 출신인 셈이다.

그렇다면 이 사람들은 무슨 연유로 그 머나먼 동해의 울릉도, 독도와 인연을 맺게 됐을까?

초도를 거쳐 흥양 삼도, 지금의 거문도를 찾았다. 3

울릉도산 노간주나무로 깎아 만든 대들보. 수백 년의 풍상에도 옛 모습 그대로다.

개의 섬으로 이뤄졌다고 해서 한때 삼도로 불렸던 거문도, 천혜의 항만 조건을 갖췄을 뿐만 아니라 중국과 일본을 잇는 항로의 중심에 있었기 때문에 거문도는 외부문물의 유입이 과거 남해안 지역에서 가장 활발했던 곳이다. 주민들의 성향 또한 진취적이었다. 지금도 그렇지만 구릉지가 많고 토양층이 얇아 큰 나무가 자랄 수 없는 이곳의 자연 환경도 주민들이 울릉도로 눈을 돌리게 하는 이유였다.

당시 육지에서는 산림훼손 방지령이 내려져 있었고 제주도나 인근 섬 지역 역시 관리가 엄중했기 때문에 조선정부에서 입도를 금하고 있던 울릉도가 오히려 목재를 구하기에 안성맞춤이었던 것이다. 또한 울릉도와 독도의 연근해는 난류와 한류가 만나 형성된 황금어장이었다. 이규원도 검찰일기에 목재, 수산물 등 모두 45가지의 울릉도 특산물을 꼼꼼하게 기록해 두었다. 조정에서 입도를 금지하고 있었지만 조선인들에 대한 규제는 느슨했다. 이런 상황에서 울릉도와 독도는 거문도 초도 사람들에겐 말 그대로 '동해의 엘도라도' 였던 것이다.

울릉도 개척마을이라고도 불리는 거문도 서도리 장촌마을, 이곳에서 울릉도산 노간주나무로 지었다는 가정집을 취재했다. 단단하기로 이름난 노간주나무가 수백 년, 그 오랜 세월 동안 이름값을 하고 있었다. 울릉도에서 가져온 나무는 건축자재뿐만 아니라 생활용품으로도 두루 쓰였디. 육지에서는 다디미돌을 주로 화강암이나 대리석을 다듬어 만드는데 반해, 이곳에서는 울릉도산 노간주나무나 박달나무를 깎아 다디미로 썼다고 한다. 광목을 감아서 두드려 다림질 효과를 내는 홍두깨 역시 울릉도산 목재로 만들었다.

초도가 고향인 김충석 전 여수시장의 옛집 역시 울릉도산 나무로 지었다고 한다. 특히 제사지낼 때마다 조금씩 깎아 썼던 울릉도 향나무를 취재팀에게 자랑스럽게 보여줬다.

교과서에 실릴 만큼 널리 알려진 거문도 뱃노래, 그중 '술비소리'에 울릉도의 흔적이 남아 있다. 술비소리는 마을 사람들이 한데 모여 뱃줄을 꼬면서 부르는 노래인데 가사 중에 '…울고 간다 울릉도야 에헤라 술비…'라는 대목이 있다.

거문도 뱃노래 전수관에서 마을 사람들이 취재팀을 위해 술비소리를 멋지게 불러줬다. 울릉도를 향해 가면서 거문도 뱃노래를 부르는 뱃사람들, 생각만 해도 운치가 넘친다. 밤하늘에 보름달이라도 하나 둥실 띄워놓고 불렀다면 더 멋졌을 것이다.

취재 당시 94세였던 김병순 할아버지를 마을에서 만났다. 울릉도, 독도에서 들여온 목재, 수산물이 포구에 들어오던 일, 그리고 가제, 즉 바다사자 기름을 짜서 초롱불을 밝히던 과거 일을 마치 어제 일처럼 생생하게 기억하고 있었다. 아쉽게도 울릉도 바다사자는 일제강점기를 거치면서 일인들의 남획으로 멸종해버렸다.

울릉도/독도에 새겨진 호남인의 발자취

이번에는 울릉도와 독도에 남아 있는 전라도 사람들의 자취에 대해 살펴보자.

이규원이 왕에게 보고한 내용을 보면,

각처의 상선은 봄철에 섬에 들어가 나무를 베어 배를 만들고,
고기를 잡고, 미역을 채취해 떠나고 있으며 약초상인들은 상선을
타고 들어왔다가 막을 치고 약초를 캐어 역시 배를 따라 떠납니다.

– 『울릉도 검찰일기』 중

이규원 검찰사가 일기에서 여러 차례 언급했듯이 배 만드는 사람은
대부분 전라도 사람들이었다.

이보다 앞서 주목할 만한 기록이 또 있다. 프랑스 루이 16세의 총애를
받던 라페루즈가 이끌던 함대가 1787년(정조 11년) 5월 27일 울릉도 연안
에서 조선인 목수를 발견했다는 기록이다.

우리는 중국 배와 똑같은 모양으로 건조되고 있는 배들을 여러
척 보았다. 육지에서 온 조선인 목수들이 식량을 가져와 여름 동안
배를 건조한 뒤 육지에 가져다 파는 듯했다.

– 라페루즈의 항해일기 중

여기서 말하는 조선인 목수는 전라도 사람일 가능성이 크다. 이규원이
말한 상선도 전라도 배, 즉 나선(羅船)으로 볼 수 있다. 개척령 이후 대부
분의 입도민이 하나같이 나선을 타고 왔다고 증언하고 있기 때문이다.

우리를 안내했던 울릉도 향토사연구소 이우종 소장도 "울릉도 개척
령 이후 조상들이 전남 강진에서 나선을 타고 왔다"고 말했다. 경남 김해
가 고향인 정대신 할아버지도 "낙동강 하구에서 나선을 타고 울릉도에
들어왔다"고 증언했다. 전라도 사람들의 뛰어난 조선능력과 항해능력을
보여주는 대목이다.

더불어 울릉도와 독도 곳곳에 붙어 있는 여러 지명도 또 다른 전라도
의 흔적들이다.

성인봉 정상에 위치한 나리분지, 비단 라(羅)에 마을 리(里)로 쓴다.

독도 앞바다에 있는 보찰바위. 보찰이란 따개비라는 뜻으로 여수 지역에서만 쓰는 말이다.

전라도 마을이라는 뜻이다. 전남 진도에도 한자까지 똑같은 나리 마을이 있다. 나리라는 지명은 전국에 울릉도와 진도에만 있다. 울릉도에는 장흥이라는 동네도 있다. 길 장(長)에 흥할 흥(興), 역시 한자로 표기해도 같다. 단지 우연의 일치일까? 진도와 장흥에서 울릉도로 이주해간 사람들이 고향을 생각하면서 붙인 지명은 아닐까?

독도라는 이름은 또 어떤가? 과거 우산도, 삼봉도, 자산도 등으로 불리던 독도가 현재의 이름을 갖게 된 것도 전라도 사람들 덕이다. 독도를 한자로는 홀로 독(獨)에 섬 도(島)로 표기한다. 그래서 사람들은 '외로운 섬 독도'로 이해한다. 동해에 홀로 떠 있는 외로운 섬 독도. 그럴듯하다. 「홀로 아리랑」이라는 노래 중 '홀로 섬'이라는 가사도 있다. 그러나 본래 독도라는 명칭에는 외로운 섬이라는 의미는 전혀 없다.

전남 고흥군 금산면에도 독도라는 섬이 있다. 예전에는 '독섬'으로 불렸다가 마을 사람들이 뜻을 모아 몇 해 전부터 '독도'로 부르기로 했다고 한다.

'돌'의 전라도 방언은 '독-'이다. 나는 황룡강 근처에서 어린 시절을 보냈는데 여름만 되면 우리들은 물가에 크고 작은 돌로 둥근 울타리를 만들어 그 안에 들어온, 지능이 좀 떨어진 물고기를 잡아 구워 먹곤 했다. 우리는 그것을 '독-살'이라 불렀다. 돌로 만든 그물이란 뜻이다.

울릉도에서 활동하던 전라도 사람들에게 지척인 독도 역시 소중한 삶의 터전이었다. 돌로 된 섬을 보고 처음에 '독섬'으로 부르다가 한자로 써야 될 필요성이 생기자 '독'을 음차(音借)하여 독도(獨島)로 표기한 것이다.

독도 앞바다에 있는 '보찰바위' 역시 전라도 사람이 작명했을 것이다. 거북손(따개비의 일종)의 여수지역 방언이 보찰인데 거북손을 닮은 바위란 뜻으로 '보찰바위'가 된 것이다. 전국에서 거북손을 보찰이라 부르는 곳은 여수뿐이다.

이야기가 좀 길어졌지만 한 가지만 더 이야기하겠다.

홍어하면 흑산도인데 나주 영산포에 홍어의 거리가 있고 매년 홍어축제가 열리는 이유가 뭘까? 흑산도 맞은편에 영산도라는 섬이 있다. 과거 왜구들이 이 지역에 자주 침입해 노략질을 일삼자 그 근거지를 없애기 위해서 조정에서는 영산도 사람들에게 이주령을 내린다. 일종의 공도정책이다. 영산도 사람들이 바다를 건너 영산강을 거슬러 올라와 정착한 곳이 바로 영산포였다. 마을 앞을 흐르는 강 이름도 자연스레 영산강이 되었다. 이처럼 고향을 떠나 새로운 곳에 정착한 사람들에게는 정착지에 옛 고향의 지명을 붙이고 싶은 본능적 욕구가 있다는 것이다.

모르긴 몰라도 미국의 뉴욕도 영국의 요크지방에서 이주해온 사람들이 새로운 요크라는 의미로 이름 붙였을 것이다. 순전히 내 생각이다.

이와 같은 이름 붙이기의 역사는 향후 있을지도 모를 영토분쟁에서 유리한 고지를 선점할 수 있는 귀중한 역사적 자료가 된다.

이처럼 전라도 사람들은 300여 년 동안 울릉도와 독도를 제집 드나들 듯 왕래해왔다. 그것이 가능했던 힘은 과연 무엇이었을까?

수성(水性) 호남인

한때 울릉도 시찰위원으로 활동했던 우용정은 전라도 사람의 습성이 '수성(水性)'이라고 했다. 물의 성질을 잘 아는 사람들이라는 뜻이다.

과거 일본 정부는 울릉도와 독도의 점유논란 때마다 '조선의 선박 제조능력과 항해술이 보잘 것 없었다'는 점을 들어 울릉도 독도 분쟁에서 우위를 점하기 위해서 무진 애를 써왔다. 육지에서 그렇게 멀리 떨어진 두 섬에 왕래할 능력이 조선 사람들에게는 없었다는 강변이다.

그러나 조선 사람들, 특히 전라도 사람들의 강한 '수성'은 우리 역사 곳곳에서 여실히 드러난다.

신라 청해진 대사 장보고는 1만여 군사로 전남 완도의 요충지 청해진에 진을 설치하고 인근해역에 출몰하던 해적을 완전히 소탕한다. 840년에는 일본에 무역사절, 당나라에 견당매물사를 파견해 한중일 해상무역을 장악한다. 장보고의 뒤에는 바닷길에 밝은 호남 사람들이 있었다.

1690년대 안용복 장군의 울릉도 정벌 때 앞장섰던 사람들도 순천 출신의 승려 뇌현과 낙안 사람 김성길 등이었다. 그리고 충무공 이순신, 그를 따르던 전라도 사람들 역시 전쟁터에서는 용맹스러운 수군이자 선소 (船所)에서는 뛰어난 목수였다. 임진왜란 전에는 어선을 만들었고 전쟁이 터지자 전선을 만들다가 전후에 다시 어선을 만들던 그들이었기에 선박제조에 있어서만큼은 조선의 일인자들이었던 것이다.

임진년 6월 22일 이순신의 일기를 보면,

> 22일 을사 맑음
> 처음으로 전선을 만들기 위해 자귀질을 시작했다.
> 목수 214명이 일을 했다.
> 본영에서 72명, 방답에서 35명, 사도에서 25명, 녹도에서 15명, 발포에서 12명, 여도에서 15명, 순천에서 10명, 낙안에서 5명, 흥양과 보성에서 각각 10명씩 보내왔다.
>
> — 충무공의 『난중일기』 중

임진왜란 당시 이 지역 선소에서 배를 만들던 거의 모든 목수들이 동원된 셈이다. 만약 이 지역 사람들이 남해를 돌아 충청, 경기를 거쳐 서울로 진격하려던 왜군을 막아내지 못했다면 임진왜란의 승리도 없었을 것이다.

이 부분은 매년 열리는 명량대첩축제 중 웅장한 해전 장면을 자료화면으로 깔면서 처리했다. 충무공이 '약무호남 시무국가(若無湖南 是無國家)'라는 말을 괜히 한 게 아니다.

그렇다면 울릉도와 독도를 드나들던 전라도 배는 어떤 모습이었을까?

국립해양문화재연구소 김병근 학예연구사는 "관매도 주민들이 100년 이상 이용하던 배가 한선(韓船)의 전형으로 볼 수 있다"며 "나선(羅船) 역시 모양이 비슷했을 것"으로 추정했다. 폭 약 5미터, 길이 20여 미터 규모로 당시로는 꽤 큰 배였다.

명량대첩축제 중 해전 재연 장면. 전라도 사람들의 강한 '수성(水性)'은 역사 곳곳에서 빛을 발한다.

전라도 사람들은 주로 계절풍을 이용해 항해했다. 봄에 부는 남풍을 이용해 울릉도, 독도에 가서 활동하다가 가을부터 불기 시작하는 북풍을 이용해 고향으로 돌아왔다. 남해와 동해의 해류도 그들의 항해를 도왔다. 쿠로시오 해류의 동안난류를 이용해 울릉도로 향했고 늦가을에는 북한한류를 타고 귀향했다.

1882년 울릉도 개척령이 내려지자 주로 강원도와 경상도 사람들이 울릉도로 이주하기 시작했다.

그렇다면 그 후 호남 사람들은 어떻게 됐을까?

호남 사람들은 개척령 이전과 마찬가지로 울릉도에서 생산되지 않는 곡류와 소금, 생활필수품 등을 울릉도에서 나는 각종 수산물과 바꿔와 육지 시장에 판매하는 방식으로 큰 이익을 남겼다. 당시 '나선이 들어오면 울릉도에 풍년이 든다'는 말도 그래서 나왔다. 울릉도로 이주하는 사람들을 실어다 주는 여객선의 역할도 전라도 배가 모두 감당했다.

개척 시기 울릉도의 재정확보에 기여한 사람들도 호남 사람들이었다.

1905년 5월 울릉도 시찰위원으로 임명된 우용정의 보고에 의하면, 울릉도의 한 해 미역세가 천 여단, 조선세는 일파마다 닷 양씩이었는데 조세의 상당 부분을 전라도 사람들이 부담했다고 한다.

독도 박물관에는 울릉도 초대도감 오성일이 왕으로부터 받은 교지가 전시되어 있다. 오성일의 고향은 흥양 삼도, 즉 거문도였다. 개척령 이후에도 호남인들의 영향력이 여전했다는 반증이다.

누가 뭐래도 독도는 우리 땅

울릉도도 독도도 모두 빼앗긴 36년 세월, 그리고 해방. 일본은 해방 이후 울릉도를 포기하는 대신 독도를 탐하기 시작한다.

일본 정부는 1905년 2월 22일 '시마네현 고시 제40호'를 통해 독도가 무주지, 즉 주인이 없는 섬이므로 일본의 영토로 편입했다고 주장한다. 그러나 조선 정부는 시마네현 고시보다 5년 앞선 1900년, 독도가 우리 땅임을 이미 선언한 상태였다. 고종은 그해 10월 20일 제정한 '대한제국 칙령 제41호'를 통해 울릉도의 관할구역을 울릉도 전체와 석도, 즉 독도로 정하고 10월 27일 이를 관보에 게재해 대내외에 공포했다.

만약 독도가 일본 영토로 편입된다면 일본의 해양영토가 그만큼 넓어지는 반면 우리의 영해는 울릉도와 독도 사이 어디쯤으로 대폭 축소되고 말 것이다. 뿐만 아니라 독도인근의 풍부한 수산물, 8억 톤 가량 매장되어 있다는 메탄 하이드레이트도 송두리째 일본의 손에 넘어가고 마는 것이다.

1965년 한일협상 당시 독도 문제가 걸림돌로 작용하자 한국 측 협상 대표는 '골치 아프니까 독도를 폭파해버리자'고 일본 측에 제안해 국민들의 비난을 자초했다. 차관 몇 푼 얻겠다고 국토를 포기하겠다니!

당시 독도의 영유권이 문제가 되자 거문도 초도 할아버지들이 나섰다. 전해 들은 대로 쓰겠다.

"그 독-섬 우리 것이여. 조상 대대로 독도를 우리가 다녔으니까 우리 것이라고. 우리가 증언해 줄 것이여"

회담장에 가서 증언하겠다는 할아버지들을 여수 경찰서와 군(郡)에서 막아섰다. 군사정부로서는 하루 빨리 회담을 끝내고 일본 정부로부터 차관을 받아와야 했으니까.

지금도 과거사와 독도문제에 대한 일본 정부의 태도는 뻔뻔하다 못해 치졸하다. 이에 대응하는 한국 정부의 태도 역시 분통 터지고 답답하기는 마찬가지다.

내 둘째는 현재 일본 도쿄에서 유학 중이다. 위안부, 강제징용 등 과거사 문제로 한일정부 간 파열음이 날 때마다 아빠로서 마음이 무겁다. 아들도 "도쿄 도심을 휩쓰는 극우세력의 혐한시위 때문에 재일교포나 유학생들이 불안해한다"고, "일본 사람들이 개인적으로는 그렇게 예의바르고 친절한데 모이기만 하면 이상해진다"고 말하곤 한다. 나도 한일 두 나라가, 그리고 양국의 국민들이 상식의 토대 위에서 보다 친하게 지냈으면 좋겠다.

이제 이야기를 끝내야겠다.

〈그 섬에 간 사람들〉이라는 제목의 다큐멘터리를 통해 내가 말하고 싶었던 것은 딱 하나다.

보다 나은 삶을 위해 떠난 먼 길이었지만 호남 사람들은 울릉도를 개척하고, 더불어 독도를 지켜내는 일에도 크게 공헌했다는 사실을.

독도수호는 온 국민의 바람이자 특히 호남인들의 자존심이 걸린 문제이기도 하다. 만에 하나, 독도를 빼앗긴다면 '그 섬에 간' 우리 조상님들을 무슨 낯으로 뵙겠는가?

내 친구 병규

2008년 5월 방송

내 친구 병규 2008년 5월 방송

다시 만난 병규

2007년 11월 29일 아침 신문에 국립 5·18 묘지 박경순 소장의 부고 기사가 실렸다. 남편과 세 자식을 남기고 마흔네 살 한창 나이에 세상을 등진 것이다. 그런데 그녀의 이름 옆에, '1980년 5월 27일 도청에서 사망한 박병규, 당시 19세, 동국대 1학년의 여동생'이라는 설명이 괄호로 묶여 있었다.

중학교 동창이었던 병규가 5월 항쟁 중 사망했다는 것은 알고 있었지만 박경순 소장이 병규의 동생이라는 사실은 그날 신문을 보고 처음 알았다.

회사에 출근해서도 하루 종일 병규와 박소장을 생각하면서 보내다가 퇴근길 차 안에서 영상제작부장에게 전화를 했다. "갑자기 취재할 일이 생겼으니 내일 카메라 한 대를 배정해 달라"고 요청했다. 우선 박 소장의 장례식을 취재해 두기 위해서였다. 평소 안면이 있었던 박 소장의 남편 허연식 씨에게도 내일 취재에 대해 양해를 구했다. 작가에게도 내 생각과 계획을 전화로 설명했다. "병규와 그의 가족 이야기를 하자. 제목은 '내 친구 병규'다"

2008년 28주년 5·18특집아이템은 이렇게 결정됐다. 고맙게도 5·18 기념재단에서 얼마간의 제작비도 지원하겠다고 연락해왔다.

이 지역에 적을 둔 언론사의 기자나 피디들은 한 해가 저물어 갈 즈음, 내년 5월 관련 특집은 무엇으로 할까 나름대로 고민하기 마련이다.

특히 1980년 5월을 직접 겪은 나에게 그것은 고민을 넘어 항상 무거운 부채감으로 다가오고는 했다. 5월 광주가 나에게 안겨준 일종의 '트라우마'인 셈이다.

그날 집에 돌아온 나는 두서없이 떠오르는 생각을 메모하면서 프로그램의 줄거리를 잡아갔다. 생각이 꼬리를 물고 이어지면서 나는 누웠다 일어나 메모하고 누웠다 일어나 메모하는 일을 밤새도록 계속했다. 내 룸메이트, 그날 밤 무척 괴로웠을 것이다.

돌이켜 보면 날밤을 새며 머릿속으로 구상했던 내용이 프로그램에 거의 90% 이상 반영된 것 같다. 바둑에서도 그렇지만 방송도 역시 1감이 중요하다.

병규는 중학교 3년 동안 두 번이나 나와 같은 반이었다. 큰 키에 하얀 얼굴, 깔끔한 성격에 축구도 제법 잘하던 친구였다.

내가 병규를 30년 만에 다시 만나게 된 것은 2007년 이른 봄이었다. 그해 나는 〈5월의 노래〉라는 뮤직 다큐멘터리를 제작하고 있었는데 자료 촬영을 위해 들른 5·18묘역 유영봉안소에서 사진 속의 병규를 본 것이다.

나는 이번 프로그램은 좀 특별한 형식으로 제작하고 싶었다. 5월 광

광주숭일중학교 졸업사진. 맨 뒷줄 오른쪽에서 첫 번째가 필자, 네 번째가 박병규다.

내가 병규를 30년 만에 다시 만나게 된 것은 2007년 이른 봄이었다. 그해 나는 〈5월의 노래〉라는 뮤직 다큐멘터리를 제작하고 있었는데 자료 촬영을 위해 들른 5·18묘역 유영봉안소에서 사진 속의 병규(가운데)를 만났다.

주와 병규, 그리고 가족의 삶을 중심에 두고 내가 겪었던 5월에 대한 기억도 간간이 삽입해 PD가 화자가 되는, 말하자면 1인칭 시점으로 이야기를 끌어가는 방식으로 줄거리를 구상했다.

다음 날 아침, 급조된 취재팀은 우선 경순의 장례식부터 촬영했다. 친구의 동생이니까 앞으로는 박 소장을 그냥 경순이라고 부르겠다. 수많은 조문객들이 찾아와 '광주의 누이'로 불리던 그녀와의 마지막을 함께했다. 그녀의 유해는 영락공원에 묻혔다.

매월 한 차례 모이는 중학교 동창회. 49회니까 4+9=13, 매월 13일에 만나는 동창회였는데 취재 일정상 회장에게 부탁해 며칠 전에 모임을 가졌다. 병규를 모르는 동창들이 있을까 봐 졸업 앨범도 미리 준비했다. 앨범 속 사진을 보더니 거의 모든 동창들이 병규를 기억하고 있었다. 몇몇 친구들에게 병규에 대해 인터뷰했다. 대부분 나와 비슷한 기억들을 갖고 있었다.

나는 그날 동창 중 또 한 명의 5·18 희생자가 있다는 사실을 알았다. 백대환이었다. 대환이와 친했던 동창의 말에 의하면, 4대 독자였던 대환

고교시절의 박병규(왼쪽). 행군(당시는 소풍을 행군이라고 했다)때 촬영한 듯하다.

이가 죽자 먼저 할머니가, 그리고 얼마 후에 부모님까지도 화병으로 돌아가셨다는 것이다. 모임에 참석한 스물대여섯 명의 동창 중 나를 포함해서 3명이 또 다른 5·18 피해자였다. 그날 우리는 먼저 간 병규와 대환이, 그리고 광주의 5월을 이야기하면서 밤새도록 술잔을 기울였다.

병규의 고등학교 시절이 궁금했다. 수소문 끝에 병규의 3학년 담임 선생님과 같은 반 친구를 만날 수 있었다.

병규와 가장 친했던 고등학교 동창은 병규를 아주 정스러운 친구로 기억했다. 말이 없으면서도 항상 친구들을 먼저 배려했고, 특히 도시락 반찬을 충분히 싸와서 점심때 반 친구들과 나눠 먹던 고마운 친구였다는 것이다.

생활기록부도 봤다. '조용한 성격으로 자신의 의무와 책임뿐만 아니라 집단의 임무를 솔선수범하여 실천하는 학생'으로 기록돼 있었다. 중학교 시절 병규의 모습과 별반 다를 게 없었다.

조용하면서도 정이 많았던 병규였지만 당시의 현실에 대해서는 무척 비판적이었다고 한다. 당시라면 아마 1970년대 말, 유신정권의 폭압이 절정을 이루던 시기였던 듯싶다.

오월 희생자들의 삶을 정리해놓은 책 내용 중 동생 경순이가 오빠에 대해 구술한 내용이다.

> 두 살 아래인 동생에게 병규는 자주 박정희 대통령에 대해 이야
> 기하곤 했다. 신처럼 떠받들어지던 그를 감히 독재자라고 비판하
> 던 오빠의 생경하면서도 남다른 모습이 경순도 싫지 않았다.
>
> — 증언집 『그해 5월 나는 살고 싶었다』 중

나는 증언집에 나오는 병규와 경순의 증언 부분을 각각 남녀 성우의 내레이션과 자막으로 처리했다.

춘래불사춘, 서울의 봄

1980년 봄 나는 광주에 있는 대학에, 병규는 서울의 한 대학에 입학했다. 서울의 봄이라고도 불리던 그해 봄은 희망과 공포가 공존하던 시기였다. 1979년 10·26 사건으로 18년 유신독재체제가 무너지면서 드디어 우리 국민도 민주화된 세상에서 살 수 있겠다는 희망과, 10·26 직후 신군부가 일으킨 12·12쿠데타로 또 다른 군부독재가 등장할지도 모른다는 두려움이 교차했다.

어쨌거나 새내기 대학생이었던 나에게 대학 캠퍼스의 분위기는 비교적 자유로웠다. 총학생회가 부활돼 학생들이 투표로 직접 총학생회장을 뽑는 '상식'도 회복되었다. 중앙도서관 앞 광장에서 검정색 두루마기를 입고 사자후를 토하던 박관현(1980년 전남대학교 총학생회장, 1982년 4월 내란중요임무종사 혐의로 체포돼 구속. 옥중단식투쟁 끝에 그해 10월 사망)선배의 늠름한 모습이 지금도 눈에 선하다.

당시 신입생들에게는 2주간의 병영집체훈련이 기다리고 있었다. 맨

처음 끌려간 공과대 신입생들은 머리를 스포츠형으로 자르고 입소해야 했다. 일부 극렬(?)학생들은 저항의 의미로 머리를 박박 밀기도 했는데 그 백고머리 때문에 훈련 기간 내내 현역병들로부터 괴롭힘을 당했다고 한다. '반항하냐?' 뭐 이런 이유에서였겠다.

공과대생들의 입소 후 본격적으로 불붙기 시작한 병영집체훈련반대 운동 덕분에 우리 인문사회대 신입생들은 고등학교 졸업과 함께 곱게 길러온 머리털을 그나마 온전히 보존한 채 입소할 수 있었다. 당시 털(머리털 포함)은 우리에게 '성인', '자유' 뭐 이런 것들의 표상이었다. 당시 우리에겐 무슨 일이 있어도 지키고 싶은 게 바로 '털'이었다.

말 나온 김에 하나만 더 이야기 하자. 2학년 초에는 며칠간의 전방입소훈련을 받아야 했는데 우리가 탄 전방 행 버스를 둘러싼 채 두 주먹 불끈 쥐고 노래를 불러주던 선배들, 그리고 남학생들에게 수건을 건네주고 손을 흔들던 여학생들의 모습을 지금도 잊을 수 없다. 어떤 여학생은 눈물을 흘리기도 했다. 마치 죽음을 앞둔 가미가제 특공대를 송별하는, 그런 비장한 광경이었다고나 할까? 지금 생각해보면 좀 우습기도 하지만 군대라는 조직에 대해 젊은이들이 평소 어떤 생각을 갖고 있었는지 미루어 짐작해 볼 수 있겠다. 당시 대한민국은 온 나라가 병영이었다.

전방입소교육기간 동안 나는 철책을 지키는 군인들의 열악한 근무환경에 우선 놀랐고, 비무장 지대의 그 아름답고 평화로운 풍경에 또 한 번 놀랐다. 밤마다 괴뢰군이 몰래 넘어와 남쪽 군인들의 목을 따간다는, 후방에서 소문으로 들었던 그 살벌한 분위기와는 너무 달랐다. 각종 군사교육을 통해 눈엣가시였던 대학생들을 겁박, 순치해서 불법으로 탈취한 정권을 어떻게든 유지해보려던 신군부의 전략은 실패한 셈이다.

다시 하던 얘기로 돌아가자. 1980년 봄, 서울에서는 전두환 신군부에 저항해 전국에서 모여든 대학생들의 시위가 연일 계속되고 있었다. 그러나 실질적인 권력을 쥐고 있던 신군부는 학생들의 민주화 요구를 철저히 묵살했다. 오히려 비상계엄을 전국으로 확대하고 대학에 휴교령을 내림으로써 권력찬탈의지를 노골적으로 드러냈다.

5월 광주와 나

병규의 어머니는 서울의 아들이 걱정되셨던지 병규에게 속히 광주로 내려오라고 전화하셨다. 결과적으로 아들을 사지로 끌어들인 그 결정을 어머니는 두고두고 후회하셨다고 한다.

병규가 광주에 도착한 것은 5월 19일 저녁이었다. 그러나 광주에서는 이미 계엄군의 무차별적인 살상행위가 시작되고 있었다. 광주 시내의 크고 작은 병원은 부상자들로 넘쳐났고 계엄군의 무자비한 폭력으로 5월 19일 첫 사망자가 발생했다.

그보다 하루 전인 5월 18일 오후 나는 계엄군에게 붙잡혀 이른바 폭도에게 가해지는 폭력을 경험했다. 내 머리를 내려친 진압봉이 부러지지 않았다면 나는 지금 이 세상 사람이 아닐지도 모른다. 날카롭게 부러진 진압봉 끝이 내 얼굴을 스치면서 낸 상처가 아직도 내 양미간에 남아 있다. 그리고 몇몇 계엄군이 풍기던 역한 술 냄새와 초점 잃은 그들의 눈동자를 지금도 나는 잊을 수 없다.

우리는 금남로 5가 현 교보빌딩 앞 도로에 대기하고 있던 군용트럭에 짐짝처럼 실려 고개를 숙인 채 무릎 꿇고 있어야 했다. 무려 8시간이었다. 그동안에도 '폭도'들에 대한 그들의 폭력은 계속됐다. 그날 밤 우리는 서광주경찰서에 잠시 머물렀다 굴비처럼 엮여 상무대 영창으로 끌려갔다. 막무가내로 잡아들인 시민, 학생들로 영창은 차고 넘쳤다. 각 방마다 백여 명씩 분산 수용된 수감자들은 공간이 너무 좁아 어물전의 생선처럼 겹겹이 쌓인 채 잠을 잤다.

이곳에서 나는 친한 친구 한 명을 만났다. 이런 데서 친구를 만나다니! 그러나 어쨌든 반가웠다. 당시 재수를 하던 그 친구는 학원에 난입한 공수부대원이 휘두른 진압봉에 맞아 머리에 큰 상처를 입고 있었다. 상처부

위에서 피와 진물이 계속 흘렀지만 아무도 돌봐주지 않았다. 내 친구 말고도 영창 안에는 이런 부상자들이 수도 없이 많았다. 항쟁 이후 친구를 다시 만났을 때 그는 머리에 커다란 흉터를 이고 있었다. "너는 다른 건 몰라도 승려는 절대 못하겠다"고 농담을 던졌던 씁쓸한 기억도 있다.

이 와중에도 몰래 숨겨온 담배를 화장실에서 용감하게 피우는 '광주의 아들들'도 있었다(영창에 들어가기 전 우리는 모든 소지품을 압수당했었다). 한 모금 하고 싶은 마음 간절했지만 그러기에는 내 '군번'이 너무 낮았다.

순서대로 불려나가 조사도 받았다. 나는 발로 차이고 뺨 몇 대 맞는 것으로 끝났지만 다리를 절룩거리면서 돌아오는 사람도 있었다. 나중에 들은 이야기인데, 조사관이 험상궂은 표정을 지으며 "너 군인들한테 돌 수십 개 던졌다던데 사실이냐?"고 유도심문을 하자 얼떨결에 "한 개밖에 안 던졌는데요"라고 답한 '폭도'는 더 오랫동안 영창 신세를 져야 했다.

흉흉한 소문이 돌고 아들이 며칠째 집에 돌아오지 않자 어머니는 나를 찾아 병원 곳곳을 헤매고 다니셨다고 한다.

병규, 항쟁에 나서다

광주에 내려온 병규는 5월 20일부터 항쟁에 적극적으로 참여하기 시작했다.

눈앞에서 공수부대의 만행을 지켜본 시민들도 누가 먼저랄 것도 없이 금남로로 쏟아져 나와 계엄군에 격렬히 저항했고 밤에는 차량 시위까지 벌였다.

그날 시민들에 의해 몇몇 언론사가 불에 탔다. 광주의 진실을 외면하고 왜곡보도를 일삼는 언론에 대한 응징이었다.

당시 언론에 대한 불신은 병규도 마찬가지였던 모양이다. 병규의 형은 취재팀에게 "동생이 광주에 내려와 좌경용공세력이 광주에서 반란을 일으킨다고 보도하는 뉴스를 보고 TV 수상기를 주먹으로 치면서 분개했다"고 말했다.

5월 20일 오후 나는 약식 군사재판을 받고 이른바 훈방 대상자로 분류돼 3일 만에 풀려나 집으로 돌아왔다. 구속시민을 석방하라는 광주 시민들의 거센 요구 덕분이었다.

계엄당국의 이런 유화책에도 불구하고 시민들의 저항은 더욱 격렬해졌다. 단 며칠 동안이었지만 군인들이 제 나라 국민들에게 가한 그 야수적이며 악마적인 폭력을 시민들은 이미 생생하게 목도했기 때문이었다.

5월 21일 그날도 시민들은 도청 앞 광장에 몰려나와 '비상계엄철폐, 김대중 석방, 전두환 처단'을 소리 높여 외쳤다. '북괴는 오판 말라'는 구호도 있었다.

그러나 결코 기억하고 싶지 않은 순간이 다가오고 있었다. 오후 1시, 11공수의 집단 발포가 시작된 것이다. 단 10분간의 발포로 54명이 현장에서, 또는 병원에서 치료받던 중 숨졌고 500여 명이 부상당했다. 그날은 부처님 오신 날이었다. 나는 이 장면을 영화 〈화려한 휴가〉의 관련 영상과 당시의 현장 사진으로 교차 편집했다.

현장에 있었던 병규는 그날의 참상에 대해 이렇게 말했다.

> 도청에서 놈들이 총을 쏘는데 내 바로 옆에 있던 사람이 총을 맞고 바로 쓰러졌다. 분이 차서 견딜 수가 없었다. 집에 들어갈 상황이 아니었다.
>
> − 증언집 『그해 5월 나는 살고 싶었다』 중

도청 앞 발포 이후 본격적인 항쟁이 시작됐다. 더 이상 저들에게 우리의 목숨을 내맡길 수 없다며 시민들은 무장하기 시작했다. 그들은 스스로를 시민군이라 불렀다. 예상치 못한 저항에 놀란 계엄군은 도청을 비우고 시 외곽으로 철수했다. 전남도청은 다시 시민들의 차지가 되었다.

시 외곽으로 퇴각한 계엄군은 광주봉쇄작전에 들어갔다. 광주는 이제 들어가지도 나오지도 못하는 외로운 섬이 되고 말았다.

항쟁기간 동안 양동시장에서 장사를 하시던 병규 어머니는 시장 아주머니들과 함께 주먹밥이며 음료수를 손수 준비해 시민군들에게 나눠줬다. 5월 관련 사진이나 영상에서 우리가 자주 봐왔던 모습이다.

고등학생이었던 경순이도 부상자들에게 수혈할 피가 부족하다는 소식을 듣고 헌혈 대열에 동참했다.

계엄군의 광주봉쇄작전으로 모든 것이 부족했던 시절, 광주 시민들은 이웃과 서로 나눔으로써 더욱 풍성하고 아름다운 세상을 만들어낸 것이다.

광주 시내에 수천 점의 총기가 나돌았지만 항쟁기간 동안 살인강도사건은 물론 도난 사건 하나 발생하지 않았다. 광주는 말 그대로 대동세상이었다.

만약 그 기간 동안 누군가가 자신의 이익을 위해 나쁜 짓을 했다면, 그리고 광주를 폄하하기 위해 혈안이 돼 있는 저들의 주장대로 '북한에서 내려온 불순분자들이 사회 혼란을 부추기기 위해 무슨 짓을 했다'는 사실이 나중에라도 밝혀졌다면 5월 광주의 정신은 회복할 수 없을 정도로 훼손되고 말았을 것이다.

병규는 항쟁기간 동안 도청시민학생수습대책위원회에서 일했다. 당시 도청에는 신원이 확인되지 않은 시신 30여 구가 안치돼 있었는데 병규는 유족들이 시신을 확인하고 입관을 돕는 일을 전담했다.

당시 상황이 얼마나 처참

병규의 어머니 故 김양애(2002년 작고).

했는지 병규의 얘기를 들어보자.

> 한번은 사망자의 형이 왔는데 시신이 하도 험하게 일그러져서
> 얼굴로는 확인할 수가 없었다. 동생이 자기 교련복을 입고 나갔다
> 며 시신이 입고 있던 교련복 바지를 벗겨서 입어보고는 동생이 맞
> 다며 울음을 터뜨렸다. 참으로 가슴 아픈 일이 날마다 계속됐다.
>
> — 증언집 『그해 5월 나는 살고 싶었다』 중

한강의 소설 『소년이 온다』에 등장하는 중3 소년 동호가 생각난다. 5
월 항쟁 당시 계엄군의 발포로 친구를 잃은 동호가 도청 임시 희생자 안
치소에서 일하면서 그곳에서 만난 형, 누나들과 맺은 인연을 줄거리로
하는 소설이다.

동호도 병규처럼 도청에 끝까지 남았고 결국 5월 27일 숨을 거둔다.
내가 읽은 5월 관련 소설 중 가장 감동적인 작품이었다. 이 대목이 특히
기억에 남는다

> '…유족들이 애국가를 부른다는 것이었다… 군인들이 죽인 사람
> 들에게 왜 애국가를 불러주는 걸까. 왜 태극기로 관을 감싸주는 걸
> 까. 마치 나라가 그들을 죽인 게 아니라는 듯이' 조심스럽게 네(동
> 호)가 물었을 때, 은숙 누나는 동그란 눈을 더 크게 뜨며 대답했다.
> '군인들이 반란을 일으킨 거잖아… 어떻게 나라라고 부를 수 있어?'

병규도 그들을 위해 태극기로 관을 싸고 애국가를 불렀을 것이다.

도청을 되찾은 후 도청 앞 광장에서는 연일 궐기대회가 열렸다. 상무
대 영창에서 풀려난 후 나도 몇 차례 도청 앞 집회에 참석했다. 광장을
가득 메운 시민들은 서로의 눈빛에서, 맞잡은 어깨에서 새로운 힘과 용
기를 얻었다.

희생자들이 안치된 상무관에도 조문객들의 발길이 이어졌다. 관을 부여잡고 울부짖던 유족들의 절규를 나는 지금도 잊을 수 없다.

외부와의 전화도 끊기고 언론의 왜곡보도가 계속되던 당시에 도청과 금남로 일대에 나붙은 크고 작은 대자보는 새로운 소식을 접할 수 있는 유일한 '언론'이었다.

나는 병규가 일하고 있던 도청 안으로 끝내 들어가지 못했다. 솔직히 겁이 났다. 도청에서, 상무관에서 온갖 궂은일을 마다하지 않던 수많은 병규들을 생각하면 지금도 빚을 진 느낌이다.

5월 23일은 대환이가 죽은 날이다. 사망자수에 비해 턱없이 부족했던 관을 구하기 위해 화순으로 가던 트럭을 향해 시 외곽에 매복해 있던 계엄군이 집중 사격을 가한 것이다. 여학생 한 명을 제외하고 대환이를 포함해 아홉 명이 그 자리에서 숨지고 말았다. 이 비극적인 장면을 나는 효과음과 삽화로 처리했다.

항쟁기간 동안 병규는 두 번 집에 들렀다. 걱정하는 어머니에게 병규는 말했다.

> 나이든 사람들은 가정이 있기 때문에, 자식들 때문에라도 쉽게 나설 수 없고 또 그래서도 안 된다고 생각해요. 그러니까 우리 젊은 청년들이 나서서 계엄군을 몰아내고 이 땅에 민주주의를 뿌리 내리게 해야 해요. 어머니.
>
> – 증언집 『그해 5월 나는 살고 싶었다』 중

항쟁 기간이 길어지면서 수습방안이 논의되기 시작했다. 계엄군 측에서는 시민군에게 '무조건 무기를 반납하고 해산하라'고 요구했다. 반면 '인명과 재산피해에 대한 배상, 학살 책임자의 사과, 항쟁 가담자에 대한 처벌금지 등 모두 여덟 개의 요구사항이 받아들여지지 않으면 결코 싸움을 중단할 수 없다'는 것이 항쟁지도부의 입장이었다. 당연한 요구였다.

그러나 계엄사 측에서는 당초의 주장만 되풀이하면서 광주 봉쇄를 더욱 강화해 나갔다.

26일부터는 더 이상의 협상마저 중단되었다. 어떠한 희생이 따르더라도 무력으로 진압하고 말겠다는 계엄당국의 의도가 노골적으로 드러난 것이다. 사실 신군부로서는 권력 찬탈의 명분을 쌓기 위해서라도 더 많은 피가 필요했는지도 모른다.

병규가 마지막으로 집에 전화한 것은 5월 26일 밤이었다. 어머니는 "내일 아침 집에 와서 밥 먹고 가라"고 말했고 병규도 "그러마"고 대답했다. 이것이 두 모자가 나눈 마지막 대화였다.

그렇다면 병규는 다음 날 계엄군이 쳐들어올 것이라는 사실을 정말 몰랐을까?

당시 항쟁 지도부장은 취재팀에게 "도청 안에 있던 사람들은 27일 새벽에 계엄군이 쳐들어온다는 사실을 모두 알고 있었다"고 증언했다. 병규는 어머니에게 마지막 작별 인사를 하기 위해서 집에 전화를 건 것은 아닐까?

도청 5월 27일 새벽, 꽃잎 지다

5월 27일 새벽 계엄군의 도청진압작전이 시작됐다. 시민군도 목숨을 걸고 대항해 보았지만 탱크 등 중화기로 무장한 계엄군의 공격을 막아낼 수는 없었다. 이날 도청에서만 병규를 포함해 수십 명의 시민군이 숨졌다.

그러나 정확한 사망자수는 아직도 알 수 없다. 당시 관련 자료들이 신군부에 의해 폐기되었기 때문이다.

새내기 대학생, 가슴 뛰는 새 출발을 눈앞에 두고 열아홉 병규는 그렇게 가고 말았다.

그렇다면 그들을 끝까지 도청에 남아 있게 한 그 어떤 힘은 과연 무엇이었을까? 질문을 바꿔보자. 그날 도청 안에 아무도 남아 있지 않았다면 역사는 광주를 어떻게 기록했을까?

병규의 부모님은 아들을 찾아 도청으로, 상무대로 헤매고 다녔다. '아침에 집에 밥 먹으러 오겠다'던 아들은 결국 싸늘한 시신이 되어 상무관에 누워 있었다. 당시 계엄당국이 항쟁 중 사망한 시신을 몰래 빼내 암매장한다는 소문이 나돌던 터라, 병규 부모님은 혹시라도 시신이 분실될까 염려돼 아들을 나주에 있는 선산에 묻었다.

피로 물든 도청은 또다시 신군부의 수중에 들어갔다. 그리고 그들의 수족이 되어 학살에 가담했던 계엄군은 개선장군처럼 광주를 떠났다. 이 대목에서 나는 장갑차 위에서 웃으며 누군가에게 손을 흔들던 공수부대 장교를 자료화면에서 찾아 편집해 넣었다.

그날 이후 광주 시민들은 말을 잃었다. 죽음과도 같은 정적이 도시를 짓눌렀다.

휴교령이 풀려 다시 학교로 돌아온 나는 그럭저럭 새로운 환경에 적응하기 시작했고 대학생활의 낭만도 즐겼다.

어머니와 경순, 투쟁의 선봉에 서다

목숨을 바쳐 세상을 바꿔보려 했던 병규들의 희생은 이렇게 끝나는 듯했다. 그러나 그들은 주검이 되어 오히려 더 큰 목소리로 외치기 시작했다.

병규 어머니가 맨 먼저 나섰다. 1983년부터 유족회 활동에 적극 나서기 시작한 것이다. 그러나 가해자들이 권력을 쥐고 있던 당시, 유족회 활동은 탄압을 자초하는 일이었다. 그러나 어머니들은 강했다. 그들의 투쟁은 집요하면서도 끈질겼다. 박종철의 아버지가 박종철이 되고 이한열의 어머니가 이한열이 되듯, 병규의 어머니도 제2의 병규가 되어 싸웠다. 가슴에 묻은 자식들과 한 몸이 되어 두려움 없이 싸워 나간 것이다.

광주학살 진상규명과 책임자 처벌을 요구하며 거리로 나선 유가족들

5월청년동지회 활동 당시 경찰에 연행되는 박경순.

의 외침은 1980년대 초, 엄혹했던 그 시절 꽁꽁 얼어붙은 땅을 녹이는 불씨가 되었다.

병규의 두 살 아래 동생인 경순이도 어머니 뒤를 따랐다. 대학에 입학하자마자 경순이는 오월청년동지회 회장을 맡으면서 5월 문제와 정면으로 맞섰다.

1983년 3학년을 마치고 나는 군에 입대했다. 나에게 지난 3년간의 대학생활은 참으로 무미건조했다. 딱히 1학년 때 겪은 오월의 영향이라고 말할 수는 없겠지만 세상 사 모든 것이 질식할 것만 같이 답답했고 한편으론 허무했다. 이런 상황에서 군대는 일종의 돌파구이자 도피처였다. 그런데 그마저도 안 풀렸다. 훈련소에서 나를 포함해 26명이 특전사, 즉 공수부대에 차출된 것이다. 한 해 8기의 신병을 받아 배출하고 한 기의 훈련병 인원이 약 250명이었으니 우리 26명은 정말 재수에 옴이 붙어도 호박만 한 옴이 붙은 격이었다.

1980년 5월, 광주 시민들을 학살하고, 나를 때리고 잡아 가둔 그 조직

군복무시절 대대장으로부터 상을 받았다. 왜 상을 받았는지는 기억나지 않는다.

에 또 끌려간다고 생각하니 눈앞이 캄캄했다. 우리를 인솔하던 특전사 상사는 '한강 이남에서 근무하게 될 제군들은 행운아들'이라고 위로(?) 했다. 정말 그랬다. 한강 이남에서 교육받고 한강 남쪽, 김포공항 옆에 위치한 1공수에서 병역을 마쳤으니까. 1980년 5월 당시 1공수는 광주에 투입되지 않았다.

예나 지금이나 최정예 전투대원임을 자부하던, 그리고 그토록 순박하던 그들이 1980년 5월 광주에서는 왜 그랬을까? 진압에 참여했던 공수부대원 중 김경남 목사 등 몇몇이 양심선언과 함께 광주에서의 살상행위에 대해 사죄했다. 5월 자료영상을 보면 항쟁 진압 후 공수부대원들이 도청 앞 광장에서「검은 베레모」라는 군가를 부르는데(나도 군 복무 중 그 군가 많이 불렀다) 그중 한 병사가 고개를 푹 숙이고 있는 장면, 많은 사람이 기억할 것이다. 비록 상부의 명령에 의해 저지른 일이었지만 당시에도 자신들의 행동에 대해 죄의식을 느끼는 군인들도 있었다는 얘기다.

'화려한 휴가'가 아니라 '학살의 휴가'를 명령받고 광주에 투입됐다가 이후 정신적 후유증으로 고통 받고 있는 사람들이 적지 않다고 한다. 한 줌도 안 되는 정치군인들의 야욕을 채우기 위해 동원된 그들도 어쩌면 또 다른 5월의 피해자들인지도 모른다.

아들이 세상을 떠난 지 4년 만에 병규 아버지도 아들 곁으로 떠났다. 아들을 먼저 보낸 아버지는 몇 년 동안 골방에 칩거한 채 술과 담배로 통한의 세월을 보냈다고 한다. 마음의 병이 육체의 병이 되어 홀연히 세상을 등지고 만 것이다. 날마다 밤 9시 '땡' 시보와 함께 등장하는 '전두환 대통령'과 승승장구하는 학살자들의 뻔뻔한 모습들이 아버지의 수명을 야금야금 갉아먹었던 것은 아닐까?

5·18 부부의 탄생

2008년 1월 말, 경순이의 유택이 영락공원에서 망월동 5·18 구 묘역으로 이장됐다.

5·18 구 묘역, 이곳은 지난 세월 이 땅 민주화의 상징이었다. 병규의 가묘도 있어 경순이가 생전에 무척 애정을 쏟았던 곳이기도 했다.

병규도, 경순이도 이날 이장이 무척 반가웠으리라. 언덕 너머 5·18 신 묘역에 잠들어 있는 오빠와 동생이 지척지간이 됐으니 말이다. 경순이의 영원한 안식을 기원하며 나도 허토의식에 참여했다.

경순이와 허연식 씨, 두 사람이 처음 만난 것은 지난 1987년, 그보다 한 해 전 민중문화연구소에서 간사로 일하던 허연식 씨는 홍성담의 5월 연작 판화집 제작에 참여하면서 본격적으로 5·18과 인연을 맺게 됐다고 한다. 그리고 1987년 두 사람은 5·18 관련 최초의 증언집 『5·18 광주 민중항쟁 증언록』이라는 책을 통해 동지이자 부부의 연을 맺는다. 허연식 씨가 증언집을 만들 때 경순이는 자료조사로 그의 일을 도왔다.

항쟁 이후 숨죽이고 있던 국민들이 1980년대 중반부터 본격적으로 발언하고 행동하기 시작했다. 그 투쟁의 중심에는 항상 광주가 있었다.

그리고 1987년 6월, 국민들은 하나로 똘똘 뭉쳐 민주회복이라는 찬란한 승리를 이뤄낸다. 1980년 광주가 뿌린 씨앗이 비로소 열매를 맺게 된 것이다.

그해 6월 나는 지역의 한 방송사에 입사했다. 서울 본사에서 연수를 받던 중 목격한 6월 항쟁은 벅찬 감격이었다. '호헌철폐, 독재타도'를 외치며 서울 도심을 휩쓰는 시위대는 누구도 막을 수 없는 성난 파도였다. 연수를 마치고 회사에 돌아온 나는 다음 해 출범한 노동조합 활동에 나름대로 적극 참여했다. 광주의 비극도 따지고 보면 언론이 제 역할을 못해서 빚어진 일이라는 믿음 때문이었다.

1988년 『5월 광주민중항쟁 비망록』이라는 제목의 책이 출간됐다. 경순이가 조사하고 허연식씨가 기록한 이 책에는 5·18 희생자 90여 명의 개인별 신상 명세와 사망경위, 유가족 상황 등이 관련자의 증언을 바탕으로 상세히 수록돼 있었다.

나는 책 첫머리에 붙어 있던 사망자들의 검시사진을 보았다. 병규와 대환이도 거기에 있었다. 말로 다 형용할 수 없이 처참한 모습이었다. 나는 그 후 며칠 동안 잠을 이룰 수 없었다.

동지로 만난 지 4년 만에 경순이와 허연식 씨 두 사람은 부부가 되었다. 사람들은 그들을 '5·18 부부'라고 불렀다. 이름에 걸맞게 두 사람의 오월운동은 그 후로도 계속되었다. 두 사람은 특히 5·18 행방불명자 유

5·18 구 묘역에 있는 경순의 묘를 가족들이 찾았다. 이곳은 지난 세월 동안 이 땅 민주화의 상징이었다. 병규의 가묘도 있어 경순이가 생전에 무척 애정을 쏟았던 곳이기도 하다.

동지로 만난 지 4년 만에 경순이와 허연식 씨 두 사람은 부부가 되었다. 사람들은 그들을 '5·18 부부'라고 불렀다.

골 조사활동에 적극 참여했다. 광주 인근 산과 들에 그들의 발길이 닿지 않은 곳이 없을 정도로 열심이었다.

당시의 활동상황이 SBS를 통해 방송됐다는 얘기를 듣고 SBS 자료실에 연락해 관련 화면을 확보했다. 아쉽게도 완제품 형태의 화면이어서 몇 컷 건지지는 못했지만 생전의 경순이를 화면으로나마 만날 수 있어서 무척 반가웠다.

당시 병규의 형은 보습학원을 운영하고 있었는데 그 학원은 가족의 유일한 생계수단이었다. 상고를 졸업한 '주산 왕' 경순이는 학원의 회계 업무를 맡았다. 한때 문학청년을 꿈꾸던 허연식 씨는 논술강사로 일하면서 가족의 생계를 도왔다. 그 사이 민수, 민아, 민서 세 아이도 태어났다. 힘겨운 시절이었다.

1987년부터 5·18기념재단 간사 일을 하면서 허연식 씨가 가장 큰 보람으로 여겼던 것은 A4 용지 600매 분량으로 재단 인터넷 홈페이지를 구축한 일이었다.

그즈음 노태우에 이어 3당 합당으로 집권한 김영삼 대통령은 "5·18을

역사의 평가에 맡기자, 성공한 쿠데타는 처벌할 수 없다"며 역사를 거꾸로 돌리려 했다. 그러나 5월 관련단체들과 수많은 국민들은 과거를 적당히 묻어버리려는 정권에 맞서 5·18 진상규명과 책임자 처벌을 끈질기게 요구했다.

허연식 씨도 5·18 민중항쟁연합 간사로 일하면서 오월학살 책임자의 범죄사실을 정리해 검찰에 고소하는 일에 적극 나섰다. 이러한 노력이 결실을 맺어 마침내 5월 학살 책임자들은 1996년 역사의 심판을 받는다.

그토록 열정적으로 유족회 활동을 하던 병규의 어머니는 지병이 악화되어 2002년 사랑하는 아들 곁으로 떠났다. 5·18관련국가유공자법이 통과되기 직전에, 그리고 아들이 안장되어 있는 5·18묘지가 국립묘지로 승격되는 것을 끝내 보지 못하고 가신 어머니였기에 가족들의 슬픔과 아쉬움은 그만큼 더 컸다.

2005년 9월부터 경순이는 국립5·18묘지의 첫 개방형 소장으로 일하기 시작한다. 회사 보도국 자료실을 샅샅이 뒤졌다. 경순이가 5·18묘역 관리소장일을 하던 시기의 화면 몇 컷을 확보할 수 있었다. 5월만 되면, 그리고 자신의 정치적 결단이 필요하면 찾아오곤 하는 정치인이나 고위관료들을 안내하는 경순의 모습이 자료화면의 대부분을 차지하고 있었다.

소장시절 5월 묘역은 그녀의 모든 것이었다. 취임하자마자 경순이는 묘지의 개념을 열린 공원으로 바꿔보겠다며 여러 가지 사업을 시작했다.

그 첫 사업이 열린 음악회였다. 묘지에서 음악회라니! 당시로는 파격적인 발상이었지만 반응은 무척 좋았다. 음악회가 끝나자 참석자를 대상으로 헌혈 캠페인도 벌였다. 주먹밥도 나눠줬다. 피를 나누고 밥을 나누던 5월 그날의 정신이 오롯이 되살아나는 뜻깊은 시간이었다.

몇 해 전 나는 다른 다큐멘터리 제작을 위해 이 열린 음악회를 취재했었는데 천만다행으로 그때 촬영했던 영상원본이 자료실에 고스란히 남아 있었다. 경순이와 허연식 씨의 모습도 물론 화면 속에 있었다. 필요한 장면을 찾아 편집해 넣었다. 자료보관의 중요성을 다시 한 번 절감했다.

소장 시절, 5·18묘역 내 추모관 건립은 경순이가 가장 공을 들인 사업이었다. 나도 묘역을 방문할 때마다 꼭 들르는 곳인데 5·18의 역사와 의미를 누구나 알기 쉽게 잘 꾸며 놓았다.

2008년 4월 어느 날, 허연식 씨가 아들과 두 딸을 데리고 5·18 구 묘역 경순이의 무덤을 찾았다. 3개월 전 이곳에 이장을 마치자마자 그는 아내에 대한 못다 한 사랑을 한 편의 시에 담아 비석에 새겼다.

꿈도 두고 사랑도 두고
하고 싶던 그 많은 일마저 남겨두고
5월만 보듬고 서둘러 간 당신
우리는 우리는
차마 당신을 놓아 줄 수 없지만
5월의 누이, 그 이름으로
우리 곁에 영원히
함께할 당신입니다.

허연식 씨 가족이 추모관을 둘러보고 있을 때 내 연락을 받고 중학교 동창 몇 명이 묘역에 도착했다. 먼저 병규 무덤부터 찾아 헌화했다. 30년 만에 찾아온 무심한 친구들이었다. 대환이에게도 갔다. 친구 중에 누군가가 대환이의 묘비를 한참 들여다보더니 "대환이가 제 생일에 숨졌다"고 말했다. 정말 그랬다. 1961년 5월 23일 출생, 1980년 5월 23일 사망.

불의한 세상이 한 젊은이의 생일을 제일(祭日)로 바꿔버린 것이다. 채 피기도 전에 시들어 버린 대환이의 무덤 앞에서 우리는 아무 말도 할 수 없었다.

묘역에서 우리는 허연식 씨 가족과 반갑게 만나 먼저 간 병규와 대환이, 그리고 광주의 5월에 대해 땅거미가 질 때까지 얘기했다.

방송 후기

취재가 마무리되자 나는 우선 자료실을 뒤져 5월 관련 영상을 모두 모았고 사진자료는 〈5·18기념재단〉에서 빌려왔다.

편집을 마치고 원고작성에 들어갔다. 1인칭 관찰자 시점으로 줄거리

중학교 동창들과 함께 병규의 무덤을 찾았다. 잠든지 30년 만에 찾아온 친구들. 그래도 병규는 반가워할까?

를 풀어갔기 때문에 내레이션도 내가 직접 했다. 그래서 대부분의 문장은 '내가, 또는 나는'으로 시작됐다. PD가 본인의, 그리고 친구의 이야기를 자기 목소리로 직접 전달한 프로그램은 내가 아는 한, 국내에서 이 다큐가 처음이 아닌가 싶다. 괜한 짓을 한 게 아닌지 내심 걱정도 됐다. 엎질러진 물, 녹음작업에 들어갔다. 나는 부스 안에서 원고를 읽으면서 감정이 복받쳐 몇 번이나 NG를 냈다. 방송 후 독특한 형식에 내용도 좋았다는 인사를 몇 사람한테 받았다.

나는 이 프로그램을 통해 한 가지만은 꼭 이야기하고 싶었다. '기억을 기억하라!' 마땅히 기억해야 할 것을 기억하지 않는다면 우리는 기억하기 싫은 기억을 기억하게 될지도 모른다. 우리가 과거의 교훈을 잊고 잠시만 한눈을 팔아도 역사는 퇴보한다. 우리가 그런 모습을 지금 생생히 보고 있지 않은가?

5·18민중항쟁이 일어난 지 어언 36년이 흘렀다. 그동안 배상도 받았고 명예도 회복됐으며 책임자 처벌도 어느 정도 이뤄졌으니 이제 광주는 그만 잊자고 말하는 사람도 있다. 그러나 저 멀리 1894년의 2월, 1919년의 3월, 1960년의 4월, 그리고 1980년 5월과 1987년 6월의 그 소중한 정신을 기억하지 못한다면 우리는 과연 무엇으로부터 역사의 교훈을 얻을 수 있을까?

이것이 민주, 인권, 평화, 통일 세상을 꿈꾸며 온몸을 바쳐 싸우다 쓰러져간 수많은 병규들과 경순이들을 우리가 끝끝내 기억해야 하는 이유인 것이다.

과거를 기억하지 못하는 자는 그 과거를 되풀이할 운명에 처한다.

– 조지 산타야나

영상기록 – 하늘에서 본 남도

2013년 5월 방송

영상기록 – 하늘에서 본 남도 2013년 5월 방송

장기 기획 프로젝트를 맡다

2012년 초 신임 사장은 얀 감독이 제작한 〈홈〉이라는 항공 다큐를 예로 들면서 우리도 항공 다큐멘터리를 한 편 제작해 보자고 제안했다.

광주 전남의 자연, 역사, 문화, 산업, 관광 등 남도의 모든 것을 항공 영상으로 담아 제작, 방송하자는 장기기획 프로젝트였다. 보도국에서 제작을 담당하기로 했다.

3월 첫 촬영을 앞두고 남평 드들강 변에서 제작성공과 무사고를 기원하는 고사가 열렸다. 꽃샘바람이 제법 맵짜게 부는 날이었다. 나도 편성제작국장의 자격으로 참석했다.

그해 6월 1일 나는 서부방송 본부장으로 자리를 옮겨 전남도청이 있는 무안 남악에서 근무하기 시작했다. 6월 말쯤으로 기억하는데 매주 월요일에 있는 간부회의 후에 사장이 "다큐 경험이 좀 있는 걸로 아는데 지금 진행 중인 항공다큐 제작을 박 본부장이 총괄해주면 어떻겠느냐"며 나의 의견을 물었다. 나는 "서부방송 고유의 업무도 있고 항공 다큐는 전혀 경험이 없다"는 이유로 정중히 사양했다. "더구나 현재 보도국에서 팀을 짜서 제작을 하고 있는데 타 부서에 있는 내가 끼어드는 것이 어색하다"는 이유도 댔다. 사장의 강권으로 결국 나는 그 프로젝트를 떠맡게 됐다.

사실 겁도 났다. 지금이야 드론이 일반화 돼 웬만한 VJ들도 한 대씩 갖고 있고, 여러 장르의 프로그램에서 너무 과하다 싶을 정도로 쓰이고 있지만 불과 7, 8년 전까지만 해도 항공 관련 프로그램은 중앙 메이저 방송사에서나 제작하는 것이라는 인식이 지배적이었다.

준비

어쨌거나 나는 프로그램의 가제를 〈영상기록 – 하늘에서 본 남도〉로 정하고 나름의 준비를 시작했다.

2013년 5월 창사기념 특집으로 방송하려면 남은 기간은 약 11개월, 마음이 급했다. 다른 한편으로는 지역 최초의 항공 다큐를 우리가 제작, 방송하게 된다는 점에서 가슴이 벅차오르기도 했다.

나는 우선 KBS의 〈하늘에서 본 한반도〉 시리즈 등 여타 항공 프로그램을 주의 깊게 모니터했다. 작가가 구해다 준 '얀 아르튀스 베르트랑'의 〈홈〉도 DVD로 봤다. 특히 지구 곳곳을 촬영해 제작한 세계적인 사진작가 '얀의 홈(Home)'은 감동적이었다. 장면 하나하나가 한 폭의 그림처럼 아름다웠다.

당시 보도국에서는 동력 패러글라이더를 이용해 촬영하고 있었다. 지금까지의 촬영 리스트를 쭉 훑어봤다. 신안군과 보성군, 완도군 일부가 촬영돼 있는 상태였다.

기왕에 제목을 〈영상기록 – 하늘에서 본 남도〉로 정했다면 남북으로는 여수 거문도부터 장성까지, 동서로는 지리산부터 신안 가거도까지 남도의 곳곳을 빠짐없이 화면에 담아내야 한다고 생각했다. 그리고 프로그램에 남도의 4계가 아름답게 펼쳐진다면 더욱 좋을 것이다. 프로그램에 소개되지 않으면 남도의 명소가 아니라는, 더 이상의 지역 항공 다큐는 무의미하다는 평가를 받을 수 있도록 정말 멋진 프로그램을 제작하고 싶었다.

제작비를 산정해봤다. 얼추 계산해보니 민족자본(회사에서 전액 부담

동력패러글라이더. 프로그램에 대한 열정 없이는 아무나 탈 수 없다.

하는 제작비를 우리는 그렇게 부른다)으로 제작하기에는 제작비 부담이
너무 컸다. 지자체의 참여를 유도하기로 결정하고 제작팀을 구성했다.

　나와 보도국 기자가 총괄과 책임PD를, 외주업체 감독에게 외주 총괄
업무를 맡겼다. 작가는 세 사람으로 정했다. 항공촬영 팀으로는 지금까
지 촬영을 담당해오던 패러글라이더 1팀, 플라잉 카메라 1팀, 시네플렉
스 1팀, 지상 촬영 1팀으로 구성했다. 가능하다면 도내 소방헬기의 지원
도 받기로 했다.

　6월 중순경 발대식을 가졌다. 사장도 참석해 격려해 주었다.

　계절은 우리를 기다려주지 않는다. 4계절이 뚜렷한 대한민국, 물론
좋은 점도 많지만 방송인들에게는 계절의 변화가 때때로 족쇄가 되기도
한다. 반드시 계절에 맞는 화면이 방송에 나가야 하기 때문이다. 가끔 자
료화면을 잘못 써서, 예를 들면 반팔 차림의 자료화면이 들어 있는 프로
그램을 겨울에 방송하면 난리가 난다. 보도 프로그램은 더욱 그렇다. 그
래서 사계절이 여름인 적도 지역 국가들의 방송사 PD나 기자들이 가끔
부럽기도 하다.

계절은 벌써 초여름에 접어들고 있었다. 아직 남은 봄의 끝자락을 최대한 빨리 촬영하고 올해 놓친 화면은 내년 봄에 부지런히 촬영하면 될 것 같았다.

우선 나와 책임 프로듀서는 작가들과 몇 차례 만나 각 시군별 촬영 리스트를 만들었다. 한 장소를 봄, 여름, 가을, 겨울 모두 촬영할 수 없기 때문에 촬영장소를 계절별로 분류했다.

어느 계절에 촬영해야 가장 좋은 영상을 얻을 수 있느냐와, 어떤 장비를 써야 가장 효과적인가가 아이템 선정의 기준이었다.

예를 들면, '동력 패러글라이더'는 두 사람이 탑승해서 기체조정과 촬영을 담당하는 장비이다. 최소 50m의 활주로가 필요하고 날씨의 영향을 많이 받는다는 약점이 있지만 장시간 비행이 가능하고 사람이 직접 탑승해 촬영하기 때문에 카메라 워킹을 통해 다양한 화면을 얻을 수 있다는 장점이 있다. 중간 크기의 화면을 역동적으로 잡아내기에 안성맞춤인 장비이다.

또 다른 주력 촬영 장비인 '플라잉 카메라', 말 그대로 날아다니는 카메라다. 지금은 '드론'으로 통칭하지만 당시엔 여러 가지로 불렸다. 어쨌거나 이 장비는 두 사람이 한 팀이 돼 지상에서 모니터를 보면서 조작하는데 한 사람은 카메라가 탑재된 비행체를 원격 조정하고 다른 사람은 촬영을 전담한다. 플라잉 카메라 역시 날씨의 영향을 많이 받고, 배터리 용량 때문에 길어야 10분 정도 촬영이 가능하다는 단점이 있지만 가로 세로 1m의 공간만 있으면 이착륙이 가능하고 좁은 공간에서의 촬영, 근접촬영 등이 강점인, 말하자면 만능 재주꾼이다.

'플라잉 카메라'. 말 그대로 날아다니는 카메라다. 지금은 '드론'이라 불린다.

'시네플렉스'는 헬기 맨 앞에 360도 회전하는 카메라를 달았다. 산봉우리를 타고 넘는다거나 산맥이나 강줄기, 들녘을 와이드하게 잡아내는 데는 시네플렉스가 제격이다. 당시 국내에 4대 밖에 없어서 임대료가 너무 비싸 하루만 쓰기로 했다.

　'소방헬기'는 양옆에 난 문을 열고 피사체의 옆면을 주로 촬영할 수밖에 없는 불편함이 있지만 말만 잘하면 공짜로 쓸 수 있다는 점이 최대의 장점이다.

　이처럼 계절별, 장비의 특성별로 촬영 아이템을 정하고 본격적인 촬영에 들어갔다.

　첫 플라잉 카메라(지금부터는 드론이라고 칭하겠다)촬영현장에 동행했다. 화순 고인돌 유적지였다. 드론을 띄우고 모니터를 봤더니 유적지 일대가 광활하게 펼쳐졌다. 멋진 화면이었다. 채석장 쪽으로 달리(Dolly)하는 장면은 역동적이었다. 프로그램이 잘 될 것 같았다.

　한편 나는 지자체 참여를 요청하기 위해 제안서와 공문을 작성해 광주·전남 23개 지자체에 보냈다. 참여조건은 '항공 다큐멘터리 한 편을 제작, 2013년 5월 창사특집으로 방송하고, 각 지자체 별로 항공과 지상 촬영영상을 묶어 별도의 프로그램을 제작, 매주 한 편씩 방송한다. 항공 촬영한 영상자료를 지자체에 제공한다. 방송 후 DVD와 관련 책자를 제작, 배포한다' 등이었다.

프로그램 제작에 참여한 시네플렉스(왼쪽)와 전남소방헬기(오른쪽).

거의 모든 지자체가 참여하기로 했다. 끝까지 참여를 망설이던 두 군데 지자체장을 직접 만나 데모 영상을 보여주면서 설득해, 참여를 약속받았다.

촬영

이제 모든 준비는 끝났다. 날씨만 도와주면 만사 오케이였다.

나는 매일 촬영상황을 점검했다. 축제현장 촬영 등 지자체의 요구를 조정하는 일도 나의 몫이었다. 촬영은 순조롭게 진행되고 있었다.

10월에는 보도국 제작 담당기자가 서부방송 본부 팀장으로 전근해왔다. 불감청고소원, 백만 원군을 얻은 기분이었다.

그즈음 서울에서 시네플렉스 헬기가 날아왔다. 남녘의 주요 도시와 산맥, 하천, 들녘을 촬영하기 위해서였다. 우리는 영암에서 항공 팀을 만나 촬영에 들어갔다. 나와 카메라 기자가 헬기에 탑승했다. 헬기에서 내려다본 남도의 가을 산하는 참으로 아름다웠다. 월출산 정상을 타고 넘는 장면을 촬영할 때 나는 헬기가 천황봉 정상 바위에 부딪칠까 봐 오므린 발가락을 펴지도 못했다. 나중에 촬영된 화면을 봤더니 정말 숨 막힐 듯 다이나믹한 장면이 담겨 있었다.

흑산도, 홍도는 전남소방헬기의 도움을 받아 촬영했다. 비취빛 융단을 깔아 놓은 듯 아름다운 바다, 뛰어내리고 싶은 충동이 일었다. 지금까지 흑산도, 홍도에 여러 차례 가봤지만 하늘에서 본 두 섬의 모습은 전혀 달랐다.

예리항에 정박해 있는 각종 선박들은 장난감처럼 보였고 흑산도 일주도로는 산 정상을 향해 꿈틀거리며 기어 올라가는 하얀색 뱀 같았다.

에메랄드빛 바다 위에 떠 있는 홍도의 모습은 필설로 표현하기 어려울 정도로 환상적이었다.

동력패러글라이더를 타던 카메라 감독이 촬영을 담당했다. 안전벨트를 매긴 했지만 좋은 화면을 얻기 위해 기체 밖으로 몸을 반쯤 내밀면서까지 필사적으로 촬영하던 카메라 감독의 모습을 보면서 '저게 바로 프로의 참 모습이구나!' 내심 감탄했다. 그날 촬영한 화면을 편집실에서 확인해본 결과 '역시!' 였다.

날이 어두워지기 시작해 가거도는 다음 기회에 촬영하기로 하고 헬기를 돌려 목포로 돌아왔다. 멋진 풍광을 촬영할 수 있도록 지원을 아끼지 않은 전남소방헬기 관계자들께 다시 한 번 감사드린다.

1년 동안 여러 종류의 항공촬영 장비를 총동원해 남녘의 곳곳을 꼼꼼히 영상에 담았지만 제작과정이 그렇게 순탄치만은 않았다.

촬영횟수가 가장 많았던 동력패러글라이더, 횟수만큼 겪어야 했던 어려움도 그만큼 컸다.

패러글라이더 최대의 적은 갑작스러운 돌풍, 와류 등 바람의 변덕이다. 무안 양파 밭 촬영을 나갔다 와류를 만나 비상 착륙하면서 애먼 남의 양파 밭을 짓이겨 놓기도 했다. 지금이라도 밭주인이 누구인지 안다면 보상이라도 해주고 싶다.

나뭇가지에 걸리기도 부지기수였다. 공중을 가로지르는 전선 등 갖가지 줄도 복병이기는 마찬 가지였다.

이 중 가장 큰 사고는 엔진 고장으로 완도 앞바다에 추락한 것이었다. 천만다행으로 탑승자들이 다치지는 않았지만 바닷물이 들어가 못 쓰게 된 엔진은 새것으로 바꿔야했다.

드론 역시 마찬가지였다. 광양 매화축제 현장을 촬영하다 전선에 걸려 맥없이 추락했고 배터리 용량 부족으로 허망하게 떨어진 경우도 있었다. 추락하는 것에는 날개가 없었다. 역시 광양 숯불구이 축제현장을 촬영하다 애드벌룬 줄에 걸려 바다에 추락한 드론 카메라는 폐기처분해야 했다. 추락 당시의 수중 화면이 용케 살아 있어서 프로그램 말미 제작 후기에 편집해 넣었다. 물에 빠질 때 '꼬르륵' 소리까지 녹음 됐으면 좋았을 텐데 화면만 살아 있었다.

와류를 만나 추락하면서 나뭇가지에 걸린 동력패러글라이더의 캐노피(왼쪽). 추락한 드론을 사람들이 딱한 표정으로 내려다보고 있다.

제작 과정에서 깨지고, 빠지고, 고장나버린 장비에 대해 아무 보상도 못해준 것이 두고두고 마음의 짐으로 남아 있다.

시네플렉스 최대의 적은 각종 곤충들이었다. 카메라 렌즈에 하루살이 같은 날 것이 달라붙으면 어쩔 수 없이 비상 착륙을 해야 했다. 따라서 시네플렉스 헬기에서 가장 중요한 장비는 카메라와 렌즈 클리너였던 셈이다.

군사시설 촬영은 엄격히 금지돼 있었지만 경계가 모호해 애를 먹었다. 목포항을 촬영하면서 사전 허가를 받지 않고 촬영했다며 부산에 있는 공항관리공단에서 출두 요구서가 제작진 앞으로 날아왔다. 책임 프로듀서가 부산까지 불려가 상황을 설명하고 벌금 200만 원을 50만 원으로 깎아 어렵사리 해결했다.

여수 엑스포 개막식도 우여곡절 끝에 촬영했다. 밤에 열렸던 개막식 장면은 프로그램에서 결코 빠뜨릴 수 없는 부분이었다. 우리는 드론을 띄워 그 역사적인 장면을 촬영할 계획이었는데 정보기관에서는 막무가내로 야간비행은 안 된다고 막아섰고 우리는 반드시 촬영을 해야겠다고 버텼다.

결국 책임자 입회하에 촬영하는 것으로 절충하고 항공촬영을 무사히 마쳤다. 영상을 확인해 보니 정말 멋지게 찍혔다. 촬영을 포기했다면 큰

일 날 뻔했다. 기억나는 것이 또 있다. 당시 여수 엑스포 관련 방송을 중앙의 모 방송사에서 전담했는데 조직위원회 측에서 개막식 야간 항공 촬영을 요청하자 그 방송사에서는 거액의 제작비를 별도로 요구했다고 한다. 조직위원회 측에서 난감해 한다는 소식을 듣고 '우리가 싸게 촬영해주겠다'고 잽싸게 제안해 적지 않은 금액을 받고 팔았다. 꿩 먹고 알 먹은 셈이다.

이렇게 얻어낸 화면이 총 길이 120시간, 땀과 눈물의 결실이었다.

포스트 프로덕션

2013년 4월부터 본격적인 편집에 들어갔다. 편집 중에도 촬영은 계속했다. 지금까지 촬영해놓은 영상자료가 너무 많아 모니터하고 인덱스를 만드는 데에만도 꼬박 일주일이 걸렸다.

프로그램의 프롤로그 첫 화면은 월출산 정상을 넘는 시네플렉스 화면을 썼다.

첫 내레이션이다.

새가 되어 높은 하늘에서 내려다본 남녘은 과연 어떤 모습일까? 나고 자라고 발 딛고 살면서도 항상 그립고 애틋한 우리 땅 남도. 철 따라 전혀 새로운 모습으로 다가오는 남녘의 4계, 그 변화의 숨결을 오롯이 영상에 담았다.

본편은 봄, 여름, 가을, 겨울의 순으로 배치했다.

〈봄 - 꽃 대궐, 남도〉, 〈여름 - 남도, 시련을 딛고 다시 일어서다〉, 〈가을 - 결실, 남도〉, 〈겨울 - 남도, 다시 봄을 준비하다〉 그리고 마지막으로 제작 후기인 〈영상기록 하늘에서 본 남도, 이렇게 만들었다〉로 소타이틀을 정하고 각 화면을 편집해나갔다. 나와 편집 담당자가 나란히 앉아 10일 정도 편집한 것 같다.

봄 편은 보성강의 얼음이 풀리고 득량 들녘과 지리산, 드들강에 깃들기 시작한 봄 풍경을 도입으로 시작했다.

봄 – 꽃 대궐, 남도

광주 칠석동 고싸움놀이, 구례 산동 산수유, 광양 매화마을, 해남 매실농장, 보성 녹차 밭, 장흥 제암산, 담양 들녘, 메타세쿼이아 길, 담양 삼지천 마을, 함평 자연 생태공원, 광주광역시청, 상록회관 벚꽃, 운천 저수지 벚꽃, 목포 유달산, 완도 청산도, 신안 튤립축제, 진도 영등축제, 여수 신비의 바닷길, 소록대교와 소록도 중앙공원, 장성 백양사, 화순 운주사와 부부와불, 영암 왕인박사유적지, 해남 윤선도 유적지, 강진 전라병영성, 영산강 황포돛배, 영산포 홍어의 거리, 강진 들녘, 나주 배 밭, 광주 대촌면 미나리꽝, 무안 양파 밭, 무안 무 밭, 무안 5일장, 강진 마량항, 장흥 수협공판장, 고흥 톳 말리기, 신안 새우 양식장, 광주 기아자동차 공장, 목포 신항, 영암 현대삼호조선소, 광양항 컨테이너 부두, 순천만 들녘, 순천만 국제정원박람회장 공사현장, 기아 챔피언스필드 건설현장, 빛가람 혁신도시 건설현장, 국립 5·18 민주묘지, 국립 아시아문화의전당 건설현장 등을 담았다.

광주 칠석동 고싸움놀이에 대한 내레이션 중

매년 이맘 때 펼쳐지는 고싸움놀이는 지난겨울의 먼지를 훌훌 털어버리고 새 희망의 봄을 맞이하자는 한판 신명나는 축제이자 스스로에 대한 다짐인 것이다

봄 타이틀과(왼쪽) 진달래가 만개한 목포 유달산.

가 기억에 남는다.

여름 – 남도, 시련을 딛고 다시 일어서다

여름 편은 2012년 8월, 태풍 볼라벤이 할퀴고 지나간 남녘의 처참한 모습을 첫 화면에 담았다. 하늘에서 내려다본 대촌 들녘, 나주 배 밭, 가거도 방파제, 보길도 양식장은 말 그대로 폐허였다. 이러한 시련을 딛고 다시 일어서는 남도 사람들과 옛 모습을 되찾아가는 의연한 남도의 모습을 이어서 편집했다.

순천만 들녘, 장흥 들녘, 강진 녹동항, 고흥 가두리 양식장, 강진 정치망 어업 현장, 고흥군 잘피 군락지, 신안 염전, 장성 축령산 편백 숲, 장성 금곡 영화마을, 완도 장보고 유적지, 담양 한국가사문학관, 곡성 장미원, 목포 갓바위 지구, 목포 하당평화광장, 목포 해양문화축제, 여수항, 여수 세계박람회장과 개막식, 신안 대광해수욕장, 신안 개매기 체험장, 신안 증도해수욕장, 엘도라도 리조트, 신안 우전해수욕장, 해변 승마, 패러글라이딩, 다도해 갯벌, 무안 생태갯벌센터, 보성 율포 관광타운, 장흥

여름 타이틀(왼쪽)과 여수해양박람회 야경.

탐진강, 장흥 물축제, 장성호, 영광 백수해안도로 전망대와 노을 전시관, 호남고속도로 장성 인터체인지, 목포대교, 이순신대교, 신지대교, 지도대교, 증도대교, 서남문대교, 고금대교, 영산강 하굿둑을 소개했다.

기억에 남는 내레이션,

태풍이 할퀴고 간 남도는 말 그대로 부서지고 찢기고 좌초됐다. 그러나 남도 사람들은 강했다. 농부들은 들에 나가 쓰러진 벼를 일으켜 세웠다. 어부들도 바다로 나갔다. 태풍으로 부서진 양식장을 새로 고치고 물고기를 기르기 시작했다. 얕은 바다에는 다시 그물을 쳤다.

가을 – 결실, 남도
남도의 가을 편에는 나주 다시 들녘, 무안 느러지, 보성 다랑이 논, 고흥 유자 밭, 영광 법성포, 백제불교도래지, 영광 염전, 광주 평동 산업단지, 여수 국가산업단지, 포스코 광양제철소, 대불산업단지, 무안 남악신

도시, 영산강 승촌보, 광주 비엔날레공원, 고흥 나로 우주센터, 장흥 정남진 천문과학관, 강진 청자박물관, 영암 도기박물관, 구림 전통마을, 영암 상대포구, 곡성 심청이야기마을, 해남 우항리 공룡화석 박물관, 화순 서유리 공룡발자국화석지, 광주 월드컵 경기장, 영암 F1코리아 그랑프리 경주장, 코리아 카트 챔피언쉽 경기현장, 남해고속도로, 구례 지리산 노고단, 지리산의 운해, 구례 들녘과 섬진강, 광양 섬진강, 섬진강 남도대교, 구례 화엄사, 지리산 단풍, 구례 사성암, 영산강변 들녘, 영산강 죽산보, 삼족오 표식, 나주 영상테마파크, 광양 백운산, 장흥 천관산, 영암 월출산, 담양 메타세콰이어 길, 담양 추월산, 추월산 보리암, 담양 금성산성, 담양호, 장성호, 진도대교, 진도 운림산방, 진도 용장산성, 진도 남도석성, 순천 송광사, 순천 선암사, 영암 도갑사, 영광 불갑사, 구례 들녘, 나주 들녘 추수, 광주광역시, 무등산, 무등산 서석대와 입석대와 규봉, 신안 흑산도, 흑산도 예리항, 흑산도 일주도로, 신안 홍도, 홍도 1구 마을, 홍도 등대, 신안 풍력 발전소, 순천만 갈대, 순천 낙안읍성, 함평 국화축제, 영암 왕인 국화축제, 영광 용천사 꽃무릇 축제, 광주 사직공원, 광주 충장축제, 울돌목 명량대전축제, 진도대교, 벌교, 벌교 홍교, 순천만 흑두루미 등을 편집해 넣었다.

가을 타이틀(왼쪽)과 남녘의 가을걷이.

콤바인으로 추수하는 장면에서 작가는, '마음은 바쁜데 하루해는 짧고 콤바인은 느리다' 고 썼고 섬진강 푸른 물줄기 위에 '4대강 사업에 대한 논란이 끊이지 않는 가운데 섬진강이 4대강이 아니라 국내 5대강이어서 천만 다행이다' 고 4대강 사업을 꼬집었다.

겨울 – 남도, 다시 봄을 준비하다

체감온도 영하 30℃의 추위에 온몸으로 맞서면서 건져낸 소중한 겨울 화면들, 특히 패러글라이더 팀에 영광 있으라!

함평들녘설경, 영산강, 함평 교차로, 무등산, 나주 남고문, 장성 백양사, 순천 송광사, 화순 적벽, 눈 덮인 여러 농촌 마을, 나주 농가축사, 비닐하우스단지, 해남 월동배추수확, 해남 고구마수확, 보성 굴 양식장, 강진 매생이 양식장, 강진 스포츠 파크, 보성 스포츠 파크, 진도 세방낙조, 순천 와온 해변 달집태우기, 여수 향일암.

모두 197개 장소를 4계절에 담았다. 제작 후기에는 프로그램 제작과정 중 있었던 여러 가지 에피소드를 12분간 소개했다. 총 70분짜리 항공

겨울 타이틀(왼쪽)과 화순 적벽의 설경.

다큐가 완성됐다. 제작에 참여한 인원과 기관을 모두 소개하다보니 내가 만든 프로그램 중 가장 긴 크레딧이 붙었다. 크레딧 좌측 구석에 PIP로 제작 스텝들의 감상을 짧은 컷으로 넣었다.

5월 14일 밤, 방송이 나가자 여기저기에서 격려문자와 전화가 왔다. 대체적으로 '좋았다. 수고했다'는 반응들이었다. 지역방송 최초로 시도한 항공 다큐멘터리여서 내심 걱정했는데 반응이 우호적이어서 일단 안심이 되었다.

추석특집 하늘에서 본 남도

2013년 후반기부터 시작되는 각 지자체별 방송을 위해 항공촬영과 지상촬영을 계속했다. 추가 촬영한 영상을 보강해 추석특집으로 75분간 방송했다. 오랜만에 고향을 방문한 귀성객들에게 하늘에서 내려다본 고향의 모습을 보여주는 것도 의미 있는 추석선물이 될 수 있겠다고 생각했다.

그동안 추가촬영하고 보강한 화면도 그 양이 적지 않았다.

해남 고천암 철새, 해남 황토들녘, 광주 망월묘역 성묘, 담양 관방제림, 영광 법성포 숲쟁이 꽃동산, 완도 타워, 완도 수목원, 완도 청해포구 세트장, 여수 거문도와 백도, 해남 땅끝 전망대, 해남 송호 해수욕장, 해남 땅끝 오토캠핑장, 해남 대흥사, 진도 구기자 밭, 장흥 정남진 편백 숲, 주암호, 순천 고인돌 공원, 완도 고산 윤선도 유적지, 담양 명옥헌 원림, 구례 운조루, 무안 초의선사 탄생지, 순천 죽도봉 공원, 강진 영랑생가, 목포 김대중 노벨 평화상 기념관, 벌교 태백산맥 문학관, 진도 아리랑 마을, 강진 칠량 옹기마을, 무안 도요지, 나로호 우주 센터, 목포 연안 여객선 터미널, 목포 갓바위, 영광 가마미 해수욕장, 완도 정도리 구계등, 여자만 갯벌, 영암 독천 낙지골목, 섬진강 레프팅, 구례 수락폭포, 구례 피

아골, 곡성 도림사와 계곡, 구례 천은사, 영암 기찬랜드, 영암 가야금산조 테마공원, 함평 고막천 돌다리, 목포 고하도, 여수 진남관, 여수 선소 유적지, 순천 왜성, 보성 서재필 기념공원, 광주천, 양동시장, 영광 기독교 순교지, 영광 원불교 영산성지, 장성 필암 서원, 강진 다산 유물 전시관, 여수 오동도, 무안 호담 항공우주 전시관, 장흥 정남진 전망대, 해남 두륜산 케이블카, 함평 태양광 발전소, 화순 운주사 설경, 송광사 설경 등이었다.

남은 이야기들

6월부터 신안군을 시작으로 각 시군별 프로그램을 매주 1편씩 방송하기 시작해 2013년 12월 광주광역시편을 끝으로 총 25회의 방송을 모두 마쳤다.

방송 후에 책자 발간과 DVD 제작 작업에 들어갔다. 책자는 방송화면을 갈무리해 23개 지역별도 5~6컷 정도의 사진을 싣고 지역출신 소설가, 시인, 화가, 교수, 농부, 향토사학자, 정원 디자이너, 탤런트, 배우, 소리꾼, 방송인, 정치인 등 여러 분야의 직업인들이 참여해 각자 자신의 고향에 대해 쓴 글을 함께 실었다. 5,000권을 인쇄해 각 지자체와 관계기관에 배포했다. DVD도 예쁘게 디자인해 제작, 배포했다. 준비기간을 포함해 2년여의 대장정이 드디어 막을 내린 것이다.

프로그램을 통해 본 광주. 전남의 풍경은 장엄한 파노라마였다. 산, 들, 강, 바다, 호수, 섬, 갯벌 등 어떤 지역도 이토록 아름답고 풍요로운 자연환경을 가진 곳은 없을 것이다. 하늘에서 내려다본 남도 사람들의 삶도 자연을 닮아 웅숭깊고 풍요로웠다. 선조들이 이뤄놓은 위대한 전통문화와 예술의 향기가 남녘 곳곳에 배어 있었고 다채로운 축제와 행사들을 통해 오늘로 계승 발전되고 있었다. 힘찬 산업의 맥박도 느낄 수 있었다. 사통팔달로 뚫린 도로를 따라 거침없이 달리는 차량 행렬과 곳곳의 산업단지들, 항. 포구를 드나드는 크고 작은 선박들… 이 모든 남도의 '오늘'을 하늘에서 내려다보면서 벅차오르는 감동을 느꼈고 남도의 희망을 발견했다. 더불어 광주. 전남을 대표하는 방송사의 일원임에 보람과 자부심도 함께 느꼈다. 일하면서 배운 셈이다.

당시 촬영했던 영상은 지금도 ID로, 프로그램의 자료화면으로 요긴하게 쓰이고 있다. 〈영상기록 - 하늘에서 본 남도〉는 지난 2014년 4월 전국민영방송 주간을 맞아 SBS를 통해 전국에 방송되기도 했다.

타 지역 민방에서도 관심을 보였다. 부산, 대구, 강원방송으로부터 제작과 관련, 몇 차례 문의 전화가 왔다. 부산방송은 〈하늘에서 본 경남〉이라는 타이틀로 시리즈물을 제작, 방송을 끝냈고 대구방송도 2016년 현재 방송 중이다. 강원방송의 경우 지역 내에 군부대가 너무 많아 포기했다는 소식을 전해 들었다.

돌이켜 보면 감회가 새롭다. 철학이라고까지 말하기에는 좀 그렇지만, 나의 방송철학은 '방송은 나가게 돼 있다'이다. 방송날짜가 정해지면 날밤을 새든, 대충 만들든 방송은 된다는 의미이다. 그러나 제작자 스스로가 부끄럽지 않은, 가능하면 많은 시청자도 공감하는 그런 방송이 나가야 한다는 것이 나의 또 다른 방송철학이다. 〈영상기록 - 하늘에서 본 남도〉는 두 가지 가치 모두를 어느 정도는 충족시킨 프로그램이 아니었나 자부해 본다.

오랜 기간 동안 몸과 마음을 바쳐 제작에 임해준 모든 분들께 늦게나마 진심으로 감사를 드린다.

흥부야 나와라 1·2부

2006년 5월 방송

흥부야 나와라 2006년 5월 방송

흥부와의 만남

2005년 연말쯤 신문인지 잡지인지 정확하게 기억나지는 않지만 '흥부기행'과 관련된 기사를 읽었다. 흥부정신을 따르는 사람들이 매년 한두 차례 전국을 돌면서 흥부를 재발견한다는 내용이었다.

'흥부, 착한 사람이지, 그 정신을 따른다, 참 좋은 일이구나' 이 정도가 당시 기사를 보고 내가 가진 생각이었던 것 같다.

까맣게 잊고 있던 흥부가 다시 내 앞에 나타난 것은 2006년 초였다. 그해 5월 창사특집 제작임무가 나에게 떨어진 것이다. 사실 PD들에게 '필이 꽂히는' 아이템 찾기란 직장도, 그래서 전셋집도 없는 남자가 결혼 상대 찾는 것만큼 어려운 일이다. 그래서 좋은 아이템을 찾아내기 위해 PD나 작가는 머리를 쥐어뜯으면서 몇날 며칠을 고민하는 것이다. 오죽하면 쓸 만한 아이템을 '득템'하면 제작의 반은 끝난 셈이라는 말이 나왔겠는가? 그런 점에서 흥부 아이템은 나로서는 거저주운 거나 마찬가지였다.

흥부로 프로그램을 만들어 보자고 결심하게 된 것은 우선 '흥부의 고향이 전라도, 「흥보가」는 판소리 다섯 바탕에 들어 있는 것, 판소리의 고장 역시 전라도, 그리고 이 각박한 세상에는 흥부 같은 사람이 꼭 필요하다' 이것이 나의 일감이었다. 나는 작가에게 내 생각을 이야기하고 의견을 물었다. 작가도 좋은 소재라며 '환호작약' 했다. 작가와 함께 일단 관련 자료를 모으기 시작했다.

자료조사를 하면서 우리는 프로그램을 2부작쯤으로 제작해야, 하고 싶은 얘기를 어느 정도는 할 수 있을 것 같았다. 1부는 그동안 잘못 평가된 흥부와 놀부의 위상을 제자리로 돌려놓는 방향으로, 2부는 흥부의 여러 특질을 지니고 있는 국내외의 흥부들을 소개하는 방식으로 프로그램의 얼개를 잡았다.

때마침 방송통신위원회에서 제작비지원사업 공모가 있다고 해서 응모해, 5천만 원의 제작비를 획득했다. 고마운 방통위!

제1부_ 왜 다시 흥부인가?

놀부 전성시대

중학교 시절 이본동시상영관에서 친구랑 몰래봤던 영화 중 〈영자의

〈흥부야 나와라〉 제1부 타이틀. 흥부와 놀부의 전도된 위상을 되돌려놓는 것이 이 프로그램의 1차 목표였다.

흥부와 놀부. 김해성 화백이 그렸다.

전성시대〉가 있다. 영자를 연기한, 앞니가 살짝 벌어진 염복순 누나는 그
영화에서 결코 전성시대를 누리지 못했다. 식모, 여공, 버스차장, 호스티
스를 거쳐 결국 창녀로 전락하는 영자의 고단한 삶은 1970년대 산업화
의 광풍 속에서 스러져간 우리 이웃들의 모습을 상징적으로 보여줬다.

그러나 놀부는 그 시기부터 진정한 전성시대를 누리기 시작했고, 어
쩌면 그의 전성시대는 지금도 계속되고 있는지도 모른다.

전화번호부를 들춰봤다. 보쌈, 부대찌개를 필두로 수퍼, 부동산, 이삿
짐센터, 세탁소 등 놀부를 상호로 달고 있는 업소가 끝도 없이 이어졌다.
누군가 잽싸게 놀부로 상표권을 등록했다면 그는 아마 지금쯤 떼부자가
돼 있을 것이다.

흥부도 찾아봤다. 놀부에 비해 비참할 정도로 리스트가 짧았다. 분노
가 치밀어 올랐다. 놀부가 얼마나 잘 했길래 이런 대접을 받고 흥부는 도
대체 무슨 잘못을 저질렀기에 이토록 푸대접을 받고 있다는 말인가?

좋다! 놀부 예찬론자와 흥부 예찬론자를 양축으로 놓고 누가 옳은지
한 번 따져보자. 나는 물론 흥부 예찬론 쪽이었다. 그렇지 않았다면 제목
을 〈흥부야 나와라〉로 지을 이유도, 이런 프로그램을 만들 이유도 없었
을 테니까. 단, 객관성 유지를 위해 텍스트에 충실하자는 것이 나의 기획
의도였다.

판소리계 소설인 『흥부전』의 맛을 살리기 위해 우리는 판소리 「흥보가」를 프로그램의 중심에 세우기로 하고 주요무형문화재 제5호 보유자인 송순섭 명창을 스튜디오로 모셔 흥보가 주요대목을 녹화했다. 일찍이 「흥보가」, 「수궁가」, 「적벽가」의 창본집까지 발간한 그여서 그런지 거의 NG없이 녹화를 마칠 수 있었다. 무형문화재 아무나 하는 게 아니었다.

화면 밑그림을 위해 우리 지역에서 가장 흥부처럼 생긴 연극배우를 섭외, 한복을 입혀 충장로 일대를 돌아다니며 촬영했다. 『흥부전』의 주요장면은 여러 컷의 삽화로 처리했다. 삽화라기보다는 '작품'을 제작해 주신 김해성 화백께 감사한다.

프로그램의 프롤로그 촬영을 위해 사전 섭외한 어머니, 두 딸과 함께 서점에 들렀다. 세 모녀가 책을 고르는 모습을 스케치하고 유아용 흥부전을 골라 언니에게 읽게 했다.

옛날에 흥부와 놀부가 살고 있었는데요 동생 흥부는 착하고 형 놀부는 심술궂었어요. 어느 날 흥부는 다리가 부러진 제비를 구해줬는데요 제비가 물어다준 박씨를 심어서 큰 부자가 되었어요. 놀부도 제비다리를 일부러 부러뜨려 부자가 되려다가 폭삭 망했답니다.

한국 사람이면 누구나 익히 아는 『흥부전』의 내용을 짧은 세 문장으로 비교적 잘 설명하고 있다. 권선징악, 인과응보가 소설의 주요정신이라고 나는 학교에서 배웠다. 그런데 어쩌다가 세상인심은 소설과는 정반대로 가고 있는 것일까?

『춘향전』, 『심청전』 등 우리나라 판소리계 소설이 다 그렇지만 『흥부전』 역시 판소리 「흥보가」를 바탕으로 씌어졌다는 것이 학계의 정설이다. 전북 남원 일대에서 예부터 전해 내려오던 박첨지 설화와 박춘보 설화가 18세기 말부터 판소리로 만들어져 여러 소리꾼들에 의해 불리기 시작했다. 19세기말 다양한 종류의 판소리를 하나로 정리한 것이 『신재효 창본』이다. 소설의 이본도 37종이나 된다. 『흥부전』은 특히 사회적인 문제, 특히 빈부의 갈등문제를 정면으로 다뤘다는 점에서 우리 문학사에서도 대단히 중요한 위치를 차지하고 있다.

흥부의 고향을 찾아서

송순섭 명창이 「흥보가」의 첫대목을 부른다.

> …전라도에는 운봉이 있고 경상도에는 함양이 있는디 운봉 함
> 양 두얼품에 박 씨 형제가 살고 있으되 형 이름은 놀보요 아우 이
> 름은 흥보였다…

전북 남원에는 흥부와 관련된 장소가 두 군데 있다. 출생지와 발복지이다. 먼저 운봉 함양 두얼품에 있는 흥부의 출생지 인월면 성산리를 찾

흥부의 출생지 전북 남원시 인월면 성산리.

았다.

취재 당시 마을에는 54가구 106명의 주민들이 오순도순 살고 있었다. 마을에서 만난 할아버지 한 분에게 마을 자랑을 부탁했다.

"지금까지 이 마을에서 감옥 간 사람이 한 사람도 없다. 왜정 때도, 6·25때도 마을 사람들에게 해꼬지한 사람도 없었다"고 자랑했다.

그러면 그렇지! 흥부마을에서 그런 일이 있었겠는가? 할아버지의 표정도 마치 흥부가 살아 돌아온 듯 착하고 순해 보였다. 흥부의 실제 얼굴을 본 적이 없지만 만화나 영화에서 봐온 그런 얼굴이라는 뜻이다. 이 마을에서는 예부터 전해 내려오는 박첨지 설화에 따라 마을 뒷산에 있는 박첨지 가족묘에서 매년 음력 9월, 온 마을 사람들이 묘제를 지낸다고 한다.

발복지로 알려진 남원시 아영면 성리에도 들렀다. 발복지(發福地)는 형 놀부에게 쫓겨난 흥부가 옮겨와 살다가 제비다리를 고쳐주고 큰 부자가 된, 복 받은 곳이라는 뜻이다. 마을에는 흥부가 주린 배를 움켜잡고 넘었다는 허기재도 있었다. 이곳에도 역시 관련 설화가 있었다. 박춘보가 그 설화의 주인공이다. 마을 사람들은 매년 음력 정월 초사흘 날 박춘

흥부의 발복지(發福地) 전북 남원시 아영면 성리.

보 부부 묘에서 춘보망제를 지낸다.

나중에 들은 얘긴데 인월면 성산리와 아영면 성리 사이에 흥부의 고향을 어디로 정할 것인가를 두고 나름의 갈등도 있었다고 한다. 결국 성산리는 흥부의 출생지, 성리는 발복지, 이렇게 절충했다고 한다. 지역의 이익을 두고 죽자 사자하는 모습을 너무도 많이 봐온 터에, 역시 흥부마을에 사는 후손들답다.

남원시는 흥부가족상을 제정해 매년 흥부를 닮은 가장과 그 가족에게 상을 주고 있다. 지난해 수상자인 이강근 할아버지를 만나러 송동면 영동리를 찾았다. 할아버지 집에 들어가기 전에 먼저 마을회관에서 동네 주민들을 만나봤다. 이구동성으로 할아버지를 칭찬했다. 적당히 끝내지 않았다면 아마 하루 종일 인터뷰가 계속됐을 것이다.

이강근 할아버지가 상을 받은 이유는 화목한 가정 꾸리기, 다산(흥부네 보다는 다소 적은, 6남 1녀), 집안에 사당을 지어 놓고 조상 모시기, 마을 사람들과의 도타운 관계유지, 마을 봉사활동 등인데 장인어른이 93살에 돌아가실 때까지 오랜 세월 지극정성으로 모신 것을 마을 사람들은 특히 칭찬했다. 그 얘기를 하면서 부인 김순례 할머니도 남편에 대한 고마움의 눈물을 흘렸다. 그해 흥부상, 제대로 주인을 찾은 셈이다.

흥부와 놀부 중 누가 21세기에 어울리는 인간형인가?

사실 나도 고등학생 때까지만 해도 흥부보다는 놀부에게서 배울 점이 더 많다고 생각했다. 그래서 요즘 젊은이들의 생각도 그런지 알아보기 위해 광주·전남소재 대학교 두 곳, 백여 명의 학생들을 대상으로 설문조사를 해봤다.

먼저 '흥부와 놀부 중 21세기에 어울리는 인간형은 누구인가' 라는 질문을 던졌다. 응답자 중 74%가 놀부를, 26%의 학생들이 흥부를 선택했다. 예상했던 결과였다.

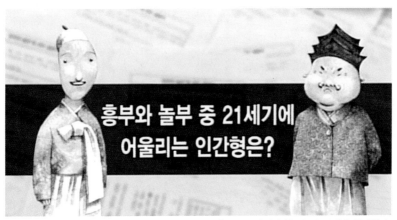

대학생을 대상으로 한 '21세기에 어울리는 인간형' 설문조사에서 흥부는 놀부에게 완패했다.

놀부를 택한 학생들에게 이유를 물었다. 응답자 중 55%는 놀부가 욕심이 많고 주관이 뚜렷하다는 점을, 40%는 부지런하고 적극적이기 때문에, 그리고 5%는 동생 흥부에게 독립심을 심어줬기 때문에 놀부를 선택했다고 답했다.

흥부를 선택한 26%의 학생들에게 그 이유를 물었다. 착하고 남을 배려하는 흥부의 마음이 맘에 들어서, 부지런하고 적극적인 성격에 끌려서 흥부를 선택했다고 답했다. 저출산 문제해결에 도움을 줬기 때문이라고 답한 학생들도 있었다.

어쨌거나 절대다수가 21세기에 어울리는 인간형을 놀부로 선택함으로써 흥부는 과거의 인물로 밀려나면서 완패하고 말았다.

흥부와 놀부, 학계를 뜨겁게 달구다

흥부와 놀부, 두 사람은 18세기 말 조선사회의 신분적 특징을 대표하는 전형적인 인간형이라고 할 수 있다. 이들에 대한 평가는 20세기에 접어들면서 학계뿐만 아니라 사회일각에서도 활발하게 진행되기 시작했다.

흥부전에 대한 본격적인 연구가 시작된 것은 1922년 최남선이 쓴 「몽고의 흥부 놀부」부터였다. 그는 몽고의 「박타는 처녀설화」와 흥부전의 일치성을 설명하면서 흥부전 연구의 첫 장을 연다. 최남선에 이어 흥부전을 학문적으로 체계화 한 사람은 김태준이었다. 그는 1939년 『조선소설사』를 통해 '흥부는 착한 사람, 놀부는 악한 사람' 이라는 전통적 체계를 완성시켰다. 이런 평가는 김기동, 신기홍 등의 연구로 이어지면서 학계에서 정설로 받아들여졌다.

그러나 이와 같은 전통적인 평가를 거부한 최초의 학자는 주왕산이었다. 그는 1950년 그의 저서 『조선고대소설사』에서 "흥부는 노력하지 않고 형만 의지하는 유교논리의 중독자"라고 혹평했다. 1968년 이어령은 「박의 사상」에서 "흥부가 평생 한 일은 제비다리 고쳐준 일밖에 없다. 흥부는 국가나 사회에 기여한 것이 아무것도 없는 기생충 같은 인간"이라며 그의 게으름과 무기력을 신랄하게 비판했다. 1960년대 말부터 여러 학자들이 이런 논리에 동조하면서 흥부보다는 놀부가 높게 평가되는 사회적 분위기가 형성되기 시작했다.

이에 반론을 제기하고 나선 이가 임형택이다. 1969년 그는 『흥부전의 역사적 현실성』이라는 책에서 "흥부의 승리는 양심과 성실의 승리이며 놀부의 패배는 반사회, 반도덕적, 이기주의의 패배"라고 규정했다. 그러나 그의 주장은 '놀부 우위' 라는 사회적 흐름을 바꾸지 못했다.

특히 흥부 비판의 선두에 섰던 김광순은 1973년 「흥부전의 주인공에 대한 인성분석」에서 임형택과는 정반대의 논지를 펴며 조목조목 흥부를 꾸짖고 놀부를 칭찬했다. 당시 한 교육학교수는 국어 교과서에서 흥부전을 삭제하자고 주장하기도 했다.

그런데 사회 일각에서 흥부를 비판하고 놀부를 칭찬하는 목소리가 본격적으로 터져 나오기 시작한 것은 1960년대, 박정희 정부가 경제개발을 시작하는 시기와 정확히 일치한다.

나는 임형택 교수와 김광순 교수를 직접 인터뷰했다. 지금부터 임형택과 김광순으로 대표되는 양측의 주장과 나의 의견을 소개한다. 물론 판단은 독자에게 맡긴다.

흥부 비판과 그 반론

흥부비판론자들도 흥부의 착한 심성, 형제우애, 약한 동물에 대한 연민 등은 장점으로 인정하면서도 단점이 훨씬 많다고 주장한다. 편의상 흥부비판론자들은 '놀부편' 옹호론자들은 '흥부편'으로 구별하겠다.

흥부비판론자들은 우선 흥부의 게으름을 비판한다. 놀부가 동생을 흉보는 대목을 판소리 사설로 들어보자.

> …다 늙어가는 이 형만 믿고 집안에서 할일없이 꼴마리에 손 쑤셔 넣고 서리 맞은 구렝이 담 넘어가듯 어슬렁 어슬렁 돌아다니는 꼴 내 눈궁둥이가 시어서 볼 수가 없구나. 그러니 네 계집 자식 싹 데리고 당장 나가거라…

놀부는 흥부를 쫓아내면서 흥부가 게으르기 때문이라는 이유를 댄다. 그러나 부친이 별세하기 전부터 흥부는 소처럼 열심히 일했다. 뿐만 아니라,

흥부편 흥부는 쫓겨나기 전에도 가난하고 불쌍한 사람들을 열심히 도왔다. 물에 빠진 사람을 구해주고, 노인이 짊어진 짐 자청해서 져다 주고, 길에서 보퉁이 잃어버린 사람 짐 찾아 주고, 남의 집에 불나면 세간 지켜주고, 청산에서 백골을 보면 깊이 파서 묻어주고, 길 잃은 어린아이 보면 부모 찾아주고, 굶어 죽어가는 사람 먹던 밥 덜어주고, 얼어서 병든 사람에게 입던 옷 벗어 주고, 불쌍한 사람 횡액 당하면 달려가서 도와주고, 수절과부 보쌈 당하면 쫓아가서 구해 주고…

오늘날 사회복지사업과 비슷하다. 정부가 해야 할 일을 흥부가 대신한 것이다.

물론 이런 선행들이 재산을 불리는 일과는 관계없는 것일 수는 있다. 형 놀부에게는 특히 쓸데없는 짓으로 보였을 것이다. 그러나 흥부는 넉넉한 양반집 둘째 아들로서 '노블레스 오블리주'를 실천함은 물론, 사회 공헌 사업에도 신명을 바친 것이다.

다시 판소리 한 대목.

     …지리산으로 가오리까 백이숙제 주려죽은 수양산으로 가오리
     까… 형님 한번만 통촉하옵소서…

놀부로부터 갑자기 추방명령을 받은 흥부가 형에게 매달리는 장면이다. 정말 흥부가 기가 막힐 노릇이다. 놀부, 읍소하는 동생에게 마지막 한 방을 날린다.

     …너 내 성질 잘 알제 잉, 만일 안 나가면 이놈 살육지환(殺忚之
     患)이 날 것이다. 어서 썩 나가 이놈…

놀부편 형님이 '우리 이제 분리해서 살자' 이렇게 말하니까 흥부는 밖에 나가면 당장 죽을 줄 알고 매달리는데 이는 형에게 기대려는 의타심 때문이다. 나약한 동생의 자립심을 길러주기 위한 형의 배려로 볼 수도 있다.

흥부편 조선시대의 법률인 경국대전에도 형제간 재산분배를 법으로 정해 놓았다. 흥부비판론자들은 자신의 권리도 주장하지 못하는 흥부를 비판한다. 그러나 재산을 독차지하기위해서 동생을 쫓아낸 놀부가 재산을 나눠줄 리도 없었다. '살육지환' 운운하는 것 봐라. 흥부는 단지 재산을 둘러싸고 형과 다투는 것을 남이 알까 두려워 빈손으로 물러난 것이다.

재산을 둘러싸고 형제간의 다툼이 끊이지 않는 요즘의 세태 속에서 자신의 권리보다는 형제간의 우애를 더 소중히 여겼던 흥부에게서 배울 점이 정말 아무것도 없는 것일까?

쫓겨난 흥부가 가난에 못 이겨 한탄하는 장면이다.

…잘살고 못사는 것은 묘쓰기에 매였는가…

이에 대해 흥부비판론자들은 이렇게 말한다.

놀부편 판소리에서도 나오지만 흥부는 스스로의 운명을 개척할 생각은 하지 않고 가난을 조상 탓으로 돌릴 만큼 무책임하고 무기력하다.

그렇다면 흥부가 과연 그렇게 무책임하고 게으르기만 했을까? 형에게 쫓겨난 뒤 흥부는 가족을 먹여 살리기 위해 눈물겨운 노력을 다했다는 것이 흥부 옹호론자들의 주장이다.

흥부편 처음에는 바뀐 환경에 적응하지 못하고 어려움도 겪고 시행착오도 많았다. 그러나 나중에는 정신을 차리고 가족을 먹여 살리기 위해 갖은 노력을 다했다. 예를 들면 높고 낮은 곳에 있는 밭 김매기, 높은 사람들 십 리길 가마 매기, 초상난 집 부고 돌리기, 대장간 풀무불기 등 안 해본 일이 없었다. 흥부 아내도 마찬가지였다. 오뉴월에 남의 밭매기, 상가에서 빨래하기, 채소밭에 오줌주기, 저수지 둑 막기와 물래질 등 먹고 살기 위해서 몸이 가루가 되도록 일했다. 심지어 흥부는 목숨을 걸고 매품까지 팔았다. 이렇게 필사적으로 노력했지만 그의 살림살이는 조금도 나아지지 않았다. 생산수단, 즉 토지를 갖고 있지 않았기 때문이다.

흥부비판론자들은 놀부에게서 쫓겨난 흥부가 수수깡으로 집을 지은 것에 대해서도 그의 무계획적인 생활태도가 그대로 드러난다고 비판한다.

놀부편 그 당시에는 산림보호법도 없었고 산에 나무도 흔했을 텐데 수수깡으로 집을 지어놨으니 그 안에 살던 많은 식구들이 얼마나 불편했겠는가? 집이 좁아 식구들 엉덩이가 밖으로 나오면 지나가는 사람이 '네 엉덩이 불러들여라' 하며 놀리지 않았는가? 이런 망신이 어디 있는가?

흥부편 빈털터리로 쫓겨나 건축 자재 살 돈도 없는 상황에서 혼자 힘으로 수수깡 집이나마 지은 흥부가 오히려 대견하다.

흥부의 가난이 그를 비굴한 인간으로 전락시켰는데 이 또한 그의 책임이라는 비판도 있다. 돈을 얻으러 놀부 집에 갔다 수모를 당하는 장면이 특히 그렇다는 것이다.

> (놀부) 잘 살기는 내 복이요 못살기는 네 팔잔디 굶고 벗고 내 아느냐?
> (놀부 처) 돈 갖다 맡겼던가 쌀 갖다 맡겼어? 아나 돈! 아나 쌀!
> (사설) 밥 채리던 주걱으로 흥보 뺨을 영산 나드래기 징 치듯 후 다닥 철퍽 탁!

놀부편 흥부가 형수한테 밥풀 묻은 주걱으로 뺨을 맞고 얼굴에 묻은 밥풀을 떼어먹으면서 다른 쪽 뺨까지 들이대는 장면은 참으로 비굴하기 그지없다. 이런 비굴함을 우리 후손들이 배우면 안 되겠다.

흥부편 초기 본에는 없는 장면이다. 나중에 신소설 작가들이 책을 더 많이 팔기 위해서 일부러 이런 자극적이고 재미있는 장면을 만들어 집어넣은 것이다. 1873년에 나온 이본에도 이런 내용은 없다.

설령 그랬다 하더라도, 일점혈육인, 그것도 모든 재산을 빼앗아간 형님에게 도움을 청하러 간 동생의 행동에는 전혀 이상할 게 없다. 오히려 팔자 운운하면서 내치는 형이나, 감히 시동생에게 못된 짓을 일삼는 형수가 정신 감정을 좀 받아 봐야 하는 건 아닐까?

흥부비판론자들의 주요 공격 포인트 중 하나는 흥부가 아무 대책 없이 자식을 많이 낳았다는 점이다. 이본마다 다르지만 최소 5명에서 최대 25명이다. 어쨌거나 많기는 많다. 왕도 아닌 흥부가 한 여자로부터 그 많은 자식을 얻는다는 것이 물리적으로 가능할까? 흥부 참 부지런하기는 했다. 어쨌거나 25명이라는 자식 숫자는 먹일 식솔이 많아 흥부가 더 가난할 수밖에 없었다는 점을 강조하기 위한 소설적 장치로 이해할 수 있다.

과거 농경시대에는 자식이 곧 노동력이자 재산이었다는 점을 감안한다면 긍정적인 측면도 없지 않다. 요즘처럼 저출산 고령화 시대에 흥부가 살았다면 대통령 표창감이다.

놀부 옹호론과 그 비판

한편 흥부비판론자들은 놀부에게도 몇 가지 단점은 있다는 것을 인정하면서도 우리가 배워야 할 점이 훨씬 많다고 주장한다.

잘 알다시피 놀부에게는 오장육부 외에 심술보가 하나 더 붙어 있어 여기에서 온갖 악행이 쏟아져 나오는데 무려 70여 가지나 된다.

그러나 놀부옹호론자들은 남을 괴롭히는 놀부의 행동이 악행이라기보다는 순진한 심술쯤으로 평가한다.

놀부편 놀부가 가끔 심술을 부렸지만 자신에게 득 될 것도 없었다. 남에게 해를 입혀 이익이 생겼다면 비판을 받아야겠지만 그게 아니지 않는가? 독자에게 재미를 주기 위한, 일종의 해학으로 받아들여야 한다.

흥부편 전혀 설득력이 없는 주장이다. 놀부의 악행 중 남의 집 호박에 말뚝박기, 똥 누는 아이 주저앉히기 정도는 애교로 봐줄 수 있다. 그러나 동네 주산 팔아먹기, 전염병 든 데서 개잡기, 관공서 공문 훔치기, 갓난아이에게 똥 먹이가, 진영 지키는 장병 무기 뺏기, 마을 공동우물에 똥 누기, 여승 겁탈하기, 아이 밴 여자 배 차기, 빚 주고 남의 계집 뺏기, 초상 당한 사람 손잡고 춤추기 등 등 사회적 금기와 질서를 깨뜨리는 이런 놀부의 행위가 남에게 해를 끼치는 것이 아니며 자신의 이익을 챙기는 것이 아니란 말인가? 이게 단지 순진한 심술에 불과한 것이라는 말인가?

놀부의 행위는 가진 자의 '갑질'을 넘어서 거의 '사이코패스' 수준이다. 그가 저지른 범죄행위를 모두 수사해 기소한다면 당연히 사형감이다.

전관예우로 무장한 비싼 변호사를 사서 소송을 진행하더라도 '감형 없는 무기징역' 받으면 승소다. 그렇다면 이와 같은 놀부의 악행이 지속될 수 있었던 조선후기 사회의 분위기는 어땠을까? 과거에는 학덕과 인덕을 겸비한 사람이 향촌사회에서 존경을 받았다면 18세기에 접어들면서 돈 있는 사람이 대접받는 사회적 분위기가 형성되기 시작한다. 이런 변화 속에서 자신감을 얻은 놀부가 이런 악행을 일삼을 수 있었던 것이다.

놀부 옹호론자들은 매사에 적극적이고 부지런한 놀부의 품성이야말로 최대의 장점이라고 말한다. 심지어 이런 주장까지 한다.

놀부편 제비가 보이지 않으면 찾아다니고 제비다리가 부러지지 않으면 스스로 부러뜨리는 놀부의 모습에서 평소 적극적이며 능동적인 그의 성격을 알 수 있다.

목적달성을 위해서는 수단과 방법은 고려의 대상이 아니라는 놀부옹호론자들의 가치관이 우선 섬뜩하고 그런 해괴한 논리가 통했던 당시의 사회상 역시 절망스럽기는 마찬가지이다.

흥부가 부자가 된 후 집에 찾아온 놀부에게 화초장을 선물하는 장면도 놀부의 자립성을 보여주는 증거라고 그들은 주장한다.

놀부편 흥부가 종을 시켜서 놀부 집에 화초장을 가져다 주려고하자 놀부가 "그럴 필요 없다. 내가 짊어지고 가겠다"고 말하는 모습에서 자기 일은 자기가 책임지는 놀부의 참 모습이 드러난다.

흥부편 아랫사람이 할 일이 있고 윗사람이 할 일이 있는데 이런 것까지 칭찬의 대상이 된다니 참 칭찬할 게 그렇게도 없는가 한심한 생각이 든다.

놀부는 동생에게 빼앗다시피 얻은 박씨를 심어 모두 13개(일부 이본은 6개)의 박을 얻게 된다. 결국 박에서 나온 사람들에게 재산을 빼앗기고 온갖 수모를 당하지만 박타는 일을 결코 멈추지 않는다. 놀부를 옹호하는 사람들에게는 이런 모습도 칭찬의 대상이다.

놀부편 박을 11개까지 타니까 재산 빼앗아 가는 사람, 자기 괴롭히는 사람들만 나왔다. 그런데도 포기하지 않고 열심히 박을 탄다. 그 집념을 높이 평가해야 한다.

보물이 나오기는커녕 계속 낭패만 보자 부인과 삯꾼들까지 나서서 그만두자고 호소하지만 놀부는 '흥하면 흥하고 망하면 망한다. 성즉성 패즉패(成卽成 敗卽敗)'라며 박타기를 계속한다. 갈 데까지 간다, 바로 무대포 정신이다.

흥부편 중간에 실패가 있더라도 갈 데까지 가 보는 것, 이것은 일종의 사행심이자 투기, 요즘 말로하면 자본의 탐욕이다. 끊임없는 탐욕의 결과 놀부는 완전히 망하고 만다.

놀부옹호론자들은 놀부가 조선후기의 봉건체제를 무너뜨리는 데 나름대로 기여했다고 말한다. 예를 들면 형제는 어렸을 때는 함께 살아도 성장하면 분가해 살아야 한다거나 자본을 키우고 이윤을 추구하는 놀부의 태도가 특히 그렇다는 것이다.

형님 집 하인이 놀부가 조상 제사 모시는 모습을 흥부에게 일러바치는 장면을 보자.

> 하인 …전에 서방님(흥부)이 계실 때는 제향을 모시면 걸게 장만
> 하고 그러더니만 지금은 제향을 대전(代錢)으로 바칩네다.
> 흥부 아니 대전으로 바치다니?

하인 엽전에다 종이를 매달아 붓으로 쓰지요. 이것은 밥이요,
     이것은 술이요, 고기요, 떡이요, 어동육서, 홍동백서, 좌포
     우혜요 하고 쓱 써가지고 윗목에다 줄줄이 늘어놨다가 첫
     닭만 꼬끼오 울면 싹 걷어서 영천수 맑은 물에 씻쳐서 켬
     지에다 꿰버립네다.

흥부 아니 그럼 여태 선영을 굶겼더란 말이냐?

  제사음식 장만하는 것도 아까워 대전으로 제사지내는 놀부를 기존의
봉건 제도를 깨뜨리는 데 앞장선 인물로 볼 수 있을까?

  흥부편 놀부는 오히려 부모에 대한 효도, 형제간의 우애 같은 전통윤
리를 파괴하고 있다. 이것은 봉건체제를 깨뜨리는 것과는 전혀 다른 문
제다. 오히려 미풍양속을 밀어내고 그 자리에 돈을 모신 것이다. 물신숭
배다. 놀부가 이웃을 도왔다는 말을 들어본 적이 없다. 놀부는 졸부일 뿐
이다. 그것도 아주 사악한.

  20세기가 저물어 갈 즈음, 그리고 21세기의 벽두에서 우리는 수많은
놀부들이 쌓아올린 바벨탑이 하루아침에 무너지는 것을 보았다. 1997년
의 'IMF구제금융사태'와 2008년 '미국의 금융대란'이었다.
  허황된 대박을 쫓다가 쪽박을 차고만 그들의 모습에서 우리는 또다시
놀부의 어두운 그림자를 본다.
  흥부박과 놀부박은 여러모로 큰 대조를 이룬다. 제비가 물어다 준 씨
앗을 지극정성으로 키워 얻은 3개의 박, 속은 긁어먹고 겉은 내다 팔 요
량으로 박을 탄 흥부와, 욕심 사납게 13개의 박을 탄 놀부. 흥부 박에서
는 예상치 못한 재물이 쏟아져 나왔지만 놀부는 끝 간 데 없는 탐욕으로
박을 타다 폐가망신하고 만다. 그런데 하루아침에 큰 부자가 된 흥부의
태도를 보자.

흥부기행단원들이 천리포수목원을 둘러보고 있다.

흥부 …여봐라 큰 자식아 건너가서 느그 백부님을 오시래라. 경
　　 사를 보아도 형제 함께 볼란다. 얼씨구나 절씨구… 불쌍하
　　 고 가련한 사람들아 박흥보를 찾아오소. 나도 오늘부터 기
　　 민(飢民)을 줄란다. 얼씨구나 절씨구…

　먼저 자신을 내쫓은 형 놀부와 기쁨을 함께하려고 흥부는 큰자식을
놀부 집에 보내고 가난한 사람들을 돕겠다고 선언한다. 내가 만약 흥부
였다면 26명의 식솔들에게 오늘 있었던 일에 대해 함구령을 내리고 극비
리에 청나라로 이민을 갔을 것이다.

　흥부편　이와 같은 태도는 평소 흥부가 이런 생각을 늘 마음속에 지니
고 있었기 때문에 가능한 것이었다. 그의 착한 마음과 행동이 제비다리
고쳐줄 때만 작동된 것이 아니라는 얘기다.

　나는 프로그램의 마지막을 흥부기행단을 동행 취재하는 것으로 마무
리했다.

강남 갔던 제비가 돌아온다는 삼월 삼 짓 날을 즈음해서 흥부기행단이 남쪽행 버스에 몸을 실었다. 기업인, 교사, 주부, 학생 등 전국에서 모여든 사람들의 면면도 다양했다. '자연과 함께하는 21세기 흥부를 찾아서'라는 그해 주제에 걸맞게 기행단이 처음 방문한 곳은 충남 태안반도에 자리한 천리포 수목원이었다. 18만 7,000여 평 크기의 수목원에는 만여종의 꽃과 나무가 자라고 있었다. 지난 2000년 세계수목학회는 이곳을 아시아 최초로 '세계의 아름다운 수목원'으로 지정하기도 했다.

　한국으로 귀화한 미국인 칼 밀러가 황량했던 이곳에 나무를 심기 시작한 것은 1962년부터였다. 그는 세상을 떠날 때까지 40여 년을 수목원에 그의 모든 것을 바쳤다. 지난 2002년, 생을 마감하면서 그는 수목원을 한국정부에 무상으로 기증했다. 아무 조건 없이 제비다리를 고쳐주고, 아무 조건 없이 자신의 형과 이웃들에게 재산을 나눠진 흥부의 모습과 너무도 닮았다.

　그날 저녁 기행단원 전체가 참석한 가운데 세미나가 열렸다. 주제는 '기업의 사회적 책임', 강사는 유한킴벌리 문국현 사장이었다.

　다음 날 기행단은 충북 괴산에 있는 자연농업연구소를 거쳐 남원의 흥부고향마을을 찾았다. 이곳에서 기행단원들은 모두 21세기의 흥부가 되겠다고 다짐했다.

　내가 중 고등학교에 다니던 1970년대는 '총' 자 들어가는 구호가 난무하던 시절이었다. 총력안보, 총화단결, 총력수출… '총'으로 권력을 잡아서 그런지 정권은 국민들이 한눈 팔지 말고 '총' 아래 모이기를 강요했다.

　다른 소중한 가치가 깡그리 무시되는 이런 사회분위기 속에서 '단순하고 독한' 놀부가 득세한 것은 어쩌면 당연한 일이었다. '섬세하고 착한' 흥부는 '잉여인간' 쯤으로 치부되면서 뒷전으로 물러날 수밖에 없었다. 나 역시 흥부를 본받자는 교과서의 가르침에 반감을 가졌다. '루저'

의 상징이었던 흥부를 친구들과 함께 비판하는 것이 스스로 멋지다는 생각도 했다. 옛 가치에 도전한다는 청소년기의 '치기'라고나 할까? 그 후 수십 년의 세월이 흘렀지만 흥부는 우리 사회에서 여전히 제자리를 찾지 못하고 있다. 오히려 신자유주의, 무한경쟁 시대를 맞아 흥부는 이제 벼랑 끝까지 밀려나 추락 직전이다.

문학 작품에 대한 평가는 시대에 따라 달라질 수 있다. 그러나 이 '완전한 가치전도'를 무엇으로 설명할 수 있을까? 흥부전의 창작자가 안다면 지하에서 땅을 칠 일이다. '이게 아닌데 어쩌다 이렇게 됐지?' 하면서.

우리 모두의 마음속에는 흥부와 놀부가 함께 살고 있다. 한때 놀부의 악착같고 탐욕스러운 심성이 요구되는 '이상한' 시대도 있었지만 함께 나누고 더불어 사는 것만이 인류의 마지막 희망인 21세기에 우리가 닮아야 할 대상은 따라서 흥부일수밖에 없다.

제2부_ 우리 시대의 흥부들

시대를 대표하는 인물을 소개하는 것으로 2부를 시작했다.

먼저 16~17세기의 세계는 '돈 키호테'적 인간상에 의해 주도됐다. 전통적인 공동체의 울타리를 뛰쳐나와 미지의 세계를 향해 불굴의 도전을 거듭하는 돈 키호테들이 세계무대의 주인공들이었다.

17세기 후반부터 19세기 전반까지 세계는 '로빈슨 크루소'를 닮은 사람들이 주도해 나간다. 그는 독립적인 개인이었고 또 다른 독립적 개인(프라이데이)을 만나 계약을 통해 합리적인 사회를 열어 나갔다.

19세기 후반부터 20세기 중반까지는 '카우보이'들이 세상의 주인공이었다. 카우보이는 돈 키호테처럼 도전적이었으며 로빈슨 크루소처럼 개인주의적이며 합리적이었다. 그들은 서부를 개척하고 다시 태평양을 건너 아시아로, 다시 우주로 끝없이 도전해 나갔다.

20세기 후반부터는 '사무라이' 적 인간상이 세계를 주도해 나갔다. 그러나 그들은 공동체를 깨고 나온 독립적 개인이라기보다는 공동체를 유지 강화하는 대변자들에 불과했다. 따라서 그들에 의해 주도됐던 사무라이 자본주의는 21세기의 문턱에서 심각한 후퇴를 맛보게 된다.

그렇다면 새로운 21세기를 이끌어갈 바람직한 인간상은 과연 무엇일까? 대한민국의 흥부에게서 그 대안을 찾아보면 어떨까?

이것이 〈다큐멘터리 흥부야 나와라 – 제2부 우리시대의 흥부들〉을 기획한 이유이다.

누구인지는 모르지만 흥부전의 작자는 소설을 통해 형제간 우애, 권선징악, 개과천선을 강조했다. 그러나 시대가 바뀌면서 흥부는 착하지만 게으르다는 부정적인 평가를 받아왔다. 흥부에 대한 잘못된 평가에 대해서는 〈제1부 왜 다시 흥부인가?〉 편에서 나름대로 설명했다. 그런데 원전을 자세히 들여다보면 흥부가 단순히 착하기만 한 것은 아니었다. 그는 부지런했으며 그가 살았던 18세기뿐만 아니라 21세기에도 어울리는

〈흥부야 나와라〉 제2부 타이틀. 21세기를 이끌어갈 인간상을 흥부에게서 찾아보면 어떨까?

여러 가지 품성을 두루 갖추고 있었다.

경북대학교 교수이자 산업자원부장관을 지낸 유한대학교 김영호 학
장, 한때 극렬 놀부 옹호론자였다가 '전향' 한 그의 도움을 받아 흥부의
품성을 다섯 가지로 정리했다.

무소유와 나눔의 인간형, 창조와 혁신의 인간형, 환경인, 정보인, 화
해와 평화의 인간형이 바로 그것이다. 좀 생뚱맞은가? 눈을 크게 뜨고
흥부의 삶을 자세히 들여다보면 이런 특질들이 보인다.

나와 작가는 각 유형에 맞는 국내외의 인물을 찾기 위해 자료를 뒤졌
다. 작가는 이번 역시 발군의 실력을 발휘했다.

무소유와 나눔의 인간형 흥부

데카르트는 "나는 생각한다. 고로 나는 존재한다"고 말했지만 흥부는
'나는 베푼다, 고로 존재' 하는 삶을 살았다. 『흥부전』을 보면 흥부가 쫓
겨나기 전에도 그랬지만 부자가 된 후 형 놀부에게도, 가난한 이웃들에
게도 가진 것을 아낌없이 나눠준다.

구두수선 일을 하면서 1% 나눔 운동에 적극 참여하고 있는 이창식 씨.

무소유와 나눔의 인간형으로 처음 법정 스님을 떠올렸지만 당시에는 암자에 칩거 중이었고 건강도 나쁘다는 소식을 듣고 아쉽지만 포기했다.

대신 우리는 구두수선 일을 하면서 1% 나눔 운동에 적극 참여하고 있는 이창식 씨를 모델로 삼았다. 서울의 한 골목길 입구 한 평짜리 구두수선센터가 그의 일터였다. 다른 가게와 다른 점이 있다면 입구에 매단 '나눔의 가게'라는 문패 정도였다. 한때 세상살이에 지쳐 생을 포기하고 싶은 순간도 있었지만 6년 전부터 나눔 운동에 동참하면서 삶이 새롭게 바뀌기 시작했다고 한다. 그의 말이다.

> 어떤 사람은 배 터져서 죽고 어떤 사람은 배고파서 죽고, 이런 사회는 좋은 사회가 아니라고 생각한다. 비록 수입의 1%를 나보다 더 어려운 사람을 위해 나누고 있지만 뭔가 빚을 갚는 것 같아서 마음이 편하고 행복하다. 내가 여유가 있을 때 남을 돕겠다고 말하는 사람은 평생 남을 돕지 못한다.

그의 한 달 수입은 100만 원 남짓, 어머니와 중학생 딸을 부양하기에도 벅찬 그였지만 형편이 나아지면 기부금을 더 늘리고 싶다고 했다. 그리고 골목에 있는 모든 가게에 나눔의 가게 팻말을 붙일 수 있도록 나눔 전도사 역할을 더 열심히 하겠다는 포부도 밝혔다.

지난 2000년 문을 연 아름다운재단을 찾았다. 사무실 한쪽에서는 한 시골 초등학교학생들이 모아 보내온 동전을 세느라 자원봉사자들의 손길이 바빴다. 지난 6년 동안 1% 나눔 운동에 동참한 사람들은 2만 6천여 명, 75억 원의 기부금은 전액 도움이 필요한 사람들에게 전달됐다.

물품이나 시간, 재능을 기부하는 사람들도 있었다. 서울 안국동에 있는 아름다운가게에도 들렀다. 기부 받은 각종 물품을 수리하고 정리해 싼값에 판매하고 있었는데 평일인데도 많은 사람들로 붐볐다. 진열된 상품은 종류도 다양했고 상태도 양호했다. 이런 가게가 없었다면 이미 폐기처분됐을 물건들이었다.

4월 말, 국립5·18묘역 입구 광장에서 '사랑 나눔 새봄 콘서트'가 열렸다. 이때 촬영한 영상은 2년 후에 제작한 5·18 특집다큐 〈내 친구 병규〉편에 다시 쓰였다. 이날 행사에는 백혈병으로 아들을 잃은 탤런트 정병국씨가 홍보대사로 참여했다. 행사가 진행되는 동안 많은 사람들이 헌혈뿐만 아니라 장기기증 서명운동에도 참여했다. 주먹밥 함께 나누기 행사도 열렸다. 5월 항쟁 당시 광주 시민들은 주먹밥과 음료수와 피를 함께 나눴다. 역사의 고비마다, 그리고 이런저런 어려움이 닥칠 때마다 우리는 서로 나눴다. 한 줌도 안 되는 놀부가 판치는 세상에서도 우리네 마음속에는 여전히 흥부가 살아 있었던 것이다.

창조, 혁신의 인간형 흥부

지금도 그렇지만 과거 농경사회에서 토지는 부의 원천이었다. 형으로부터 쫓겨난 흥부는 살아가기 위해 별짓을 다했다. 그러나 그는 결코 가난에서 벗어날 수 없었다. 거의 유일한 생산 수단인 땅을 소유하지 못했기 때문이다. 마지막에 그는 제비가 물어다준 박씨를 소중히 키워 이른바 대박을 터뜨린다. 토지가 아닌 전혀 다른 방식으로 부를 이룬 것이다.

친환경 비료를 생산하는 담양의 한 공장을 찾았다. 지금이야 친환경 농법으로 농사를 짓는 것이 일반화됐지만 당시만 해도 친환경 관련 산업은 새로운 분야였다. 그동안 무분별하게 사용된 화학비료 때문에 우리의 농토는 산성화와 함께 오염되기 시작했다. 눈앞의 이익을 위해 놀부처럼 온갖 잔인한 방법으로 땅을 약탈해온 결과였다.

담양에서 생산되는 친환경 비료는 '이온 파우더'라는 신 물질을 유기질 비료에 섞어 만들어낸 것인데 이 비료를 땅에 뿌리면 토양 속의 미생물이 살아나면서 땅도 되살아나는 것이다. 자연히 소출도 획기적으로

'(주)도움'의 박용호 대표. 집무실 칸막이가 투명 유리로 돼 있어 누구나 안을 들여다볼 수 있고 박대표도 밖을 내다볼 수 있다.

늘어났다. 수년 동안의 피나는 연구 결과였다. 2001년, 관련 특허도 받았다.

농사철을 앞두고 있어서인지 제품 출하가 크게 늘었고 입소문이 나면서 견학차 공장을 찾는 농민들의 발걸음도 부쩍 잦아졌다. 일본과 중국에서도 관심을 보여 수출상담이 진행되고 있었다.

유기질 비료생산 3년 만에 지난해에는 400% 매출 신장을 이뤘고, 2006년에는 500%의 신장을 예상하고 있었다.

딸기 농사를 짓는 담양의 한 농가를 취재했다. 농부는 "이 비료를 사용하면서 부터 땅의 기운이 되살아나기 시작했고 더불어 나무뿌리가 튼튼해지면서 딸기 생산량이 그 전에 비해 훨씬 늘어났다"며 싱글벙글했다. 딸기농사를 하면서 자신이 지은 시라며 취재진에게 보여줬다.

칠팔월 삼복더위에도 창문만 열면 봄날이다.
삼백예순날이 봄날이니
계절도 잊고 부러울 게 없는 그대여

그대가 신선이로다. 신선이로세.

썩 잘 지은 시로 보이지는 않지만 자신을 신선으로 생각할 만큼 그는 농사일에 만족해하고 있었다.

두 번째 창조 혁신의 인간상을 만나기 위해 휴대전화 외장부품을 생산하는 인천의 한 업체를 찾았다. 박용호 대표는 '도움' 이라는 회사 이름을 고등학교시절에 일찌감치 지어놨다고 한다. 말 그대로 서로 돕고 살자는 뜻이다.

성냥갑이나 창고처럼 지어진 공장 건물들 틈에서 이 회사의 건물은 단연 돋보였다. 내부도 마찬가지였다. 다양한 색깔로 내부 벽면을 채색했고, 사장부터 모든 직원이 함께 점심을 먹는 식당을 비롯해서 칵테일바, 헬스장, 극장 등 완벽한 복지시설도 함께 갖추고 있었다.

비록 중소기업이었지만 세계 최초로 슬라이드형 전화의 핵심부품인 모듈을 개발했고 디자인부터 금형, 사출, 제품 출시를 일괄 처리할 수 있는 턴키방식의 생산 시스템은 이 회사만의 강점이자 자랑이었다. 뿐만 아니라 이 회사에서는 단말기 멀티 생산 시스템, 3D설계 시스템과 고속 가공기 등을 도입해 제품생산의 효율성을 높였다.

사장실에는 현재 근무하고 있는 직원과 최근 3년 안에 회사를 떠난 직원의 사진이 나란히 걸려 있었다. 박용호 사장은 "혹시 사장 자신이 잘못해서 떠난 사람이 있는지, 회사가 잘못해서 잃어버린 인재는 없는지 매일처럼 사진을 보면서 생각한다"고 말했다. 지난 2004년 수상한 금탑산업훈장은 이런 노력의 작은 결과였다.

환경인 흥부

새끼 제비를 잡아먹은 뱀을 죽이는 대신 타일러 보내고, 제비집에서 떨어져 다리를 다친 새끼 제비를 지극정성으로 치료해준 흥부에게서 우리는 환경인의 전형을 본다.

전북 남원에 있는 야생동물 보호협회 전북지회를 찾았다. 취재팀이 도착하자마자 고판호 사무장이 백로가 죽어가고 있다는 전화를 받고 현장에 출동했다. 천연기념물로 지정된 노랑부리 백로였다. 트럭 운전사로부터 백로를 넘겨받았을 때 백로는 이미 죽어 있었다. 독극물 중독으로 보였다.

죽은 동물들은 협회 냉동고에 임시 보관됐다가 소각 처리된다. 냉동고 안은 죽은 동물들의 사체로 가득했다. 바로 옆 창고에는 회원들이 지리산 등지에서 수거해온 덫, 올무, 창애 등 불법사냥도구가 쌓여 있었다. 어떤 도구에는 짐승의 털과 혈흔이 그대로 남아 있었다. 덫에 걸린 동물들이 겪었을 고통의 흔적들이었다.

협회에는 당시 부엉이, 까치 등 여섯 종류의 야생동물이 들어와 직원들의 살뜰한 보살핌 속에서 살고 있었다. 까마귀는 사냥꾼의 총에 맞아 한쪽 날개를 잃었다. 이 까마귀는 죽을 때까지 이곳 야생동물보호협회에서

지난겨울 먹이를 먹지 못해 탈진 상태로 구조돼 이곳에 들어온 수리부엉이가 그동안 몰라보게 건강해졌다. 수리부엉이를 돌보는 조운익 소장.

살아야 할 신세가 되고 말았다.

지난겨울 먹이를 먹지 못해 탈진 상태로 구조돼 이곳에 들어온 수리부엉이는 그동안 몰라보게 건강해졌다. 치료 받는 동안 이곳 직원들과 친해졌는지 수리부엉이가 사무장의 어깨에 날아와 앉기도 했다. 며칠 후면 다시 자연으로 돌아가야 하는 부엉이도, 보내야 하는 사무장도 아쉬운 눈치였다.

밀렵꾼의 총에 맞아 한쪽 날개를 다친 말똥가리매를 데리고 병원을 방문했다. 야생동물보호협회에서 관리하는 동물들을 전문으로 치료해주는 병원이었다. 안타깝게도 말똥가리매는 앞으로도 영원히 날 수 없다는 진단이 나왔다.

현재 우리나라 대부분의 야생동물은 멸종 위기에 놓여 있다. 수많은 놀부들의 탐욕이 자연을 파괴하고 뭇 생명들의 목숨을 빼앗아가고 있는 것이다.

몇몇 흥부들의 숨은 노력이 그나마 야생동물들에게는 한줄기 빛이 되고 있는지도 모른다.

정보인 흥부

흥부가 어려웠던 시절 그에게 절실했던 것은 소문, 즉 정보였다. 그래야 매품이라도 팔 수 있었으니까. 흥부는 박씨에 관한 정보를 형에게 아무 대가 없이 주었다. 정보를 악용한 놀부는 결국 폐가망신하고 말았지만.

흥부의 도움으로 다리를 치료하고 강남으로 날아간 제비가 다음 해 조선 땅에 돌아오면서 물고 온 박씨 속에는 조선반도뿐만 아니라 중국, 일본 등 동아시아의 온갖 정보가 들어 있었다. 일종의 '고집적 마이크로 칩'이었던 셈이다. 박씨를 심어 얻은 3개의 박 속에서 나온 수백 가지의 물건들을 보라! 각 지역의 온갖 귀한 물품들이 쏟아져 나오지 않았던가. 흥부가 키운 박은 곧 정보 덩어리였다.

백두산 자락에 에코빌리지를 건설 중인 이동춘 회장.

백두산 자락 120만 평 부지에 조성되고 있는 연화동촌에서 조선족 동포 이동춘 씨를 만났다. 그는 이곳에 대규모 생태도시를 건설할 계획을 세우고 사업을 추진하고 있었다. 4월 초순, 남쪽에는 벚꽃, 개나리가 만개할 시기인데도 연화동촌 응달 곳곳에는 지난겨울 내린 눈이 녹지 않고 남아 있었다.

먼 데서 동포가 찾아왔다며 이동춘 회장은 키우던 닭을 잡아 푸짐한 저녁상을 차렸다. 닭고기를 안주 삼아 마신 과일주가 문제였다. 고구려의 후예이자 만주벌판을 누비던 항일 독립군의 후손이어서 그런지 그는 두주불사였다. 이회장은 맥주 컵에 가득 술을 부어 원 샷으로 마시고 취재팀에게도 권했다. 카메라 감독과 작가는 그가 권하는 대로 몇 잔 거푸 마시더니 인사불성이 돼 버렸다. 천만다행으로 나는 당시 심한 독감에 걸려 딱 한 잔 마시는 것으로 악의 구렁텅이(?)에서 빠져나올 수 있었다.

다음 날 아침 본격적인 취재를 해야 하는데 카메라 감독과 작가는 아직 반 '코마' 상태였다. 반면 주인공 이동춘 회장은 두 사람보다 훨씬 더 마셨음에도 불구하고 쌩쌩했다. 역시 고구려의 후예다웠다. 어찌어찌 취재를 마쳤다.

이동춘 회장은 북경과 연변 조선족 자치구를 근거로 사업을 하던, 연변 조선족 사회에서는 꽤 알려진 사업가였다. 그의 평생 꿈은 민족의 영산 백두산 자락에 친환경 농업과 관광을 겸비한 '에코빌리지'를 세우는 것이었다.

한국과 중국 곳곳을 누비며 그는 사업 정보를 모았다. 정보를 공유하기 위해 '차이나 코리안 닷컴'이라는 인터넷 사이트도 운영하고 있었다. 그의 말이다.

> 중국 대륙을 자세히 보면 마치 닭이 북동쪽을 바라보고 있는 모습이다. 동북 3성은 닭의 머리 부분이다. 즉 아이디어가 창출되는 곳이다. 이곳에 에코빌리지를 세워 생태문화의 새바람을 일으키겠다.

지금쯤 그 사업은 어느 정도 진척되고 있는지 궁금하다.

흑룡강성 해림시에 들렀다. 흑룡강성에 있는 여러 도시 중 조선족이 가장 많이 살고 있는 곳이다. 20만 명의 시 인구 중 5만 명의 조선족이 밀집해 살고 있는 신합촌에서 32살의 문태인 촌장을 만났다. 역대 최연소 촌장이라고 했다. 그에게 촌장자리를 물려준 이가 바로 이동춘 회장이었다. 한국으로, 또는 중국 내 큰 도시로 돈 벌러 가는 조선족 주민들이 늘어나면서 그즈음 해림시 외곽 농촌 지역은 급속히 붕괴되고 있었다. 이 문제를 해결하기 위해서 생각해낸 것이 집중촌 조성사업이었다. 해림시 주변의 여섯 개 마을을 통합해 '신합촌(新合村)', 즉 새로 합친 마을을 조성하기 시작한 것이다. 주민들의 주거문제와 생계를 위해 신합촌에서는 아파트와 공장 건설공사가 한창이었다.

신합촌 건설과 에코빌리지 사업을 성공시키기 위해 이동춘 회장과 문태인 촌장은 수많은 세미나와 모임을 통해 정보를 모으고 서로 나누고 있었다. 두 제비가 물고 온 박씨가 어떤 박으로 자라고 있는지 궁금하다.

화해와 평화의 인간형 흥부

흥부는 자신을 내쫓은 놀부를 결코 원망하지 않았다. 오히려 부자가 된 후 형에게 자신의 재산을 아낌없이 나눠주었다. 가난한 사람들에게도 역시 그렇게 했다. 어찌 보면 바보 같은 삶이었지만 그는 끝내 승리했다.

화해와 평화의 인간형을 찾아 일본 도쿄에서 만난 사람은 당시 나이 72살의 이나가와 모노코 할머니였다. 평생 긍정적인 태도로 살아온 인생이어서 그런지 그녀는 많아야 60대 초반쯤으로 보였다.

모노코 할머니가 운영하는 회사의 주요업무는 일본에서 연예활동을 하고 싶어 하는 외국인들을 방송사와 영화사에 연결해주는 것인데, 당시 이 회사에 등록된 외국인 연예인은 142개 나라 출신 5,300명이었다. 이 중 한국인도 500명이나 됐다. 나는 잘 모르는 얼굴들이었지만 이 회사 출신 연예인들의 브로마이드가 사무실 벽면을 장식하고 있었다. 가이드에게 "이 사람들 일본에서 유명하냐"고 물었더니 "몇몇은 스타급"이라고 답했다. 그래서 그런지 사람들은 그녀를 '외국인 탤런트의 어머니'라고 불렀다. 직원들뿐만 아니라 이 회사를 방문하는 사람들의 모습은 말 그대로 '형형색색'이었다. 그녀의 말이다.

> 우리 회사는 피부색, 언어, 생활습관, 가치관이 다른 사람들의
> 집단이다. 세계의 축소판, 마치 작은 국제 연합과 같다. 하지만 사
> 람의 마음은 시대와 장소와 관계없이 같다고 생각한다. 서로 사랑
> 하는 마음, 친절함 같은 것은 세계 어디에서나 통용되는 정서다.

그녀는 이 일을 사업이라고 생각하기보다는 일종의 민간외교쯤으로

박준영씨의 생일, 이나가와 모노코 사장이 한국말로 생일축하노래를 불러줬다.

생각하는 듯했다.

이 회사를 통해 연예계활동을 시작한 한국인 박준영 씨를 위해 작은 생일잔치가 벌어졌다. 이나가와 모노코 사장은 생일축하노래를 한국말로 불러주었다. 이날을 위해 집에서 며칠 동안이나 연습했다고 한다.

그녀가 관심을 갖고 있는 일이 하나 더 있었다. 젊은이들 짝 맺어주기 사업이었다. 그녀가 도쿄 히비야 공원 안에 있는 '연인의 성지'로 취재팀을 안내했다. 젊은 사람들이 이곳에서 청혼을 하면 반드시 성공한다는 장소로 일본에서도 꽤나 유명했다. 한국과 마찬가지로 일본 젊은이들도 결혼을 기피해 해가 갈수록 출산율이 떨어지고 있었다. 이 문제를 해결하기 위해서 시작한 것이 연인의 성지 조성 사업이었다. 그녀는 도쿄뿐만 아니라 일본 주요 도시에 이런 곳을 계속 만들고 싶다고 했다.

바쁜 일정을 쪼개 그녀는 도쿄대학교 대학원에서 국제사회관계론을 공부하고 있었다. 수많은 나라에서 온 외국인을 상대해야 하는 그녀로서는 필요한 공부였다. 대단한 노익장이자 열정이었다.

취재를 마친 날, 그녀가 우리를 저녁식사에 초대했다. 식사 장소는 〈일본침몰〉이라는 영화에도 등장하는 롯본기 힐스 스카이라운지였다.

메뉴는 앙증맞은 요리가 지나치게 큰 접시에 담겨 계속해서 나오는 코스 요리였다. 우리는 음식이 나오자마자 냉큼 먹어치우고 빈 접시를 내려다보면서 다음 음식이 나오기를 기다렸다. 일본 할머니는 그 조그만 음식을 포크와 나이프로 조심스럽게 자르면서 참으로 천천히 식사를 했다. 우리도 다음 접시부터는 그렇게 했다. 품위는 있었지만 사실 괴로운 식사였다.

그날 통역이 없어서 우리는 짧은 영어와 표정만으로 대화했다. 그녀가 마지막으로 말했다. 물론 일본어로. 한국에서 번역했더니,

독일과 프랑스는 오랜 기간 동안 서로 싸웠다. 한국과 일본 사이에도 그런 미묘한 앙금이 지금도 남아있다. 하지만 동네에서도 이웃과 사이가 좋아야 하듯 이웃 나라와도 사이좋게 지내는 것이 무엇보다 중요하다. 지금은 지구촌 시대가 아닌가?

열린 마음으로 서로를 이해해 준다면 모두가 행복해질 수 있다는 평범한 진리를 일본의 흥부, 이나가와 모도코 할머니의 삶이 말해주고 있었다.

흥부야 빨리 나와라

좀 길었지만 내 이야기는 끝났다. 우리 사회의 문제는 '너무 많은 놀부'와 '너무 적은 흥부'에서 비롯됐다. 더 큰 문제는 사회가 우리들에게 놀부 되기를 끊임없이 강요하고 있다는 점이다. 지난 세월, 놀부 심보로

'외국인 탤런트의 어머니' 이나가와
모노코 사장에게서 화해와 평화의
인간형, 흥부를 본다.

우리 사회의 문제는 '너무 많은 놀부'와 '너무 적은 흥부'에서 비롯됐다. 놀부 심보로 만들어 낸 이 외형적 성장 속에서 우리는 과연 행복한가?

만들어 낸 이 외형적 성장 속에서 우리는 과연 행복한가? 그렇다면 그 '성장'이 낳은 그늘 밑에서 신음하는 사람들은 누구이며, OECD 국가 중 자살률 1위는 무엇을 의미하는 것일까?

다시 흥부정신으로 돌아가야 한다. 흥부 전성시대를 만들어야 한다. 그래야 우리 모두가 산다.

뮤직 다큐 − 5월의 노래

2007년 5월 방송

뮤직 다큐 – 5월의 노래 2007년 5월 방송

2006년 봄, 5·18기념재단에서 「5월의 노래」라는 타이틀로 음반을 제작해 배포한다는 소식을 들었다. 평소 5월과 음악에 관심이 많았던 터라 재단에 연락해 CD 몇 장을 구할 수 있었다. 몇 장은 음반 자료실로 넘기고 한 장은 내가 소장했다.

이 음반에는 「임을 위한 행진곡」, 「전진하는 오월」, 「한다」 등 광주항쟁과 직접 관련이 있는 노래 11곡과 김남주 시인의 육성 낭송시 「학살」, 그리고 연주곡 하나가 실려 있었다.

대부분이 평소 들어서 귀에 익은 곡들이었지만 처음 들어본 것도 몇 곡 있었는데 하나같이 심금을 울리는 명곡들이었다.

1980년대부터 수많은 민중가요가 만들어져 불리기 시작했는데 광주는 그 노래들을 싹 틔우고 키워낸 텃밭이었다. 참담한 죽음을 딛고 끝끝내 희망을 포기하지 않았던 이런 노래들이 없었다면 우리는 광주의 5월을 지금처럼 자랑스럽게 이야기하지 못했을 것이다.

그해 5월을 현장에서 경험했던 나로서는 음반에 수록된 노래의 한 소절 한 소절이 모두 나와 이웃의 이야기이자 역사였다.

나는 음반을 집에서도, 차에서도 듣고 또 들었다. 한 100번쯤 들었을까? 하도 들어서 노래 가사를 거의 외우다시피 했다.

문득 나는 1980년 5월 광주와 그 후의 역사를 낱낱이 이야기하고 있는 이 노래들을 다른 사람들도 함께 듣고 볼 수 있으면 어떨까 하는 생각을 했다. 그렇다면 5월 특집 프로그램이 돼야 할 텐데 그해 5월 18일까지는 며칠밖에 남지 않아서 제작이 불가능했고 결국 다음 해인 2007년 5월로 방송을 늦출 수밖에 없었다.

2007년 초, 나는 프로그램의 제목을 〈5·18민중항쟁 27주년 특집 뮤직 다큐 – 5월의 노래〉로 일찌감치 정하고 준비에 들어갔다. 제목이 좀 길긴 했다.

'음반에 실린 곡 중 10곡을 뽑아 장르별로 나눠 뮤직비디오로 꾸민다, 노래 사이사이에 1980년 5월을 전후한 역사적 상황을 다큐멘터리 형식으로 소개한다, 작사자, 작곡자, 가수, 음악 평론가, 항쟁 참가자, 시민들의 관련 인터뷰를 끼워 넣는다, 이 중 2곡 정도는 가수를 스튜디오로 직접 불러내 실제 연주장면을 녹화한다' 이것이 나의 대략적인 프로그램 구성 계획이었다.

곡은 이미 정해진 것이고 그림이 문제였다. 나는 5·18기념재단 자료실을 이 잡듯 뒤져 동영상, 사진자료, 애니메이션 등 필요한 거의 모든 자료를 가져와 한 곳에 모았다. 귀중한 자료를 아낌없이 내준 재단 측에 감사한다.

회사 자료실에 보관 중인 영상자료도 한 테이프에 복사해 두었다. 당시 모아 놓은 관련 자료가 30분 분량의 테이프로 모두 15개 정도였다. 이 정도면 국내 5·18 관련 자료 거의 대부분을 모았다고 자부한다. 그 자료들, 지금도 잘 보관되고 있는지 궁금하다.

나는 10곡의 노래를 장르별로 분류했다. 힘차고 희망이 넘치는 곡, 서정적인 곡, 아주 슬픈 곡, 락(Rock)풍으로 편곡된 곡, 국악, 성악 등으로 분류하고 5월 항쟁 이후 시대의 흐름도 염두에 두고 노래를 배치했다. 화면 역시 각 곡별로 차별성을 최대한 유지할 수 있도록 구성했다. 당시 나의 최대 관심사는 가사에 어떤 그림을 입힐 것인가였다. 밥 먹으면서도 운전하면서도 잠자면서도 그 생각만 했다. 중·고등학교 때 공부를 그렇게 열심히 했으면 나는 아마 하버드대학교도 갈 수 있었을 것이다.

프로그램의 프롤로그는 칼 오르프의 「카르미나 부라나」를 배경음악으로, 쇠망치로 내리치듯 카랑카랑한 고 김남주 시인이 육성으로 낭송한 시(詩) 「학살」로 시작했다. 너무 길어 일부만 소개했지만 이 시는 지금도 5·18과 관련해 발표된 시 중 최고의 작품으로 평가받고 있다.

학살
…

오월 어느 날이었다
1980년 5월 어느 날이었다
광주, 1980년 오월 어느 날 밤이었다
…

밤 12시 나는 보았다
총검으로 무장한 일단의 군인들을
밤 12시 나는 보았다
야만족의 침략과도 같은 일단의 군인들을
밤 12시 나는 보았다
악마의 화신과도 같은 일단의 군인들을
…

밤 12시
하늘은 핏빛 붉은 천이었다
밤 12시
거리는 한 집 건너 울지 않는 집이 없었고
무등산은 그 옷자락을 말아 올려 얼굴을 가려버렸다
밤 12시
영산강은 그 호흡을 멈추고 숨을 거둬 버렸다.
…

─ 김남주, 「학살」 부분

시인이 절규했듯이 그것은 5월, 봄의 학살이었다.

계엄군의 만행에 분노한 광주 시민들은 누가 먼저랄 것도 없이 하나 둘 금남로로, 도청 앞 광장으로 쏟아져 나왔다. 광주 시민들은 두려움을 떨쳐버리기 위해, 그리고 서로 단결하기 위해 구호를 외치고 노래를 불렀다.

그러나 당시에는 「광주 출정가」도 「임을 위한 행진곡」도 없었다. 시민들은 「애국가」나 「우리의 소원은 통일」, 「홀라송」을 개사한 노래 등을 불렀고 심지어 계엄군을 앞에 두고 군가를 부르기도 했다.

그러나 10일간의 항쟁은 핏빛 학살로 끝나고 말았다.

광주의 희생을 밑거름 삼아 민주화 열기가 높아지면서 1980년대 초부터 다양한 형태의 민중가요가 본격적으로 모습을 드러내기 시작했다. 광주는 그 노래들을 키워낸 자양분이자 정신적 텃밭이었던 것이다.

첫 번째 곡은 「5월의 노래·3」을 배치했다.

어두웠던 5월의 그림자를 씻어내는 밝고 힘찬 분위기의 노래여서 오프닝 곡으로 딱 어울렸다.

작사가 김정환 시인의 말이다.

> 역사가 발전한다는 것은 단지 희생자의 수로 결정되는 것이 아니라 그 희생이 과연 무엇을 이루어 냈느냐, 그리고 그 이루어 낸 빛나는 장면들을 우리가 자랑스러운 유산으로 간직해야 한다는 생각으로 작시했다.

밑그림은 5·18 묘역에 세워진 두 개의 청동 군상과 5월 관련 자료화면을 교차해서 편집했다.

5월의 노래·3

보라 남도에 빛나는 나라 있다
어둠 뚫고 솟구친 항쟁의 나라
푸르던 날에 슬프던 날에
억압받던 날 두렵던 날에
핏빛 투쟁으로 이룬 나라 있다
5월 무등에 타오른 불길 있다
하늘은 여전히 푸르른 평화
바다는 여전히 자유의 파도
보라 여기 피로 물들어
아름답게 빛나는 나라
보라 여기에 붉은 피로 물들어
한 떨기 꽃으로 빛나는 사람들 있다

보라 남도에 찬란한 나라 있다
어둠 뚫고 솟구친 통일의 나라
푸르던 날에 기쁘던 날에
전진하던 날 벅차던 날에
핏빛 사랑으로 이룬 나라 있다
5월 찬란한 부활의 나라 있다
하늘은 여전히 푸르른 평화
바다는 여전히 자유의 파도
보라 여기 피로 물들어
아름답게 빛나는 나라
보라 여기에 붉은 피로 물들어
한 떨기 꽃으로 빛나는 사람들 있다

　　　　－「5월의 노래·3」(작시 : 김정환, 작곡 : 이현관, 노래 : 삶·뜻·소리)

「5월의 노래·3」처럼 힘차고 밝은 느낌을 주는 노래도 있지만 1980
년대에 만들어진 민중가요들은 비장하거나 행진곡풍 노래들이 주를 이
뤘다.

두 번째 곡 「전진하는 5월」은 장엄한 행진곡 풍의 노래이다. 작자는
미상이었다. 1984년 총학생회가 부활하면서 민주화를 요구하는 학내집
회도 잦아지기 시작했다. 당시 전남대학교 총학생회가로 지정됐던 이 노
래는 학내 최고의 히트곡이었다. 나도 군복무를 마치고 복학했을 때 자
주 따라 불렀던 노래다.

당시 총학생회장이었던 오병윤의 회상이다.

    가사도 물러서지 않는다. 전진하는 5월이다, 곡도 다짐과 결의,
    진군하는 기상을 담은 노래였기 때문에 집회 때 자주 불렀다.

프로그램을 제작하면서 개인적인 수확이자 놀라움도 있었다. 이 노래
를 나의 친형이 작곡했다는 사실을 알게 된 것이다.

형은 "1980년 5월 당시 군복무 중이어서 항상 5월에 대해 빚을 진 마

음이었는데 좋은 가사를 만나 1시간 만에 작곡했다"고 말했다.
곡의 분위기에 맞게 홍성담의 힘찬 목판화를 밑그림으로 깔았다.

전진하는 5월
저기 오네 젊은 넋들 들판 가로질러
밝은 노래 해방 노래 높이 부르며
투쟁의 깃발 들고 힘차게 달려오네
눈부신 무진주 들판 가로질러
동트는 꽃 새벽 무쇠나팔 소리 따라
진달래 붉은 가슴 여기 달려오네
물러서지 않으리
사슬 끊고 전진하는
5월 오늘은 물러서지 않으리

앞서 가네 5월 형제 사선 끝내 뚫고
불을 뿜는 짐승 총칼 맞서 싸우며
민주의 횃불 들고 물밀 듯 달려오네

피 맺힌 금남로 사선 끝내 뚫고

캄캄한 한밤중 진군하는 함성 따라

시민군 넋과 함께 여기 달려오네

물러서지 않으리

사슬 끊고 전진하는

5월 오늘은 물러서지 않으리

5월 오늘은 물러서지 않으리

- 「전진하는 5월」(작사 : 고규태, 작곡 : 박태홍, 노래 : 꽃다지)

5월 관련 노래들은 비장함과 더불어 무척 서정적이라는 특징을 갖고 있다. 죽음과 상실, 슬픔 이런 정서들이 노래에서 묻어나는 것은 어쩌면 자연스러운 일이었다.

「직녀에게」의 작곡자 박문옥이 「목련이 진들」을 만든 것은 1990년대 초, 우연한 계기로 노랫말을 만났다고 한다. 그의 말이다.

당시 아내는 강진의 한 학교에서 근무하고 있었는데 담임을 맡고 있던 반의 한 학생이 지은 시를 나에게 보여줬다. 시를 보는 순간 악상이 떠올라 바로 곡을 붙였고 거리공연 때마다 불렀다.

목련이 주제이기 때문에 취재팀은 꽃이 만개하는 날을 손꼽아 기다렸다. 목련꽃이 본격적으로 피기 시작하자 우리는 광주국립박물관으로 달려갔다. 예상대로 아름답고 탐스러운 목련 꽃이 박물관 일대에 흐드러지게 피어 있었다. '목련이 지고 봉오리가 떨어진다'는 가사에 맞춰 떨어진 잎을 주워 날리거나 꽃봉오리를 가지에 붙여 흔들어 떨어뜨리는 등 별짓을 다했다. 편집실에서 화면을 확인해 보니 그럴듯했다.

지금도 그곳 목련은 여전히 아름다운지 모르겠다.

전주와 간주는 분위기에 맞는 플래시 애니메이션으로, 노래 부분은 목련 꽃과 5월 관련 흑백사진을 섞어서 편집했다.

　　목련이 진들
　　목련 꽃이 한낱 목련 꽃이 진다 해도
　　무에 그리 그리 슬프랴
　　피었다가 피었다 지는 것이
　　어디 목련 꽃뿐이랴

　　우리네 5월에는
　　목련 꽃보다 더 하얗고
　　순결한 영혼 영혼들이
　　꽃잎처럼 아프게 떨어진 것을
　　우리네 5월에는
　　목련 꽃보다 더 하얗고
　　순결한 영혼 영혼들이
　　꽃잎처럼 아프게 떨어진 것을
　　꽃잎처럼 아프게 떨어진 것을

　　　　　　　－「목련이 진들」(시 : 박용주, 작곡 : 박문옥, 노래 : 문진오)

　　지금까지 '오월의 노래'라는 제목으로 발표된 노래는 모두 세 곡. 이
중 「오월의 노래·1」이 그간 발표된 노래 중 가장 서정적인 울림이 크다는
평가를 받고 있다. 음악평론가 김창남의 말이다.

투쟁을 독려하는 그런 힘찬 노래도 필요하지만 '오월의 노래 1'
처럼 삶을 성찰하고 자신에 대해 생각해보는 계기를 만들어 주는
노래도 5월 정신을 고양하는 데 큰 역할을 했다.

음반 작업에 참여한 가수 정마리를 스튜디오로 초대해 녹화했다.
노래에 맞는 분위기 연출을 위해 스튜디오 전체를 흑막으로 둘렀고
일체의 자료화면을 삽입하지 않았다. 단지 한쪽에 촛불을 켜놓고 노래하
는 가수와 간간이 디졸브만 했다.

5월의 노래·1
봄볕 내리는 날 뜨거운 바람 부는 날
붉은 꽃잎 져 흩어지고 꽃향기 머무는 날
묘비 없는 죽음에 커다란 이름 드리오
여기 죽지 않은 목숨에 이 노래 드리오
사랑이여 내 사랑이여 음~

이렇듯 봄이 가고 꽃피고 지도록
멀리 5월의 하늘 끝에 꽃바람 다하도록
해 기우는 분수 가에 스몄던 넋이 살아
앙천의 눈매 되뜨는 이 짙은 5월이여
사랑이여 내 사랑이여 음~
사랑이여 내 사랑이여 음~

– 「5월의 노래·1」(작사·곡 : 문승현, 노래 : 정마리)

'꽃잎처럼 금남로에 뿌려진 너의 붉은 피'로 시작되는 「오월의 노래·2」는 가장 대표적인 오월 노래 중 하나다.

'꽃잎처럼 금남로에' 4·4조, 말 그대로 우리 입에 짝짝 달라붙는 운율, 적나라한 가사와 멜로디가 어우러진 명곡이다. 원래 이 노래는 미셸 볼라레프의 샹송 「누가 할머니를 죽였는가」가 원곡인데 누군가가 다른 분위기로 다시 만들어낸 것이다. 프랑스 샹송에서 몇 소절을 따왔다는 사실이 알려지면서 뒤늦게 원곡이 유명해지기도 했다. 아직도 「오월의 노래·2」의 창작자는 밝혀지지 않고 있다.

민중가요의 특징 중 하나는 이처럼 작자 미상의 노래가 적지 않다는 점이다. 1980년대 당시 창작자가 자신의 신분을 밝히는 것은 권력의 탄압을 자초하는 일이었다. 「임을 위한 행진곡」의 작곡자 김종률도 이름이 알려지면서 공안당국에 끌려가 고초를 겪어야 했다.

송순규가 원곡과 전혀 다른 락풍으로 편곡해 노래했다.

5월의 노래·2
꽃잎처럼 금남로에
뿌려진 너의 붉은 피
두부처럼 잘리워진
어여쁜 너의 젖가슴
5월 그날이 다시 오면
우리 가슴에 붉은 피 솟네

왜 쏘았지 왜 찔렀지
트럭에 싣고 어디 갔지
망월동에 부릅뜬 눈
수천의 핏발 서려 있네

오월 그날이 다시 오면
우리 가슴에 붉은 피 솟네
오월 그날이 다시 오면
우리 가슴에 붉은 피 솟네

산자들아 동지들아
모여서 함께 나가자
욕된 역사 투쟁 없이
어떻게 헤쳐 나가랴

5월 그날이 다시 오면
우리 가슴에 붉은 피 솟네

대머리야 쪽발이야
양키놈 솟은 콧대야
물러가라 우리 역사
우리가 보듬고 나간다

오월 그날이 다시 오면
우리 가슴에 붉은 피 솟네
오월 그날이 다시 오면
우리 가슴에 붉은 피 솟네
오월 그날이 다시오면
우리 가슴에 붉은 피 피 피

– 「5월의 노래·2」(작자 : 미상, 원곡 : 외국곡,
노래 : 송순규)

전주 부분은 전두환 신군부가 정권을 탈취하는 과정에서 광주 시민들이 저항하는 모습을 만화처럼 만든 플래시 애니메이션을 편집해 넣었고 1절 노래 부분은 흑백사진을 노래 소절에 맞게 짧은 컷으로 처리했다.

간주 역시 전주와 마찬가지로 플래시 애니메이션을 활용했다. 광주항쟁 희생자들의 검은 관이 무리를 지어 태극기의 괘로 형상화 되다가 마지막에는 태극기 전체가 드러나는, 감동적인 애니메이션이었다.

2절도 1절처럼 흑백 사진을 밑그림으로 깔았다.

지금까지 여러 편의 다큐멘터리를 만들었지만 이 프로그램을 제작하면서 나는 가장 오랜 시간 편집실에서 살았던 것 같다. 가요 프로그램을 제작할 때 노래의 소절에 따라 카메라 커트를 바꾸듯 〈뮤직 다큐 – 5월의 노래〉도 마찬가지였다. 가사 내용에 정확히 들어맞는 화면을 찾아내 커트별로 편집해야 하기 때문에 무척 힘든 작업이었다. 특히 빠른 곡은 더 많은 커트가 필요했다. 나는 10곡의 노래를 뮤직 비디오로 제작하면서 단 한 컷도 같은 화면이 겹치지 않도록 유의했다. 그 많은 자료화면을 보고 또 보고 하느라 목은 뻣뻣해지고 눈은 침침했지만 의미 있는 작업이라고 스스로 격려하면서 나름 신명나게 일했던 것 같다. 특히 오래된 자료화면이라 한 컷 한 컷 색 보정과 트리밍 과정이 필요했다. 그 지루하고 고단한 작업을 묵묵히 수행해준 CG팀장에게 감사한다.

가장 대표적인 민중가요, 제2의 애국가로 불리기도 하는 「임을 위한 행진곡」, 5월 항쟁 중 도청에서 산화한 윤상원과 그보다 한 해 전 들불야학의 교사로 활동하다 연탄가스 중독으로 숨진 박기순의 영혼 결혼식을 위해 1981년에 만들어졌다. 가사의 원작자는 백기완. 황석영이 개사했고 김종률이 작곡했다. 그런데 이명박, 박근혜 정부가 들어서면서 매년 5·18기념식에서 '합창단만 이 노래를 불러야 한다, 아니다 예전처럼 참석자 모두가 제창해야 한다'며 수년째 노래를 둘러싼 논란이 계속되고 있다. 2016년, 올해도 마찬가지였다.

'유신의 딸'은 올해로 3년째 기념식에 참석하지 않았고 '똥고집' 국가보훈처장은 식장에서 쫓겨났으며 '대독총리'는 끝까지 노래를 부르지 않았다. 갖가지 같잖은 이유를 대지만 「임을 위한 행진곡」이, 그리고 '광주'가 '몹시' 불편하다는 것 아니겠는가? 임을 위한 행진곡도 따라 부를 수 없는 사람이 대통령이 되어서는 안 되는 이유이다.

임을 위한 행진곡

사랑도 명예도 이름도 남김없이

한평생 나가자던 뜨거운 맹세

동지는 간데없고 깃발만 나부껴

새날이 올 때까지 흔들리지 말자

세월은 흘러가도 산천은 안다

깨어나서 외치는 뜨거운 함성

앞서서 나가니 산자여 따르라

앞서서 나가니 산자여 따르라

세월은 흘러가도 산천은 안다

깨어나서 외치는 뜨거운 함성

앞서서 나가니 산자여 따르라

앞서서 나가니 산자여 따르라

　－「임을 위한 행진곡」(시 : 백기완, 개사 : 황석영, 작곡 : 김종률, 노래 : 허클베리핀)

인디밴드 '허클베리핀'이 편곡해 부른 「임을 위한 행진곡」은 기존 곡과는 전혀 다른 독특한 느낌을 준다.

허클베리핀의 리더 이기용의 말이다.

엄숙함만으로 노래하는 것보다는 가끔 자유롭게 상상하면서 노
래하고 연주해 보면 어떨까 하는 생각으로 〈임을 위한 행진곡〉을
락풍으로 편곡해봤다

당시의 사진과 동영상, 플래시 애니메이션을 골고루 섞어 화면을 구성
했다. 특히 가사의 내용대로 '앞서서 나간' 5월 광주와 '산자들이 뒤따
른' 6월 항쟁까지의 다양한 자료화면으로 민주화의 큰 흐름을 표현했다.

한없이 무겁고 진지하고 비장하기만 했던 민중가요는 1990년대에 접
어들면서 변화의 모습을 보이기 시작한다. 대중들의 정서에 맞게 변신을
거듭하면서 다양하고 실험적인 장르의 노래들이 창작되기 시작한 것이
다. 국악 민중가요도 그중 하나이다.
광주 도심을 흐르면서 5월 그날의 참상을 낱낱이 지켜봤을 광주천,
이를 소재로 한 노래가 「광주천」이다. 한 맺힌 계면조 가락이 듣는 이의
가슴을 미어지게 한다.

광주천

흘러라 네 온갖 서러움
더러운 네 굴욕과 수모
흘러라 네 온갖 서러움
보리밭길 흘러라
호남벌 푸르른 길
빼앗기고 짓밟히는데
흘러라 네 온갖 서러움
보리밭길 흘러라

굽이쳐라 네 온갖 노여움
주림에 지친 다리 이끌고
굽이쳐라 네 온갖 노여움
피 가슴에 굽이쳐라
망월동 도깨비춤
승냥이와 형벌의 땅
굽이쳐라 네 온갖 노여움
피 가슴에 굽이쳐라

– 「광주천」(작사 : 박선옥·민요연구회공동창작, 노래 : 조주선)

무등산에서 발원하여 영산강으로 합류하는 총길이 23㎞의 광주천, 그 길이만큼이나 유장한 노래의 밑그림을 어떻게 만들어 낼 것인지 고민이 깊었다.

소방헬기의 도움을 받아 광주천 상류부터 하류까지 노컷으로 촬영했다. 그러나 시네플렉스와 같은 항공촬영 전용 헬기가 아니어서 별로 만족스러운 영상을 얻지 못했다. 요즘 유행하는 드론이라도 그때 있었더라면 좋았을 텐데 하는 아쉬움이 남는다. 광주천 물줄기 위에 5월 관련 미술작품을 얹어 편집을 마쳤다.

　광주항쟁 이후 민주화를 열망하는 국민들은 광주학살진상규명과 책임자 처벌, 민주주의의 실현을 요구하는 투쟁을 끈질기게 전개해 나갔다. 그리고 1987년 6월 항쟁으로 우리 국민들은 마침내 찬란한 승리를 거둔다. 그러나 이것은 반쪽짜리 승리에 불과했다. 노태우에 이어 3당 합당으로 집권한 김영삼 정부는 '성공한 쿠데타' 운운하면서 5월을 적당히 묻으려 했다. 그러나 국민들은 진상규명, 책임자 처벌을 외치며 온몸으로 투쟁했고 민중가수들도 노래를 무기삼아 저항하기 시작한다.

　그래서 나온 노래가 안치환의 「한다」였다. 프로그램을 제작하면서 처음 접한 노래였다. 쇼킹한 가사와 선율로 듣는 이의 심장을 얼어붙게 하는, 안치환다운 작품이었다.

　가수 안치환을 스튜디오로 불러내 녹화했다. 프로그램의 취지를 설명하자 출연료도 아주 싸게 끊어줬다. 고마웠다.

　안치환의 말이다.

흘러라 내 온갖 서러움
더러운 네 굴욕과 수모

당시의 책임자들, 학살자들은 아무런 죄의식도 없이 유유자적
살고 있고 그런 것이 굉장히 화가 났다. 노래를 하는 사람 입장에
서 그런 부분을 꼭 이야기하고 싶었다. 그래서 광주에 대한 그런
기억들을 잊지 말자, 그리고 그 책임자들, 학살자들에 대한 처벌을
국민의 이름으로, 역사의 이름으로, 정의의 이름으로 확실히 해야
한다는 제 마음을 노래에 담았다.

한다
과거를 묻지 마라 그 누가 말했나
사랑이라면 이별이라면 묻지 않겠다
그러나 그러나 아하
과거를 잊지 마라 절대 잊지 마라
반역자에게 학살자에게 용서는 없다
없다 없다 없다
수많은 세월 흘러도 상처 아물지 않는다
그들이 아직 유유자적 여생을 즐기고 있는 한
수많은 원혼 눈물로 구천을 떠돌고 있지만
그들은 권력의 담 밑에 쥐새끼처럼 잘도 숨어 지낸다
안 돼 안 돼 안 돼
그들을 정의의 제단 앞에 세워야
한다 한다
한다 한다 한다

과거를 잊지 말자 절대 잊지 말자
반역자에게 학살자에게 용서는 없다
없다 없다 없다

수많은 세월 흘러도 상처 아물지 않는다

그들이 아직 유유자적 여생을 즐기고 있는 한

이 시대를 강물처럼 살아온 풀 같은 사람들

그 가슴에 뚫린 멍과 한과 탄식을 누가 누가 채워주려나

안 돼 안 돼 안 돼

그들을 5월 영령 앞에 세워야

한다 한다

한다 한다 한다

한다 한다 한다 한다

한다 한다 한다 한다

한다

- 「한다」(작사·곡 : 안치환, 노래 : 안치환)

　제목처럼 가수는 '한다'를 수없이 외친다. 하지 않으면 정말 큰일 날 것처럼.

　그는 정말 온 힘을 다해서 노래했다. 1절은 그가 열창하는 모습을 그대로 보여줬고 2절부터는 화면 좌우에 가사에 걸맞는 자료화면을 넣었다.

　전두환, 노태우가 권력을 잡고 한창 잘 나갈 때의 자료화면과 울부짖는 5월 유족들을 번갈아 편집했고 특히 '그들이 유유자적 여생을 즐기고 있는 한' 가사 부분에는 전두환과 그의 부인이 손자를 안고 행복하게 웃는 장면을 삽입했다. 학살자에게도 자기 핏줄은 소중했던 모양이다. 방송 후 그 부분이 가장 통쾌했다고 여러 사람들이 말했다. 마지막 '한다' 자막은 아주 크게 그리고 줌인해서 점점 커지도록 넣었다.

　온 국민의 저항으로 결국 광주학살의 주범인 전·노 일당은 구속돼 역사와 정의의 엄중한 심판을 받는다. 그러나 정태춘은 이것만으로 그들에

수 많은 세월 흘러도
상처 아물지 않는다

그들이 아직 유유자적
여생을 즐기고 있는 한

대한 단죄가 모두 끝났다고 믿지 않고 있었다.

정태춘의 노래 「5·18」은 그리 널리 알려진 곡은 아니지만 나는 5월 관련 노래 베스트 10을 뽑으라면 이 노래를 반드시 집어넣겠다.

나는 정태춘의 앨범 거의 모두를 갖고 있다. 그의 노래를 들을 때마다 나는 그가 가수이기 전에 빼어난 시인이라는 생각을 늘 하곤 했다. 그래서 그가 만든 노래가 사람들의 가슴에 그토록 오래도록 남아 긴 울림을 주는 모양이다.

대중음악평론가 서정민갑의 평이다.

노래 「5·18」은 음악적인 완성도도 물론 뛰어나지만 5·18의 과제들을 가사로 정말 잘 형상화시켰다. 일반 시나 선언문보다 더 잘 쓴 가사라고 생각한다. 그게 바로 정태춘 음악의 힘이라고 생각한다.

5·18
어디에도 붉은 꽃을 심지 마라
거리에도 산비탈에도 너희 집 마당가에도
살아남은 자들의 가슴엔 아직도

칸나보다 봉숭아보다 더욱 붉은 저 꽃들
어디에도 붉은 꽃을 심지 마라
그 꽃들 베어진 날에 아 빛나던 별들
송정리 기지촌 너머 스러지던 햇살에
떠오르는 헬리콥터 날개 노을도 찢고
붉게 오~

무엇을 보았니 아들아
나는 깃발 없는 진압군을 보았소
무엇을 들었니 딸들아
나는 탱크들의 행진 소리를 들었소
아 우리들의 5월은 아직 끝나지 않았고
그날 장군들의 금빛 훈장은
하나도 회수되지 않았네
어디에도 붉은 꽃을 심지 마라
소년들의 무덤 앞에 그 훈장을 묻기 전까지

무엇을 보았니 아들아
나는 옥상 위의 저격수들을 보았소

무엇을 들었니 딸들아

나는 난사하는 기관총 소리를 들었소

어디에도 붉은 꽃을 심지 마라

여기 망월동 언덕배기에 노여움으로 말하네

잊지 마라 잊지 마 꽃잎 같은 주검과 훈장

누이들의 무덤 앞에 그 훈장을 묻기 전까지

무엇을 보았니 아들아

나는 태극기 아래 시신들을 보았소

무엇을 들었니 딸들아

나는 절규하는 통곡 소리를 들었소

잊지 마라 잊지 마 꽃잎 같은 주검과 훈장

소년들의 무덤 앞에 그 훈장을 묻기 전까지

– 「5·18」(작사·곡 : 정태춘, 노래 : 정태춘)

노래를 들려줄 수는 없지만 노랫말 정말 대단하지 않은가? 그의 또
다른 노래 「아! 대한민국」에 버금가는 가사다.

나는 화면 구성을 위해 5·18묘역 유영봉안소를 취재했다. 노래 중 여
러 차례 반복되는 '무엇을 보았니 아들아 무엇을 들었니 딸들아' 부분을

채울 영상을 촬영하기 위해서였다. 그곳에서 나는 그해 5월 도청에서 죽은 중학교 동창 박병규를 사진으로 만났다. 병규 이야기는 몇 년 후 〈내 친구 병규〉라는 다큐멘터리에서 자세히 소개했다. 그리고 '장군들의 금빛훈장' 자료화면을 찾느라 무척 애를 먹었던 일도 생각난다.

노래의 요구대로 지난 2006년 전두환 일당이 나눠가진 훈장은 모두 치탈됐지만 과연 그것으로 그들의 죄가 다 씻어진 것일까?

5월 관련 노래들에는 또한 통일에 대한 염원이 절절히 녹아 있다. 마지막 곡으로 운동권 테너로 알려진 임정현이 열창한 「광주여 무등산이여」를 배치했다. 그의 힘차고 웅숭깊은 목소리와 잘 어울리는 곡이었다.

지금은 고인이 된 문병란 시인과 곡을 만든 윤민석의 말이다.

> 분단에서 이런 비극이 발생했다는 점에서 통일에 대한 염원이 5·18 정신의 중요한 지향점이 됐다. 이런 점에서 5월과 관련된 문학, 예술, 노래 전반이 민주화운동에서 남북통일운동으로 자연스럽게 연결된 것이라고 생각한다.

> 광주를 통해 오랜 불의에 대한 항거의 전통을 봤고 5월 정신이 곧 통일의 정신이라고 생각한다. 그래서 '동학에서 5월로, 5월에서 통일로' 라는 가사를 쓰게 되었다.

겨울 무등산 전경화면 밑에 동학에서 남북정상회담까지의 자료화면을 가사에 맞게 편집해 넣었다. 옛 전남 도청 정문과 5·18묘역 민주의 문 사이로 빠져나가는 오색 빛을 형상화한 컴퓨터 그래픽 화면을 전주와 간주에 각각 넣었다.

광주여 무등산이여

광주여 오욕의 식민지 그대를 뚫고

부서지리라 깨어지리라 분노의 큰 불길로

광주여 그대와 함께 가기 위하여

핏빛 깃발로 아우성치는 위대한 혁명이여

무등산이여 숨죽여 있던 붉은 원혼의 일어섬이여

노래 부르며 함께 가리라 동학에서 5월로

무등산이여 피할 수 없는 이 길 쓰러져 일어섬이여

북소리 높여 진군하리라 5월에서 통일로

무등산이여 숨죽여 있던 붉은 원혼의 일어섬이여

노래 부르며 함께 가리라 동학에서 5월로

무등산이여 피할 수 없는 이 길 쓰러져 일어섬이여

북소리 높여 진군하리라 5월에서 통일로

– 「광주여 무등산이여」(작사·곡 : 윤민석, 노래 : 임정현)

　　대부분 1980, 1990년대에 만들어진 5월 관련 노래들의 내용이 지금
의 시대상황과 일치하지 않은 측면도 없지 않다. 그러나 1980년 5월, 수
많은 광주 시민들이 요구했던 것은 민주, 자주, 인권, 평화, 통일이라는
보편적 가치였다. 이러한 가치들이 이 시대에도 여전히 유효하다면 그

정신들을 오롯이 담고 있는 '5월의 노래들' 역시 유효하다.

이 프로그램에서 소개된 뮤직 비디오는 '5·18기념재단 영상자료실'
에서 볼 수 있다.

박기동의 다시 찾은 노래
「부용산」

1999년 12월 방송

박기동의
다시 찾은 노래 「부용산」 1999년 12월 방송

노래 「부용산」과의 재회

정말 오래된 이야기이다. 1999년, 20세기의 마지막 해의 일이니까.

그해 나는 노동조합 활동과 관련해 프로그램 제작 일선에서 물러나 TV 주정실에서 근무했다. 일종의 징계성 전보였다. 전 직장에서도 수년 간 해본 업무라 주조정실 근무는 할 만했다. 일근과 야근, 비번이 반복돼 생활 리듬을 유지하기 힘들고, 그 중요성과는 별도로 단순한 업무의 연속이었지만 좋은 점도 있었다. 틈틈이 책도 보고 노조관련 대자보도 쓸 수 있는 시간을 확보할 수 있다는 것이 무엇보다 좋았다.

주조근무 4개월 만에 노·사 간 현안이 원만히 타결되면서 나는 편성제작국으로 돌아올 수 있었다. 개편이 끝난 시점이어서 나는 프로그램도 없이 얼마간 떠돌았다. 어느 날 편성제작국장이 나에게 "다큐 한 편 제작해 보는 것이 어떻겠냐"며 노래 「부용산」 얘기를 꺼냈다.

1990년대 말 안치환 등이 자신의 음반에 수록하면서 세상에 알려진 노래지만 부용산은 이미 1980년대부터 대학가에서는 민중가요로 자주 불려졌다. 애절한 가사에 유장한 선율, 나도 평소 좋아하던 노래였다.

노래가 음반으로 나오고, 더구나 남도와도 깊은 관계가 있다는 사실이 알려지면서 부용산은 새삼 지역의 화제가 되고 있었다.

국장의 지시에 따라 나와 작가는 제작 준비에 들어갔다. 안치환의 음반을 구해 수십 번 되풀이해서 들었다. 자료를 조사하는 과정에서 작가는

「부용산」 원본 악보를 구해왔다. 갱지에 철필로 그린 악보는 인쇄된 지 반세기가 넘어서 그런지 누렇게 변색돼 있었고 가장자리는 너덜너덜했다.

작사가 박기동과 작곡가 안성현의 사진도 어렵사리 구했다. 손바닥 반의 반 크기의 빛바랜 흑백사진 여러 장을 확보하자 천군만마를 얻은 기분이었다. 프로그램 제작에서 가장 중요한 영상자료였기 때문이다. 작가 만세!

사실 노래 「부용산」은 민중가요이면서도 민중가요가 아니다. 지난 수십 년 동안 민중들이 이 노래를 즐겨 불렀다는 점에서 민중가요인 것은 맞지만 노동운동, 통일운동, 인권운동, 정치운동 등 사회변혁을 위한 투쟁의 무기라는, 본래적 의미의 민중가요는 아니라는 얘기다.

어쨌거나 다소 길지만, 이 노래에 얽힌 애잔하면서도 가슴 벅찬 이야기를 지금부터 시작하겠다.

「부용산」의 원본 악보. 갱지에 철필로 그린 악보는 인쇄된 지 반세기가 넘어서 그런지 누렇게 변색돼 있다.

시인 박기동을 만나다

그해 10월 있었던 부용정 준공식부터 취재를 시작했다. 노래 「부용산」이 화제가 되면서 벌교 주민들이 뜻을 모아 부용산 중턱에 부용정이라는 아담한 정자를 세우고 잔치를 벌였다. 부용정 아래 산길은 노래 가사의 일부처럼 '부용산 오리길' 이라는 이름으로 깔끔하게 단장됐다. 부용정에 걸린 현판에는 노래 가사와 작사, 작곡자의 이름도 새겨졌다. 벌교 어머니합창단과 주민들이 입을 모아 부용산을 함께 노래했다.

> 부용산 오리길에/진디만 푸르러 푸르러
> 솔밭 사이사이로/회오리바람 타고
> 간다는 말 한마디 없이/너는 가고 말았구나
> 피어나지 못한 채/병든 장미는 시들어지고
> 부용산 봉우리에/하늘만 푸르러 푸르러

그러나 노래의 주인공이라고 할 수 있는 박기동과 안성현은 그 잔치에 함께할 수 없었다. 박기동은 호주로, 안성현은 북으로 갔기 때문이다.

12시간의 비행 끝에 우리는 당시 호주 시드니에 살고 있는 박기동 할

천남 보성군 벌교읍에 있는 부용산. 해발 100m도 안되는 야트막한 산이지만 그 품속에 수많은 이야기를 보듬고 있다.

아버지를 만났다. 고국에서 귀한 손님이 왔다고 그는 공항까지 마중을 나왔다. 작달막한 키에 꼿꼿하면서도 한편으론 온화하고 너그러운 표정의, 우리가 매일 만나는 동네 할아버지의 모습이었다.

먼저 평소 박할아버지와 친하게 지내던 교포의 집에서 우리가 촬영해 온 부용정 준공식 장면을 함께 봤다. 낯익은 풍경, 그리고 자신이 작사한 노래가 흐르자 만감이 교차한 듯 박 할아버지는 화면에서 눈을 떼지 못했다.

시 외곽에 있는 할아버지의 집을 잠시 둘러봤다. 호주 정부가 임대해 준 7평 크기의 집에서 그는 한 달 40여만 원의 보조금으로 고독한 팔순을 보내고 있었다.

우리는 박 할아버지가 미리 잡아놓은 교포의 하숙집에 여장을 풀었다. 생각보다 숙박비가 저렴했다. 하숙집 주인은 "할아버지 얼굴 보고 싸게 해 준 것이다"고 했다. 저녁에는 한국 유학생들과 맥주 파티도 열었다. 담배 피우는 남학생들에게 공항 면세점에서 구입한 한국산 담배를 몇 갑씩 선물했더니 오랜만에 보는 '고국초'라며 다들 좋아했다. 당시 호주에서는 담배 한 갑에 7~8천 원 했으니 가난한 유학생들에게는 반가운 선물이었으리라.

동생 영애의 죽음과 시(詩)의 탄생

박기동 할아버지는 1917년 여수 돌산도에서 태어나 12살 되던 해에 가족과 함께 벌교로 이사했다. 한의사인 부친의 지원으로 일본에 유학해 관서대학 영문과를 졸업했다. 유학 시절, 그는 오히려 모국어의 소중함을 깨닫고 우리의 말과 글을 갈고 닦는 시인이 되겠다는 결심을 했다고 한다.

1943년 귀국해 모교인 벌교 남초등학교 교사로 근무하던 중 해방을 맞는다. 그 후 광주 서석초등학교 교사를 거쳐, 벌교상고에서 영어와 국어를 가르치기도 했다.

왼쪽 순천사범교사 시절의 박기동.
오른쪽 박영애와 시댁 식구들. 맨 왼쪽 서 있는 이가 박영애다.

1947년은 그로서는 결코 잊지 못할 한 해였다. 순천사범 교사로 근무하고 있을 당시 '남조선교육자협의회'에 가입했다는 이유로 순천경찰서에 4개월간 구금되고 6개월의 정직처분을 받는다. 요즘으로 치면 전교조가 당하는 핍박과 비슷했다.

그해는 또한 사랑하는 동생 영애가 생을 마감한 해이기도 했다. 18살, 꽃다운 나이에 시집간 동생이 결혼한 지 몇 년 만에 폐결핵에 걸려 순천도립병원에 입원한다. 당시 순천사범에 근무하던 박기동은 애잔하게 생명의 끈을 이어가던 누이의 병실을 자주 찾아가 지극정성으로 보살폈다. 그러나 누이는 자식 하나 남기지 못한 채 1947년 끝내 저세상으로 가고 말았다. 24살, 한창 나이였다.

우리는 어렵사리 구한 동생 영애와 시가 식구들이 함께 찍은 사진을 할아버지에게 보여줬다. 그로서도 처음 보는 사진이었다. 사진을 들여다보며 그는 한참 동안 아무 말도 못했다.

시집, 친정 식구 몇몇만이 참석한 쓸쓸한 장례식이 치러지고 동생은 부용산 자락에 묻혔다. 여섯 살 터울의, 그토록 사랑하던 동생을 부용산에 묻고 산길을 내려오면서 박기동은 사무치는 슬픔과 그리움을 담아 한 편의 시를 짓는다. 「부용산」이라는 시였다.

취재팀은 현지 사정을 잘 아는 모 신문사 주재기자와 함께 부용산 자락에 있다는 누이의 묘를 찾아봤지만 끝내 찾지 못했다. 시가 사람들과도 연락을 취해봤지만 쉽지 않았다. 자식 없이 요절한 여인의 슬픔이었다.

노래 「부용산」의 탄생

1948년 박기동은 목포의 항도여중(현 목포여고)으로 전근해 간다. 당시 항도여중에는 안성현이라는 음악선생이 근무하고 있었다. 취재 중에 만난 항도여중 출신의 할머니들은 당시 안성현 선생을 학교의 스타 선생님으로 기억하고 있었다. 일본 유학을 다녀온 엘리트에다 큰 키에 준수한 용모, 음악에 대한 열정 등 여학생들이 좋아할 풍모를 두루 갖춘 교사였다는 것이다. 박기동과 안성현도 무척 가깝게 지냈다고 한다. 문학과 음악이 만난 셈이다.

3학년 김정희라는 학생도 있었다. 서울에서 경성사범학교에 다니다 해방이 되자 고향 목포로 내려와 이 학교에 재학하고 있었는데 학업성적도 우수하고 문학적 소질도 뛰어나 선생님들의 귀여움을 독차지했다고 한다. 그런데 평소 폐결핵을 앓고 있던 김정희는 그해 가을 16살의 나이

목포 항도여중 시절의 안성현(왼쪽)과 박기동. 음악과 문학이 서로 만났다.

로 갑자기 세상을 떠나고 만다. 1947년 10월의 일이었다.

안성현은 박기동의 「부용산」을 '제자 김정희의 죽음을 애도하는 마음으로 쓴 시'로 확신하고 곡을 붙여 노래를 만든다.

방송을 마치고 한참 후에 안 일이지만 안성현 선생에게는 역시 1947년 16살의 나이로 세상을 뜬 안순자라는 여동생이 있었다고 한다. 결국 노래 「부용산」은 박영애, 안순자, 김정희라는 젊은 세 죽음을 기리는 박기동, 안성현의 '제망매가(祭亡妹歌)'였던 것이다.

「부용산」은 1948년 4월 목포 평화극장에서 열린 항도여중 학예회 때 처음 발표되었다. 그리고 그해 8월에 발간된 안성현의 두 번째 작곡집에 실렸다.

「부용산」은 항도여중생들에게 의당 친구 정희를 애도하는 노래였다. 이처럼 애절한 사연을 담은 노래는 교정의 담장을 넘어 지역 일대로 빠르게 퍼져나갔다. 그 노래를 부를 줄 안다는 것만으로도 자부심을 느낄 만큼 부용산은 당시 지역 최대의 히트곡이었다.

전쟁의 와중에서 안성현은 일본 유학시절 만난 최승희와 함께 북으로 넘어간다. 북은 예술인의 낙원이라는 최승희의 강권에 못 이겨 예술지상주의자 안성현이 따라나서고 만 것이다.

이것이 안성현의 월북과 관련, 지금까지 세간에 알려진 내용이었다. 그러나 안성현기념사업추진회의 조사에 의하면 '안성현과 함께 월북한 사람은 최승희가 아니라 1950년 9월 15일 목포에서 공연한 최승희의 딸 안성희였다. 안성현은 그녀의 부친(안막)과 최승희를 잠시 만나러 북행을 했으나 사흘 뒤 인천 상륙작전과 서울 수복으로 전선이 교착되면서 오도 가도 못하는 신세가 돼버렸다. 부인 성동월 씨의 말에 의하면 "그 효자가 어머니와 처자를 버리고 절대로 귀순성 월북을 할 리 없다"는 것'이었다.

그 후 북한에서 그가 어떻게 됐는지는 지금까지 알려진 것이 없다.

어쨌거나 안성현의 월
북과 함께 당시 빨치산들
이 「부용산」을 즐겨 불렀
다는 것도 이 노래가 금지
곡으로 낙인찍히는 결정
적인 원인이 됐다. 그러나
「부용산」은 사람들의 입
을 통해 느리지만 지속적
으로 퍼져나갔다.

무용가 최승희.

인터뷰를 위해 소설
『태백산맥』의 저자 조정래를 만났을 때 그도 「부용산」의 첫 소절 가사를
정확하게 기억하고 있었다. 벌교에서 만난 50대 주민 역시 취재팀에게
멋진 노래솜씨를 보여주면서 "부용산은 자기 또래의 지역사람이면 못 부
르는 사람이 없다"고 귀뜸 해 주었다.

수소문 끝에 빨치산 활동을 했다는 사람도 만났다. 서울에서 한약방
을 운영하던 그도 "산에 있을 때 부용산을 즐겨 불렀다"고 했다.

간다는 말 한마디 없이 가버린 부용산의 그 여인들처럼 갑자기 산으
로 숨어들 수밖에 없었던 빨치산들, 한 치 앞도 내다볼 수 없는 급박한
상황에서 자신들의 처지를 대변하는 듯한 노랫말과 곡조는 그들에게 더
없는 위안이 되었을 것이다.

노래 한 곡 때문에

「부용산」은 빨치산의 노래가 아닌 빨치산이 즐겨 부르던 노래였을 뿐
이다. 그러나 안성현의 월북과 빨치산의 애창곡이라는 이유가 부용산의
노랫말을 만든 박기동을 좌경시인으로 몰아갔고 당국의 주목대상이 되
게 했다.

박기동의 결혼사진. 직후에 터진 전쟁과 연이은 해직으로 신혼의 단꿈이 산산조각나버렸다.

박기동의 시에 안성현이 곡을 붙인 또 다른 노래 「진달래」, 이 곡에서도 「부용산」과 마찬가지로 애틋한 서정만 가득할 뿐 그 어떤 이데올로기도 발견할 수 없다.

부용산이 빌미가 돼 결국 항도여중에서 쫓겨난 박기동은 어렵사리 광주동중에서 다시 교편을 잡는다. 그해 5월에는 가정도 이룬다. 모처럼만의 행복한 시간이었다.

그리고 전쟁, 결혼한 지 채 한 달도 안 돼 터진 전쟁은 신혼의 단꿈을 조각냈을 뿐만 아니라 또다시 그에게 사상의 굴레를 씌운다. 피난 가지 않고 그대로 학교에 남아 있었다는 이유에서였다. 당시 전쟁 소식도 몰랐던 말단 교원들은 인민군이 들이닥치자 9·28 수복 때까지 적 치하에서 살아갈 수밖에 없었다. 거기에다 과거 남조선교육자협회 가입, 「부용산」 작사라는 전력이 굴레가 되어 그는 특무대에 끌려가 말할 수 없는 고초를 겪어야 했다.

이런 상황에서 그는 더 이상 교단에 설 수 없었다. 그 시절 그의 가족이 겪어낸 고난은 말로 다 할 수 없었으리라. 얼마 동안의 직장생활 끝에 7년 만에 다시 시작한 목포사범에서의 교직생활도 순탄치 않았다. 한 번

찍힌 낙인이 그림자처럼 그를 따라다니며 괴롭혔던 것이다.

계속되는 감시와 탄압, 질식할 것 같은 상황을 견디지 못하고 그는 도망치듯 상경한다.

1961년부터 시작된 서울생활, 그는 한 출판사에 들어가 번역 일을 시작한다. 소설 『빙점』으로 유명한 '미우라 아야코'의 철학과 사상에 매료됐던 박기동은 그녀의 작품을 독점하다시피 번역했다. 하지만 예술성만 따지며 번역 일을 할 수는 없었다. 여전히 극심한 생활고에 시달리던 그는 한때 여학생들을 위한 로맨스 소설도 번역해야 했다.

시작(詩作)만이 유일한 보람이었다. 그러나 삶에 찌들고, 더구나 가택수색을 당할 때마다 작품을 빼앗기곤 했던 그는 결국 펜을 놓는다. 이런 감시는 민주정부가 들어설 때까지 끈질기게 그를 괴롭혔다.

1982년 사랑하는 아내마저 먼저 보낸 박기동이 막다른 고통의 골목에서 벗어나는 일은 조국을 떠나는 것뿐이었다.

호주 생활

가난한 호주 사람과 특히 중동이나 서남아시아 사람들이 주로 모여 사는 시드니 외곽, 그의 동네는 무덤처럼 적막했다. 한 칸 집이 그가 지상에서 지닐 수 있는 마지막 재산이었다. 격동의 시대는 그를 이역만리 호주로 내몰았을 뿐만 아니라 가난까지 얹어 주었다. 취재 당시 호주 생활 6년 째였던 박기동 할아버지의 삶은 결핍과, 그로 인한 절제의 삶 그 자체였다.

식사시간이었지만 그는 취

고단한 호주 생활, 박기동 할아버지는 모든 일을 스스로 처리해야 했다.

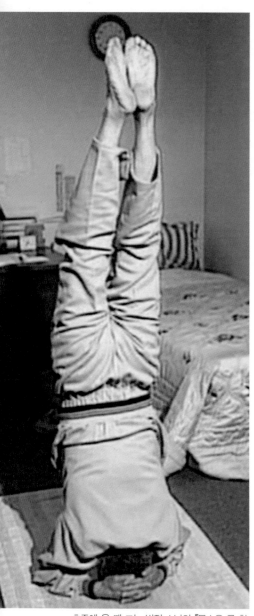

호주에 올 때 그는 법정 스님의 『무소유』를 한 권 사다 달라고 취재팀에게 부탁했었다. 요가와 더불어 욕심 없는 마음도 그의 건강을 지켜주는 파수꾼이었다.

재팀에게 자신은 "생식을 하기 때문에 식사대접을 못하겠다"고 말하며 미안해했다. 사실 대접을 받았더라도 우리는 먹기 힘들었을 것이다. 율무, 보리, 콩 등을 빻아서 만든 분말을 물과 섞어 잘 비비면 그것이 한 끼 식사였다. 밥, 국, 반찬을 매일 먹는 우리들에게는 참으로 허술한 식사로 보였다. 그러나 그는 나이에 비해 무척 건강했다. 생식과 더불어 요가도 그의 건강을 지켜주는 비결 중 하나였다. 취재팀 앞에서 물구나무를 선채로 10분 이상을 버텼다. "한 시간도 할 수 있다"고 그는 웃으면서 말했다.

호주에 올 때 그는 법정 스님의 『무소유』를 한 권 사다 달라고 취재팀에게 부탁했었다. 욕심 없는 마음도 그의 건강을 지켜주는 듯했다.

박기동 할아버지는 틈틈이 일어판 『그리스 신화』를 번역하고 있었다. 출판까지 염두에 둔 꼼꼼한 번역이었다.

그러나 그의 최대 관심사는 역시 시(詩)였다. "죽기 전에 시집과 수필집 한두 권은 반드시 내겠다, 그리고 이번에는 누구에게도 절대 뺏기지 않겠다"는 것이 그의 마지막 소망이자 다짐이었다.

집 안에서의 촬영과 인터뷰를 끝내고 한국에서 가져온 안치환의 부용산 CD를 박 할아버지에게 보여줬다. 한참을 들여다보더니 '가사 중 몇 군데가 자신이 처음 지은 시와 다르다'고 말하며 '그것 역시 구전으로 전해지는 노래의 매력 아니겠느냐'며 웃었다. '50년이 넘게 입에서 입으로 전해지면서 이나마의 형태를 유지할 수 있었다는 것이 오히려 놀랍다'고도 했다.

둘째 날 취재를 마치고 박기동 할아버지가 다음 날 "시드니 교민들과 블루 마운틴을 등반하는데 갈 수 있겠냐"고 물었다. 82세의 할아버지가 20대의 작가와 30대 중반의 카메라 감독, 30대 말의 PD에게 한 질문이었다. 할아버지로서는 마치 바주카포처럼 무거워 보이는 카메라가 내심 걱정이었던 모양이다. '정 힘들 것 같으면 등반대원 중 한 사람이 사진을 찍어다 주겠다'고도 했다.

주인공의 야외활동은 반드시 필요한 장면이었다. 그리고 우리가 신문 기자인가? 사진 몇 장이라니.

당시만 해도 소형 포터블 카메라가 없었기 때문에 어깨에 메는 스텐더드 ENG 카메라를 해외취재 때도 들고 다녀야 했다. 카메라 보조도 데리고 가지 않았고 취재 대상이 모두 한국 사람들이기 때문에 현지 가이드나 통역도 없었다. 취재팀을 도와줄 사람은 아무도 없었다. 죽으나 사나 우리가 해결해야 했다. 트라이 포드도 숙소에 두고 취재장비를 최대한 가볍게 꾸렸다.

다음 날 아침, 스트라스필드 역에 30여 명의 회원들이 모였다. 블루 마운틴을 자주 등반한다고 해서 모임 이름도 아예 '청산회'였다.

기차를 타고 30분쯤 달리자 호주의 그랜드캐니언, 블루마운틴의 웅장한 산세가 모습을 드러냈다. 100만 헥타르 규모의 블루마운틴은 전체가 국립공원이자 세계자연유산으로 등재돼있다. 깎아지른 사암절벽과

우람한 산세가 올망졸망한 한국의 산들과는 전혀 다른 느낌을 주었다.

여든셋이라는 나이에 걸맞지 않게 박기동 할아버지는 잘 걸었다. 수십 년간 계속해온 생식과 요가 덕분인 듯했다.

박 할아버지가 우려했던 일이 벌어졌다. 당시 한국은 늦은 가을이었지만 호주는 초여름이 시작되고 있었다. 게다가 등반로는 무척 가팔랐다. 평소에도 땀 많이 흘리기로 유명한 카메라 감독은 그 무거운 카메라를 짊어지고 일행을 쫓아가는 것도 고역일 텐데 촬영하는 틈틈이 인터뷰까지 해야 했으니 그 고통이 오죽했겠는가?

다시 돌아갈 수도 없고, 나와 카메라 감독은 카메라를 번갈아 들면서 갈 지(之)자 걸음으로 일행을 쫓아갔다. 두 남자의 몸부림을 바라보며 안타까워하던 작가의 표정이 지금도 눈에 선하다. 방송을 마친 직후에 PD-150이라는 소형 카메라가 본격적으로 출시되기 시작했다. 빌어먹을!

'신부의 면사포'라고 이름 붙여진 폭포에서 교민들이 준비해온 간식을 먹으면서 잠시 쉬었더니 고갈된 체력이 어느 정도 회복되는 듯했다.

3년 전부터 시작한 산행은 박기동 할아버지에게 건강과 즐거움뿐만 아니라 귀한 만남까지 선물했다. 목포사범시절 여제자를 산행에서 만난 것이다. 그녀는 이곳 호주에서 이미 노래 「부용산」을 널리 알리는 노래 전도사 역할을 하고 있었다. 휴식시간에 제자 박마리아 씨의 선창으로 회원들이 부용산을 합창했다.

몇몇은 준비한 악보를 보고 불렀지만 대다수는 이미 아는 노래인 듯했다. 부용산, 그 애절한 노래 소리가 블루마운틴 깊고 넓은 계곡으로 멀리 멀리 퍼져 나갔다.

약 한 시간을 더 악전고투한 끝에 이 산의 대표 명소인 '세 자매봉'에 도착했다. 유난히 우애가 깊었던 세 자매를 마왕이 질투하여 해치려하자 주술사가 세 자매를 바위로 만들어 블루마운틴 계곡에 숨겨줬다는 애틋한 전설이 전해온다. 세 자매봉을 바라볼 때마다 박기동 할아버지는 '먼저 떠난 누이가 생각난다'고 했다.

등산은 건강 뿐만 아니라 귀한 만남도 선물했다. 목포사범 시절 여제자를 산에서 만난 것이다.

 이 글을 쓰면서 나는 「부용산」이라는 노래가 있게 한 영애, 정희, 순자가 세 자매 봉의 주인공들이라고 해도 그럴듯하겠다는 생각을 해본다.
 세 자매 봉을 지나 만난 쉼터에서 일행은 점심상을 펼쳤다. 평소 생식만을 고집하던 박할아버지도 교민들이 정성껏 준비해온 맛깔스런 음식 앞엔 어쩔 수 없는 모양이었다. 혼자 사는 외로운 노인을 따뜻하게 배려해주는 고마운 교민들, 그들마저 없었다면 박할아버지의 타향살이, 더 견디기 힘들었을 것이다.
 동포들과의 유쾌한 시간을 뒤로하고 밤늦게 찾아든 혼자만의 가정, 그러나 그는 여느 가정의 큰어른처럼 피곤한 몸을 바로 누일 수가 없다. 스스로 하지 않으면 아무도 도와줄 수 없는 것이 집안일이기 때문이다.
 외로움이 파도처럼 몰려드는 날이면 고국의 손자가 보내준 시를 꺼내 읽고 또 읽는다. 손자만큼은 할아버지처럼 실패한 시인이 아닌, 당당한 시인이 되기를 마음으로 기도하면서….

호주 블루마운틴 '세 자매봉'. 영애, 정희, 순자가 서로 손을 잡고 서 있는 듯하다.

되살아나는 노래 「부용산」

남도지방에서 입에서 입으로만 전해져오던 「부용산」이 1990년대 말부터 본격적으로 되살아나기 시작했다. 때론 억눌리고 때론 숨어서 불러야했던 노래가 소설로, 음반으로 다시 태어나고 있었다.

1999년 6월, 노래의 고향 벌교에서 부용산 음악회가 열렸다. 어려운 고비마다 함께하면서 든든한 뒷심이 되어주었던 노래를 다함께 부를 수 있는 벅찬 시간이었다. 벌교에서 싹튼 씨앗이 열매를 맺은 목포에서도 부용산 음악회가 열렸다. 이제 「부용산」은 「목포의 눈물」과 함께 또 하나의 목포의 노래가 되었다.

때마침 가수 안치환이 나주에서 공연을 한다는 소식을 듣고 찾아갔다. 자신이 불렀던 노래 중 「부용산」에 대해 그는 특별한 애착을 갖고 있었다. "수십 년 전 만들어진 노래지만 시적인 가사, 세련된 멜로디와 함께 비장미가 느껴지는 명곡"이라고 평했다. 안치환의 1997년 앨범에는 「부용산」이 작자미상의 구전가요로 소개돼 있다. 취재팀이 작사, 작곡자, 노래가 만들어진 배경 등을 설명해주자 그도 무척 반가워했다. 몇 군데 가사가 원래의 시와 다르다는 점도 얘기해줬더니 "다음에 취입할 땐 반드시 고쳐서 부르겠다"고 말했다.

「부용산」이 다시 세상에 나오자 박기동 할아버지는 2절을 작사해달라는 부탁을 받았다. 그의 말이다.

> 2절 가사 중 '돌아서지 못한 채 나 외로이 여기에 서 있으니'
> 이 부분은 인생무상, 덧없음, 이렇게 혼자 서있는 내 처지를 설명
> 한 것이다. 2절을 써놓고 책상에 엎드려 한 30분 울었다

1절이 2절을 만나 비로소 완전한 모습을 갖춘 노래가 되는데 꼭 50년의 세월이 필요했던 것이다.

나는 여성 성악가를 섭외해 부용산 노래 2절을 녹화했다.

> 그리움 강이 되어/내 가슴 맴돌아 흐르고
> 재를 넘는 석양은/저만치 홀로 섰네
> 백합일시 그 향기롭던/너의 꿈은 간데없고
> 돌아서지 못한 채/나 외로이 예 서 있으니
> 부용산 저 멀리엔/하늘만 푸르러 푸르러

박기동 할아버지와 함께 시드니 근처 만리라는 이름의 해변을 찾았다. 고향 생각이 간절해지는 날이면 항상 찾아가는 곳이라고 했다. 평생을 죄인처럼 쫓겨 다니던 그가 마지막 안식처로 생각한 곳이 공교롭게도 과거 영국 죄수들의 유배지, 호주였다. 그러나 그들은 이곳 호주를 자유와 정의가 넘치는 땅으로 만들었고 자신은 쇠락해가는 마지막 생을 이곳

에 의탁하고 있지 않은가. 해변으로 향하는 뱃전에서 개척 초기 죄수들의 감옥이 있던 잭슨 섬을 지나칠 때마다 드는 상념이라고 했다.

만리 해변에 도착했다. 마음이 울적할 때마다 그는 "바다 건너 그리운 고국을 생각하면서 용기와 위안을 얻곤 한다"고 말했다. 남태평양 그 푸른 물결을 밑그림 삼아 박기동 할아버지가 1948년에 쓴 시 한 편을 스크롤로 올렸다. 이 시는 목포 항도여중을 졸업한 할머니 한 분이 지금까지 고이 간직하다 취재팀에게 건네준 것이다.

인자로운 어머니의 자장가도
날 이렇게 포근히 잠재우지 못했으리라
산 넘어 바람결 타고 오는 종소리도
날 이렇게 조용히 달래주지 못했으리라
어젯밤 우레와 함께 휘몰아친 바람에
그처럼 몸을 흔들더니
오늘은 밝은 햇살에 온통 가슴을 열고
기쁨에 날뛰는 너그러운 바다여
너는 항상 무상에서 영원을 노래하고
힘찬 약동과 굽힘 없는 힘으로
날 굳세게 이끌어주노라
버티고선 바위 부딪쳐 알알이 구슬 되어
너는 언제나 거만한 권세 흘겨보며
온전한 자유를 몸소 사랑했노라
인자로운 어머니의 자장가도
날 이렇게 포근히 잠재우지 못했으리라

― 박기동, 「바다」

힘이 느껴진다. 그리고 당시 무엇을 두고 그가 고민했는지 고민의 정체도 어렴풋이 보인다.

호주에서의 마지막 취재, 한국의 날 행사였다. 궂은 날씨에도 수천 명의 교민들이 참가해 대성황을 이뤘다. 어딜 가나 그들이 있었다. 해병대 전우들이었다. 그들은 정복을 차려 입고 교민들을 안내했다. 호루라기를 불며 행사의 질서도 잡았다. 역시 해병대!

먹거리 장터도 섰다. 다양하고 맛깔스런 한국음식들이 풍성했다. 박기동 할아버지도 이날만큼은 한국음식으로 생식을 대신했다. 즐거운 외도였다.

이렇게 좋은 날, 또 두고 온 고국 생각이 나는 모양이었다. 그의 말이다.

이런 행사에 올 때마다 한국 생각이 난다. 한겨레 한 핏줄이었던 조국이 분단된 지 50년이 넘었는데도 아직 남북으로 갈려 따로 살아야 하는 현실, 정말 비극이라고 생각한다. 하루빨리 통일이 돼 남과 북의 주민들이 함께 모여 이런 잔치를 벌이면 얼마나 좋겠나?

에필로그

"사랑하는 누이의 죽음을 애도한 시가 노래가 됐고 결국 그 노래 때문에 고단한 삶을 살다가 지금은 먼 이국땅에서 쓸쓸히 말년을 보내고 있는 박기동 할아버지. 이제는 노래 「부용산」이 반세기 그 긴 어둠의 터널을 뚫고 밝은 세상으로 나왔듯 박기동의 인생에도 이제 따뜻한 햇살이 필요할 때이다. 그래서 그가 꿈에도 그리던 고향의 푸른 하늘을 다시 마음껏 호흡하게 해야 하지 않을까" 이것이 프로그램의 에필로그 내레이션이었다.

방송 날짜가 하필이면 12월 12일로 잡혔다. 이 땅 민주화의 싹을 짓밟아 버린 신군부가 1979년 쿠데타를 일으킨, 그리고 이듬해 5월 광주의 비극이 잉태된 날이다.

그로부터 10여 년을 박기동 할아버지를 비롯한 수많은 국민들은 원통하고 쓰라린 가슴을 부여안고 또다시 고통스러운 세월을 보내야만 했다. 노래 「부용산」의 운명이 그랬듯….

박기동의 귀향

2000년 11월 방송

박기동의 귀향 2000년 11월 방송

재회

2000년 여름 무렵 나와 함께 일하던 작가가 호주 박기동 할아버지로부터 '가을에 벌교에서 부용산 시비 제막식이 있어 잠시 귀국한다' 는 내용의 전화가 왔다며 나에게 알려 주었다.

한 해 전인 1999년 다큐멘터리 〈박기동의 다시 찾은 노래 부용산〉을 제작하면서 인연을 맺은 그였기에 항상 안부가 궁금하던 차에 그의 귀국 소식은 나에게도 무척 반가운 것이었다. 나는 즉시 편성제작국장에게 보고하고 "이 기회에 그와 관련된 프로그램을 한 편 더 만들고 싶다"고 말했다. 국장도 흔쾌히 허락했다.

프로그램의 가제를 〈박기동의 귀향〉으로 정했다. '부용산' 2부인 셈이다.

다행히 그즈음에 출시된 휴대용 촬영 장비인 PD-150을 들고 우리는 9월 중순 경 호주 시드니로 날아갔다. 1년 전 그 무거운 ENG 카메라를 메고(물론 내가 멘 건 아니지만) 낑낑거리던 생각을 하면 마음이 한결 가벼운 호주행이었다.

박기동 할아버지는 물론이고 한 해 전 취재 중 만났기 때문에 구면인 교민들이 취재팀을 반갑게 맞아 주었다. 박기동 할아버지는 50여 년 만의 고향방문에 들뜬 표정이었다. 취재팀이 박할아버지의 집에 도착했을 때 그는 이미 떠날 준비를 다 해놓고 있었다. 우리는 짐을 풀어 다시 싸는 모습을 촬영했다.

다음 날 저녁, 시드니의 한 식당에서 교민들이 마련한 조촐한 환송식이 열렸다. 모두들 박할아버지의 고향방문을 자기 일처럼 기뻐했다. 교민 중 어떤 이는 "고향에 눌러 앉지 마시고 꼭 다시 돌아오시라"며 농담을 건네기도 했다. 다음 날 박할아버지를 공항까지 바래다주기 위해 교민 중 한 사람이 새벽 일찍 달려왔다. 공항에 도착하자 어제 환송식에서 만났던 몇몇 교민들의 얼굴이 보였다. 정말 마음이 따뜻한 사람들이었다.

한국으로 돌아오는 비행기 안에서도 몇 장면을 촬영했다. 그중에서 창밖을 바라보는 박할아버지의 프로필 샷을 나중에 타이틀 밑그림으로 사용했다. 비행기 안에서 우리는 박할아버지와 한국에서 어디 어디를 방문할 것인지를 구체적으로 협의했다.

귀국

김포공항 입국장에는 40~50여 명의 환영객이 박할아버지를 기다리고 있었다. 환영 플래카드도 내걸렸다.

도망치듯 호주행 비행기를 탔던 공항에서 이런 환대를 받다니, 박할아버지는 특유의 너털웃음으로 반가움을 대신했다.

그날 저녁 서울의 한 식당에서 박할아버지 환영회 겸 식사 자리가 마련됐다. 분위기가 무르익자 누가 먼저랄 것도 없이 노래 「부용산」을 부르기 시작했다. 모두 부용산 노래 전문 가수들이었다. 하기야 그 노래가 좋아서 전국에서 모인 사람들이었을 테니까 더 말하면 잔소리가 되겠다.

고향사람들이 함께 부르는 고향노래, 박기동 할아버지도 시종 감격해 하는 표정이었다. 모두 돌아가면서 「부용산」 노래를 불렀다. 나는 나중에 이 대목을 편집하면서 '가수'마다 각각 한 소절씩 편집했다. 여러 사람의 목소리로 노래 한 곡이 완성된 셈이다.

다음 날 박할아버지는 호주에서 번역한 일어판 그리스 신화의 원고

뭔가를 쓰는 일은 그가 여전히 시인이며 작가라는 사실을 일깨워 주는 자기확인의 과정이다.

꾸러미를 들고 한 출판사를 방문했다. '그리스 신화'는 이미 수십 종의 번역본이 나와 있는데 또 무슨 번역본? 이렇게 생각할 수도 있지만 삼국지도 황석영 본, 이문열 본이 있듯이 그리스 신화는 누가 어떻게 번역하느냐에 따라 그 느낌이 완전히 달라진다는 점에서 앞으로도 계속 번역 출판될 영원불멸의 작품인 것이다. 이번 일어판 그리스 신화는 특히 내용이 풍부하고 교훈적이어서 그는 원문을 5번 이상 읽고 3개월 만에 번역해냈다고 한다.

한국 방문 전 박할아버지는 '재일한국계 작가인 유미리의 수상집을 번역하면서 틈틈이 자신의 인생이야기를 수필 형식으로 쓰고 있다'고도 했다.

박할아버지에게 번역 일은 그가 예나 지금이나 여전히 시인이며 작가라는 사실을 항상 스스로에게 일깨워주는 확인의 과정이라는 것이다. 더불어 과거 타의에 의해서 중단해버린 시 쓰기도 다시 시작했다.

가수 안치환과 시인 박기동의 만남. 안치환이 노시인을 위해 노래 「부용산」을 연주했다.

사전에 이야기가 있었던지 출판사 사장은 흔쾌히 출판을 약속했다.

가수 안치환의 스튜디오도 방문했다. 그날 처음 만났지만 두 사람은 서로를 너무나 잘 알고 있었다. 노시인과 젊은 가수가 뜨겁게 포옹했다.

1997년 안치환이 「부용산」을 처음 음반에 실었을 때만 해도 작사자와 작곡자는 미상인 상태였다. 뿐만 아니라 가사와 가락도 원곡과 약간 달랐다.

안치환이 세션맨의 연주에 맞춰 부용산을 부르기 시작했다. 이번에는 수정된 가사와 곡조로 2절까지 불렀다.

안치환은 참 노래를 잘하는 가수였다. 그날 노시인 앞에서 부른 노래는 음반을 통해 들은 것과 꼭 같거나 어쩌면 더 잘하는 것 같았다. 음반으로 듣는 노래와 라이브 무대에서의 노래가 달라도 너무 다른 가수들이 얼마나 많은가?

아쉬운 작별 시간, 안치환이 박할아버지에게 지금까지 자신이 발표한

앨범을 한아름 선물했다.

나중에 들은 얘기인데 박할아버지는 그 앨범을 듣기 위해 호주에서 CD 플레이어를 하나 샀다고 한다.

우리는 서울에서 박할아버지와 일단 헤어졌다.

벌교

며칠 후 박할아버지와 취재팀은 벌교에서 다시 만났다.

조국을 떠난 지 8년, 그리고 고향을 떠나온 지 정확히 52년만의 귀향이었다. 조정래의 소설 『태백산맥』에서도 잘 묘사돼있듯 벌교는 해방과 전쟁이라는 역사의 소용돌이 속에서 이 땅의 아픔을 고스란히 간직하고 있는 곳이다. 이 지역이 갖는 특수성 때문에 사람들은 영문도 모른 채 좌와 우로 나뉘어 서로 죽고 죽이는 비극을 경험해야 했다.

노래 「부용산」도 똑같은 운명을 겪었다. 그러나 사랑하던 동생이 묻혀 있는, 그래서 끝내 노래가 돼버린 「부용산」은 그에겐 언제나 그리움의 대상이었다. 하지만 이 산을 주제로 쓴 한 편의 시가 족쇄가 되어 지난 수 십 년간 고단한 삶을 살아야 했던 그에게 부용산은 한편으론 회한의 대상이기도 했다.

박기동 할아버지가 부용산 중턱에 세워진 부용정을 찾았다. 1999년 10월 있었던 부용정 준공식 장면을 박기동 할아버지는 취재팀이 촬영한 영상을 통해 지난해 호주에서 이미 봤다. 화면에서 본 모습과 그 느낌이 다르다며 박 할아버지는 정자를 한참이나 올려 다봤다. 노래 「부용

부용정에 오른 박기동 시인.

산」의 노랫말과 작사, 작곡자의 이름이 새겨진 현판 앞에서도 마찬가지였다. '안성현 선생과 함께 왔으면 더 좋았을 텐데' 하면서 그는 못내 아쉬워했다.

박기동 할아버지가 들꽃을 한 웅큼 꺾어왔다. 그리고 50년 전 부용산에 묻은 동생의 무덤을 찾아 나섰다.

그동안 산의 모습이 많이 변했고 기억도 가물거려 그는 동생의 무덤을 쉬 찾지 못했다. 노래 가사에도 나오지만, 그는 동생의 묘를 쓴 곳이 '부용산 중턱 잔디밭 어디쯤'으로 기억하고 있었지만 부용산 어디에도 그런 장소는 없었다.

"누이동생이 가고 난 뒤 강퍅한 세월에 쫓겨 그동안 단 한 번도 무덤을 찾아보지 못했던 것이 오빠로서 너무도 미안하고 안타깝다"고 그는 말했다.

활짝 피어보지도 못한 채 어느 날 갑자기 시들어버린 누이동생, 오빠는 흐릿한 기억을 어떻게든 되살려 내려고 혼신의 노력을 다했지만 결국 포기하고 말았다. 동생에게 주려고 꺾었던 들꽃도 어느덧 시들어 버렸다.

애가 예쁘기도 했지만 너무 착했다. 그래서 더 마음이 아프다

그의 말이었다.

동생을 찾아 부용산 자락을 헤매고 다니는 나이든 오빠의 모습을 바라보던 우리들 역시 안타까웠다.

박기동 할아버지가 53년 전에 근무했던 벌교상고를 찾았다. 교사 시절 자신이 작사한 교가의 작곡자가 안성현으로 잘못 기록되어 있다는 사실을 알려주기 위해서였다. 곡을 붙인 사람은 순천사범 교사였던 김생옥으로 당시 박기동이 그로부터 직접 곡을 받았다고 얘기하자 학교관계자들 모두 놀란 표정이었다.

이런 착오가 왜 생겼는지 정확한 이유는 지금으로서는 알 길이 없지만 당시 부용산이라는 노래가 널리 알려지면서 박기동하면 안성현으로 쉽게 연결해 버린 것은 아닌지… 어쨌거나 반세기 만에 교가의 진짜 작곡자가 누구인지 밝혀진 것이다.

9월 30일 밤 부용산 아래에서 벌교읍민의 날 전야제가 화려하게 펼쳐졌다.

벌교에서 나고 자란 채동선이 정지용의 「고향」이란 시에 곡을 붙인 가곡 「그리워」도 이날 성악가가 불렀다. 그러나 정지용이 월북하자 원래의 노래 제목인 '고향'은 그 후 '그리워' '망향' 등으로 제목과 노랫말이 바뀌어 불리고 있다. 「그리워」 역시 부용산과 비슷한 운명을 타고난 그런 노래였다고나 할까?

사회자가 박기동 할아버지를 무대에 불러 세웠다. 뜨거운 박수가 터졌다. 역사의 소용돌이 속에서 떠밀리듯 고향을 떠난 노시인을 고향사람들은 잊지 않고 따뜻하게 맞아주었다.

초청가수 이동원이 부용산을 불렀다. 노래가 만들어진 지 반세기 만에 노래의 현장에서 다시 듣는 부용산, 박기동 할아버지도 만감이 교차한 듯 시종 눈을 지그시 감고 노래를 들었다.

부용산 시비 제막식이 있던 날 아침, 그의 숙소로 예상치도 않았던 손님이 찾아왔다. 안성현선생의 부인이 멀리 부산에서 어려운 걸음을 한 것이다.

목포 항도여중 시절 박기동과 안성현의 든든한 후원자였던 고(故) 조희관 교장선생님의 부인과 딸도 자리를 함께했다. 50여 년 전부터 알고 지내던 두 미망인은 만나자마자 얘기 보따리를 풀어 놓았다.

남편을 여의고, 떠나보내고 겪어야 했던 고생담들…

조희관 교장선생님의 처자, 안성현 선생의 부인, 그리고 안선생의 조카까지… 박기동 할아버지에겐 참으로 뜻깊은 만남이 아닐 수 없었다.

안성현 선생의 부인 성동월 씨가 빛바랜 사진들을 몇 장 꺼내 놓았다.

안성현 선생의 결혼사진과 아들의 대학졸업식 사진. 아들은 아버지를 그리워하다 몹쓸 병을 얻어 젊은 나이에 세상을 떴다.

아버지를 꼭 빼닮은 아들의 대학 졸업사진이었다. 딸의 모습도 있었다. 안성현 선생에게 이런 아들과 딸이 있었다는 사실을 박기동 할아버지도 그날 처음 알았다고 한다.

그리고 수줍게 내놓은 결혼사진. 미남 청년 안성현과 아름다운 신부가 사진 속에 있었다.

남편과 헤어질 당시 자신은 아이들을 데리고 피난을 가 있던 상황이고 남편 안성현은 목포에 있었지만 "가족들에게 얼굴 한 번이라도 보여주고 떠났으면 이토록 서운하지는 않았을 것"이라며 노부인은 눈물을 흘렸다.

부용산의 노랫말처럼 간다는 말 한마디 없이 야속하게 떠나버린 남편 때문에 남은 세 식구는 말할 수 없는 고통을 겪으며 살아야 했다. 부인은 삯바느질로 생계를 유지할 수밖에 없었고 더불어 공안 당국의 혹독한 감시에 시달려야 했다. 그리움이 깊어서 병이 되었을까? 10여 년 전 간암으로 세상을 떠난 아들은 생전에 아버지의 그림자라도 찾겠다며 백방으로 뛰어다녔다고 한다. 특히 부친의 작곡집을 찾는다며 헌책방마다 뒤지고 다니던 아들 얘기를 하면서 어머니는 또 눈시울을 붉혔다.

부용산 시비 제막식.

　분단에 이은 이념대립이 만들어낸 생채기가 한 가족을 끝도 없는 고통의 나락으로 밀어 넣고 만 것이다.

　그날 오후 벌교가 훤히 내려다보이는 부용산 자락에서 부용산 시비 제막식이 열렸다. 지역 국회의원을 비롯해 수많은 하객들이 이날 행사에 참석했다.

　박기동 할아버지가 시 「부용산」을 카랑카랑한 목소리로 낭송했다.

　　　부용산 오리길에/잔디만 푸르러 푸르러

　　　솔밭 사이사이로/회오리바람 타고

　　　간다는 말 한마디 없이/너는 가고 말았구나

　　　피어나지 못한 채/병든 장미는 시들어지고

　　　부용산 봉우리에/하늘만 푸르러 푸르러

그리움 강이 되어/내 가슴 맴돌아 흐르고

재를 넘는 석양은/저만치 홀로 섰네

백합일시 그 향기롭던/너의 꿈은 간데없고

돌아서지 못한 채/나 외로이 예 서 있으니

부용산 저 멀리엔/하늘만 푸르러 푸르러

　요절한 여동생을 부용산 자락에 묻고 그 슬픔을 시로 썼고, 시가 노래가 되어 자신을 평생 옥죄더니, 반세기 만에 그 시가 다시 호출되어 돌에 새겨지고, 자신은 지금 그 시를 부용산 자락에서 낭송하고 있는 것이 아닌가!

　그도 감정이 복받치는지 몇 번이고 목이 메어 시 읽기를 중단해야 했다.

　시 낭송이 끝나자 우레와 같은 박수가 터져 나왔다. 노시인이 그동안 겪었을 '간난신고'에 대한 미안함과 격려의 의미는 아니었을까?

　개인적으로 그날 행사와 관련해서 아쉬움이 하나 있다. 물론 시비 제막식이긴 했지만 가수가 아니더라도 누군가가 대표로 「부용산」 노래를 한곡 부른다거나 모인 사람들이 합창이라도 했으면 더 좋았을 것이라는 그런 아쉬움. 시와 노래는 어차피 한 몸이었으니까.

　행사가 끝나자 안성현 선생의 부인 성동월 할머니의 표정이 무척 밝아 보였다. 지난 수십 년 동안 연좌제라는 사슬에 묶여 숨도 제대로 못 쉬고 살아오다가 오늘 행사로 이른바 '완전한 해금'을 세상으로부터 통보받은 것이다.

　박기동 할아버지의 손을 꼭 쥔 성동월 할머니가 "마치

시 「부용산」을 낭송하는 박기동 시인.

신랑을 만난 듯하다"며 웃었고 박할아버지는 "안성현 선생을 만난 듯하다"고 답했다. "남편이 이 자리에 있었으면 얼마나 좋았겠느냐"며 그녀는 또 눈물을 훔쳤다.

생식촌

시비 제막식이 있고난 며칠 후 박기동 할아버지가 먼 길을 나섰다. 여든 넷, 고령에도 그는 지칠 줄 몰랐다. 꿈에도 그리던 고국산천에 돌아오니 화수분처럼 힘이 솟는 모양이었다.

그가 찾은 곳은 경주 인근 산속 깊숙이 자리 잡은 한 생식촌이었다. 박할아버지가 이곳에 몸을 의탁한 것은 지난 1985년, 몸과 마음이 지칠 대로 지친 그에게 4년 남짓의 이곳 생활은 큰 위안이 되었다.

해발 700미터 산 정상 부근에 자리 잡은 마을에는 당시 30가구 40여 명의 주민들이 오순도순 모여 살고 있었다. 박기동 할아버지는 이 마을에서 요가를 가르치는 대신 생식을 배우며 생활했다. 15년 전 이곳 생활을 시작하면서 기념으로 심었던 은행나무는 그새 몰라보게 자랐다. 감자며 옥수수, 배추 등 갖가지 채소를 가꾸던 집 앞 텃밭에는 콩이 한참 여물고 있었다.

모처럼 생식마을을 찾은 귀한 손님을 위해 만찬이 준비됐다. 40가지가 넘는 곡식을 갈아 만든 생식 떡이 밥이라면 각종 채소와 약초는 반찬이었다.

이 마을에서는 모든 음식을 날것으로 먹는다. 불에 댄 음식은 이미 음식으로서의 가치가 없다는 것이 이들의 믿음이었다.

우리도 식탁에 마주 앉았다. 마을 촌장이 계속 '먹을 만하냐'고 물었다. 취재팀을 대표하여 나는 '새로운 맛'이라고만 대답했다. 새로운 맛이긴 했지만 이것으로 저녁을 대신해야 한다고 생각하니 암담했다. 나중에 확인해본 결과 작가나 카메라 감독도 생각이 나와 같았다. TV도 없는 숙소에서 나와 카메라 감독은 바둑을 두면서 그 긴 가을밤을 보냈다. 산 아래 마을이 너무 멀어서 뭘 사러 내려갈 수도 없었다. 그날 컵라면이라도 끓여먹을 수 있었다면 우리는 그 순간만큼은 아마 세상에서 가장 행복한 사람들이었을 것이다.

다음 날 아침, 생식촌의 가을걷이가 시작됐다. 박기동 할아버지도 팔을 걷어붙이고 나섰다. 일하지 않으면 먹지도 말라는 것이 이곳의 생활수칙이었기 때문이다. 꽃씨도 이곳 사람들에겐 요긴한 식량이었다. 여든네 해를 살아오면서 그동안 잔병치레 한 번 하지 않고 건강을 유지할 수 있었던 것도 이곳에서 배운 생식 덕분이라고 박할아버지는 굳게 믿고 있었다. 더불어 이곳 사람들의 욕심 없는 삶도 그에겐 큰 교훈이자 가르침이었고.

광주

목포 방문을 하루 앞둔 그가 광주에 살고 있는 제자 집을 찾았다. 몸이 불편해 거동이 힘든 제자를 위해 그가 직접 가정방문에 나선 것이다. 교통사고 후유증으로 앞이 보이지 않는 제자도 와 있었다. 할머니가 다 된 제자들에게 큰절도 받고.

오늘 같이 좋은 날, 부용산 노래가 빠질 수는 없었다. 여고시절 합창단원으로 이름을 날렸던 시어머니의 애창곡이 자연스럽게 며느리의 애창곡이 된 모양이다. 지난해 그가 노랫말을 붙인 부용산 2절을 막힘없이 부르는 며느리의 열창에 박기동 할아버지가 큰 박수로 화답했다.

또 다른 제자 길연 할머니가 선생님에게 책을 선물했고 며느리는 지난해 방송된 프로그램에서 블루마운틴 등반 장면을 봤는지 박할아버지에게 등산 모자를 선물했다. 박할아버지는 어린애같은 표정을 지으며 고마워했다.

박기동 할아버지가 "광주에 왔으니 국립5·18묘지를 꼭 한 번 들르고

싶다"고 했다. 1980년 당시 서울의 한 출판사에 근무하던 그도 감시의
대상이었고 내내 삶에 쫓기다 이제야 묘역을 찾게 된 것이다. 이곳에 있
는 수많은 희생자들 중 그의 제자나, 제자의 가족들이 있을지도 모르는
일이다. 유영봉안소를 둘러본 박할아버지가 "자신이 겪었던 고통은 여기
계신 분들의 희생에 비하면 아무것도 아니다. 부끄럽고 죄송하다"고 말
했다.

묘역을 떠나기 전 그는 영령들에게 바치는 그의 마음을 방명록에 빼
곡히 적었다.

목포
항상 마음속에 그리던 옛 스승이 방문한다는 소식에 항도여중 출신

국립5·18묘역을 찾은 박기동 시인. 광주 영령들에게 바치는 그의 마음을 방명록에 빼곡히
적었다.

20여 명의 졸업생들이 각지에서 모였다. 학창시절의 발랄함을 아직도 잃지 않고 있는 할머니 제자들의 재롱이 싫지 않은 듯 노스승은 시종 싱글 벙글이었다. 그 긴 세월의 장벽을 단숨에 뛰어넘을 수 있는 것이 스승과 제자관계가 아닌가 싶었다.

유달산에 올랐다. 목포에서 보낸 2년은 그의 인생에서 가장 기억에 남는 시간이었다. 목포는 멋쟁이 안성현 선생이며 누이와 똑같은 병으로 요절하고 만 천재소녀 정희에 대한 추억이 곳곳에 묻어 있는 곳이기도 했다.

유달산 자락에 있는 박화성 기념관에도 들렀다. 우리 문단에 등장한 최초의 여류작가 박화성은 젊은 시절 박기동에게 문학적 자양분을 공급해준 고마운 스승이었다. 극작가 차범석, 화가 양수아도 목포 시절 인생과 예술을 함께 논했던 잊지 못할 사람들이었고.

박기동 할아버지가 항도여중, 지금의 목포여고를 찾았다. 할아버지

목포여고(옛 항도여중) 학생들이 노스승을 위해 노래 「부용산」을 합창했다.

선생님의 즉석인생강의가 펼쳐졌다. 강의가 끝난 후 40여 명으로 구성된 합창단이 노스승에게 노래 「부용산」을 선물했다. 미리 연습한 듯 수준 높은 연주였다.

박기동, 안성현, 김정희 세 사람 모두 이 학교에서 인연을 맺어 노래 「부용산」을 만들었고 반세기가 지난 지금 제자이자 후배들이 그 노래를 부르고 있는 것이다. 소녀들의 맑고 아름다운 노랫소리가 학교 담장을 넘어 멀리 멀리 퍼져나갔다.

목포역에서 기차를 탄 박기동 할아버지에게 항도여중 시절 제자들이 손을 흔드는 장면으로 프로그램을 끝냈다.

작가는 에필로그 내레이션을 이렇게 썼다.

'학창시절, 시와 인생에 대해 얘기해주며 꿈을 키워주던 시인 선생님이 다시 이역만리 타향으로 돌아가려고 합니다. 그러나 이것이 그와의 영원한 이별이라고 그들은 생각하지 않습니다. 다음 귀향길에 선생님은 슬프도록 아름다운 시들을 한아름 안고 다시 돌아올 것을 굳게 믿기 때문입니다'

그 후

박기동 할아버지는 서울 친지 집에 며칠 더 머물다가 10월 말 호주로 돌아갔다. 약 한 달간의 고국 방문 중 그는 그를, 또는 그가 아끼고 사랑하는 많은 사람들을 만났다. 신산한 삶의 끝, 인생의 황혼기에 비친 한줄기 따뜻한 햇살이었다.

전편에는 성우 내레이션을 양지운의 비장한 목소리로 입혔지만 2부에서는 홍승옥의 부드러운 음성으로 바꿨고, '습니다'로 문장을 끝내 차별성을 유지했다. 1부가 주로 가슴 아픈 이야기였다면 2부는 밝고 따뜻한 분위기로 끌고 가고 싶었기 때문이다.

2002년 4월 목포여고(옛 항도여중) 교정에 부용산 노래비가 세워졌고 같은 해 5월 『부용산』이라는 제목으로 박기동 선생의 산문집이 발간되었다. 그때 목포에서 출판기념회가 있었는데 박기동 선생도 잠시 귀국해서 그 자리에 참석했다. 나에게도 소포로 책이 왔고 박할아버지의 안부전화도 받았다. 업무가 겹쳐 출판기념회에 참석하지 못해서 죄송스러웠다.

그런데 2003년, 박기동 할아버지의 제자 박마리아 씨가 호주에서 전화를 해왔다. 박할아버지가 갑자기 쓰러져 치료를 받고 있는데 "한국으로 돌아가고 싶다"고 했다는 것이다. 문제는 환자를 비행기로 이송하는 것을 항공사에서 꺼리고 설령 가능하더라도 좌석을 6개 정도 점유해야 하기 때문에 여러 가지로 힘들다는 내용이었다. 교포들이 지역 방송사별로 힘없다는 걸 모르는 모양이었다.

고민 끝에 후배 피디의 조언으로 아시아나 항공 사장에게 장문의 편지와 함께 부용산 1부 테이프를 소포로 부쳤다. 며칠 후 사장이 직접 나에게 전화를 해서 적극 돕겠다고 했다. 참으로 고마운 일이었다. 박기동 선생과 간호요원은 좌석 6개 중 4개를 무료로 제공받아 입국했다.

옛 항도여중 제자들과 함께 목포 대반동
해수욕장을 찾았다.

서울 친지 집에 머물며 치료를 받던 박할아버지는 2004년 87세를 일기로 타계했다. 부고를 받고 나도 장례에 참석했다. 그분이 시집을 냈다는 소식을 끝내 듣지 못해서 그 점이 몹시 아쉽다.

소리를 얻다 득음(得音)

2007년 10월 방송

소리를 얻다 득음(得音) 2007년 10월 방송

임방울 국악제

매년 가을 '임방울 국악제'가 광주에서 열린다. 광주 출신의 국창 임방울의 예술 혼을 기리고 전국의 소리꾼이나 전통 예술인들에게 발표의 장을 마련해 주기 위해 지난 수십 년간 계속되어온 국악경연축제이다.

오래전부터 kbc는 SBS와 공동으로 임방울 국악제를 전국에 생방송해오고 있다. 연출은 SBS에서 맡고 광주방송에서는 중계차와 제작 스텝을 지원하는 형식이다.

10여 년 전 광주문화예술회관에서 있었던 임방울 국악제 본선 생방송 현장에 나도 제작 지원차 가 있었다. 소리꾼 박애리가 개막 축하곡을 불

보성 득음정. 풍광이 아름답다.

렀다. 춘향이가 옥중에서 이몽룡을 그리며 부르는 「쑥대머리」의 한 대목이었다. "쑥대머리 귀신형용 적막옥방에 찬 자리여 생각나는 것은 임뿐이라 보고 지고 보고 지고…" 임방울의 쑥대머리는 워낙 유명해서 잘 알지만 그날 박애리가 부른 쑥대머리는 원곡과 비슷하면서도 어딘지 좀 달랐다. SBS 작가에게 저 곡을 누가 작곡했는지 물었다. 그것도 모르냐는 표정으로 '오지총'이라고 답했다.

생방송이 끝나고도 그 가락이 계속 귓전에 맴돌았다. 인터넷에서 박애리의 쑥대머리를 검색어로 찾아봤다. 여러 개의 동영상이 떠 있었다.

나는 박애리가 목포 출신이며 남편이 팝핀 현준, 오지총은 현직 한의사라는 것을 처음 알았다. 다음 날 오지총의 CD 앨범을 구해 출퇴근 때마다 차에서 들었다. 혹시 그 노래를 아직 들어보지 못한 독자가 있다면 꼭 들어보기 바란다. 판소리, 정확하게 말하면 퓨전 판소리의 새로운 맛에 푹 빠질 것이다. 장담한다.

초심자가 세미클래식으로 귀를 훈련한 다음 정통 클래식에 입문하듯 퓨전 판소리로 정통 판소리의 세계로 유인하는 데 일조한 오지총의 노고에 경의를 표한다. 지금도 '화접몽'이라는 밴드를 통해 그의 다양한 음악적 실험이 계속되고 있다는 얘기를 들었다. 한의사인지 가수인지 원!

사실 나는 판소리를 별로 좋아하지 않았다. 김지하의 담시를 임진택이 판소리로 꾸민 「오적」, 「소리내력」, 「똥바다」는 시 내용이 너무 통쾌하고 해학적이어서 한때 열심히 들었지만 부끄럽게도 판소리 다섯 바탕 중 어느 것도 처음부터 끝까지 들어본 적은 한 번도 없었다.

그러나 한국 사람이면 누구나 그렇듯 우리의 소리인 판소리를 보호, 전승해야 한다는 상식선의 인식은 항상 갖고 있었다.

그즈음 신문에 보성의 '득음정'을 소개한 기사를 봤다. 내용은 별게 아니었다. 사진 밑에 캡션으로 '폭포와 어울린 가을 득음정이 운치 있다'는 내용이 전부였다. 득음, 폭포, 참 멋지다는 생각을 했다. 프로그램으로 한 번 제작해보고 싶었다.

오정숙 명창   송순섭 명창

   그동안 판소리에 관한 프로그램은 여러 방송사에서 수차례 제작, 방
송해왔다. 그러나 작년에 방송한 홍어요리를 올해 또 소개하지 말라는
법 없듯이 판소리 관련 프로그램도 다른 색깔의 옷을 입힌다면 다시 한
번 만들어 보는 것도 나쁘지 않다고 생각했다. 주제를 '득음' 으로 차별
화해서 제작한다면 나름대로 의미 있는 프로그램이 될 것도 같았다.
   제목을 〈소리를 얻다 득음〉으로 정했다. 작가와 함께 자료조사를 시
작했다.

   득음, 그 모질고도 아름다운 세계

   한국 사람들, 다른 건 몰라도 음주가무 분야에서만큼은 둘째가라면
서러워할 민족이다. TV에서도 노래하며 춤추는 프로그램이 차고 넘친
다. 복면을 쓰고, 때로는 커튼 뒤에 숨어서 누가 누가 잘하나 노래로 시
합하는 프로그램은 특히 인기절정이다. 어찌 보면 지나치게 많은 가요
프로그램들이 전파를 독점하고 있는 것이 아닌가하는 걱정이 들 정도이
다. 그중 한 프로라도 국악프로그램에 양보하면 얼마나 좋을까?
   어쨌거나 한국 사람들 노래 참 잘한다. 잘하기도 하지만 자주한다. 거
리에 즐비한 노래방을 보라. 모두가 가수다.
   제도권 가수 중에도 노래 잘하는 사람들이 부지기수지만 특히 이미
자, 조용필은 국민가수라는 칭호에 전혀 손색이 없는 목청을 타고났다.

왕기철 명창   황연수 명창

그러나 우리는 그들이 '득음' 했다거나 '명창'이라고 부르지는 않는다. 내가 좋아하는 퀸의 프레드 머큐리나 루치아노 파바로티에게도 득음했다고 말하지 않는다.

반면에 일정한 경지에 오른 소리꾼을 사람들은 명창이라 부르고 그들이 득음, 즉 소리를 얻었다고 말한다.

모든 소리꾼들이 하나같이 접해보고 싶은 '그 모질고도 아름다운' 득음의 경지, 그렇다면 명창들이 생각하는 득음이란 과연 무엇일까?

오정숙 명창 : 아이고 득음, 정말 어렵다. 뭐랄까 소리를 가지고 능수능란하게 놀 수 있는 단계… 그러나 그런 단계가 어떤 것인지 손에 잡힐 듯 말 듯하다.

송순섭 명창 : 어디까지가 득음이라고 할지 확신이 안 선다. 사람들이 나를 명창이라 부르는데 나도 득음을 했는지 못했는지 잘 모르겠다.

왕기철 명창 : 듣기 싫지 않게 소리를 가지고 가는 것, 소리 속에서 사설의 이면을 잘 그려내는 것, 이게 득음의 첫 단계가 아닌가 싶다.

이재영 보성국악원장 : 어느 때 소리를 내도 변하지 않고 꾸준히 상, 중, 하성을 편하게 낼 수 있는 상태가 득음의 경지 아닐까?

득음을 두고 각인각색의 의견을 내놓았다. 신을 정의하는 것만큼은 아니지만 '득음은 이것이다' 라고 똑 부러지게 말하는 것이 그처럼 쉽지 않다는 얘기다.

프로그램의 첫머리를 나는 중학교 교사이자 아마추어 소리꾼인 백금렬 씨의 산 공부장면부터 시작했다. 지리산 구룡폭포 옆에 거처를 정해놓고 그는 10일째 독공을 하고 있었다. 새벽 5시에 일어나 폭포를 앞에 두고 소리를 얻으려는 그의 모습이 비장해 보였다.

전남대 국악과 연습실에서도 '득음' 두 글자를 큼지막하게 걸어 놓고 교수와 학생들의 소리공부가 한창이었다. 구전심수(口傳心授), 입으로 전하고 마음으로 받는 전통적인 학습법을 통해 소리 얻기에 나선 것이다.

같은 건물에 있는 음악학과 연습실에서도 수업이 한창 진행되고 있었다. 벽 하나 사이를 두고 나는 소리였지만 두 소리의 빛깔은 완전히 달랐다.

두 소리를 비교한다면, 판소리가 주로 목에 의지해 소리를 내는 반면 서양성악은 두강, 구강, 비강 등의 공명을 통해 소리를 만들어 낸다는 것

전남대학교 국악과 학생들이 소리선생과 함께 '소리얻기'에 나섰다.

이 가장 큰 차이점이라고 할 수 있다. 물론 양측 모두 몸 전체가 공명판이라고 말하지만 발성의 주요 부위가 그렇다는 것이다.

서양 성악가들은 대부분 '벨칸토' 창법으로 노래한다. 벨칸토란 이태리어로 '아름다운 소리로 노래한다' 는 뜻이다. 밝고 맑게 공명된 소리를 머리 위로 띄워 자연스럽게 발성하는 것이 벨칸토 창법의 요체이다.

서양 오페라에서 흔히 볼 수 있듯 성악가들은 한 사람이 한 목소리만 낸다. 남성은 테너와 베이스, 바리톤으로, 여성은 소프라노, 메조소프라노, 알토로 각각 나누어 연주한다. 물론 변성기 이전에 거세를 한 남자소프라노 '카스트라토' 라는 음역도 있다. 우리나라의 '카운터 테너' 임형주를 예로 들 수 있겠다.

영화 〈파리넬리〉를 보면 17~18세기 카스트라토 가수는 소프라노와 필적할만한 고음과 화려함, 힘을 갖추고 있어 음악회장을 찾은 귀부인들이 졸도할 만큼 폭발적인 인기를 누렸다고 한다.

흔히 중국의 경극과 일본의 가부키, 그리고 한국의 창극을 동북아 세 나라를 대표하는 연희예술로 꼽는다. 1902년 김창환이 협률사를 창단해

영화 〈파리넬리〉의 한 장면.

동리 신재효의 초상.

창극이 처음 등장하면서 소리꾼들의 역할분담이 이루어지지만 역시 기본은 배우들의 잘 다듬어진, 그리고 폭넓은 소리다.

과거 많은 창극단이 명멸했지만 제대로 소리성음을 얻지 못한 배우들이 많아 문제가 됐었다. 창극 배우라면 판소리 두세 바탕은 완창할 수 있는 내공을 지니고 있어야 하는데 토막소리에 의지해 무대에 서니 창극의 경쟁력이 떨어질 수밖에 없었다는 것이다.

판소리를 흔히 1인 오페라라고 한다.

창(창자가 노래하는 것)과 아니리(창자가 말로 설명하는 것), 발림(너름새라고도 한다. 창자가 몸짓으로 상황을 연출하는 것)을 적절히 활용해서 긴 이야기를 소리꾼 혼자 끌고 가야 한다. 따라서 판소리 창자는 이야기 속에 등장하는 모든 인물과 동물, 심지어 자연의 소리까지 적절히 담아낼 수 있어야 하는 것이다.

소리를 잘하는 사람을 흔히 명창이라고 부른다. 득음을 했거나 그 언저리에 있는 소리꾼이다.

신재효는 그의 책 『광대가』에서 소리꾼의 기본 자질로 인물치레, 사설치레, 득음 그리고 너름새를 꼽았다. 소리만 좋아서는 명창이 될 수 없다는 얘기다.

먼저 인물 치레에 대해 신재효는 "인물은 천생이라 변통할 수 없거니와"라고 간단히 언급했다. 사실 그 말이 맞다. 성형외과도 없던 그 시절에 변통이 되겠는가? 그러나 신재효의 인물치레를 단지 '외모가 아름답다, 잘생겼다'는 좁은 의미로 해석해서는 곤란하다. 판소리는 창자의 내면세계가 자연스럽게 배어나오는 음악장르이기 때문에 소리꾼의 인물됨됨이가 그만큼 중요하다는 얘기다. 한 시대를 대표했던 명창들은 하나같이 그런 삶을 살기 위해 노력했다.

창과 아니리, 다시 말하면 소리꾼의 모든 판소리 가사를 사설이라고한다. 신재효는 사설치레에 대해 "정금미옥 좋은 말로 분명하고 완연하게 보름날 밝은 달이 구름 밖에 나오듯" 사설을 해야 한다고 썼다. 신재효 선생이 멋지게 말했지만 문외한인 내게는 뜬구름 잡는 소리로 들린다. 소리를 배우는 사람이 선생의 입만 보고 사설을 외울 것이 아니라 그 사설이 내포하고 있는 깊은 의미를 알고 창을 해야 깊은 예술적 경지에 이를 수 있다는 의미로 나는 이해한다.

너름새에 대해 신재효는 "구성지고 맵시가 있어야 하며 신선이 됐다 귀신이 됐다 해야 한다"고 말했다. 그래야 구경꾼들에게 감흥을 불러일으킬 수 있다는 것이다. 발림이라고도 하는 너름새는 소리의 시각적 효과를 더해줌으로써 판소리를 더욱 판소리답게 만드는 역할을 해준다.

그러나 무엇보다 득음, 곧 소리를 얻는 것이야말로 소리꾼이 갖춰야 할 가장 중요한 요소임은 더 말할 필요가 없다. 따라서 득음의 경지를 명창들이 갖춰야 할 여러 가지 덕목의 총합으로 넓게 해석할 수 있지만 좁게는 소리를 얼마나 잘 내느냐로 볼 수도 있는 것이다.

신재효는 "오음을 분별하고 육률을 변화시켜 오장에서 나오는 소리를 농락하는 것을 득음"이라고 설명했으며 "이 또한 어렵다"고 말했다. 정말 어렵다.

좋은 소리는 곰삭은 소리

판소리는 성음놀음이다. 곧 소리를 즐긴다는 뜻이다. 그런데 그 소리는 보통 소리가 아니다. 쉰, 그래서 탁한 목소리다. 기본적으로 판소리는 막걸리처럼 탁한 소리에 가치를 부여한다는 점에서 서양의 성악과 확연히 다른 미의식을 갖는다.

따라서 판소리를 시작하려는 사람은 우선 맑은 목소리를 거칠고 탁하게 만드는 일부터 시작하지 않으면 안 된다. 목에 상처를 내 성대에 굳은 살이 박이게 하는 것이다. 다시 말하면 목을 학대하는 것이다.

그러나 소리가 너무 거칠기만 하면 떡목이라 하고 너무 맑으면 양성이라 하여 좋지 않은 소리로 친다. '탁하면서도 맑은 맛이, 거칠면서도 부드러운' 데가 있어야 좋은 소리꾼의 목이라 할 수 있다.

수리성과 천구성이 이런 조건을 두루 갖춘 가치 있는 소리로 평가되고 있다. 송만갑과 임방울로 대표되는 수리성과 천구성, 수리성이 좀 더 탁하고 거친 느낌이 드는 소리라면 천구성은 이보다 맑고 깨끗한 느낌을 준다. 미묘하지만 중요한 차이다. 이처럼 우리 판소리에서 요구하는 소리는 한마디로 '잘 발효된 곰삭은 소리'라고 표현할 수 있다.

전북 익산에 살고 있던 오정숙 명창을 만났다. 좋은 소리란 무엇인가라는 취재진의 질문에, "갖은 양념 팍팍 뿌려서 팔팔 끓여서 먹으면 그 맛이 깊고 좋다. 그런 맛이 나는 소리가 좋은 소리다"라고 했다.

왕기철 명창은 "정말 숙성이 잘된 된장처럼 수리성도 있고 천구성도 있고, 계면조에서는 슬프디 슬프게, 우조에서는 씩씩하고 우람차게 그려내는, 이런 조화를 이룬 소리가 바로 곰삭은 소리다"라고 설명했다.

아담한 체구에 동글동글한 얼굴, 시종 웃는 낯으로 우리를 맞아주던 오정숙 명창이 방송 다음 해 우리 곁을 떠나서 아쉽고 서운했다.

이처럼 곰삭은 소리를 내는 소리꾼들의 목은 과연 어떻게 생겼는지 알아보기 위해 전북대학교병원 이비인후 홍기환 교수를 만났다.

먼저 소리꾼과 서양 성악가의 성대구조를 비교해봤다. 비슷해 보이지만 자세히 들여다보면 두 성대 사이엔 큰 차이가 있다.

성악가 즉, 서양음악가와 일반인의 성대 사진을 비교해 보았다. 양쪽 모두 성대의 막에 흠이 없는, 깨끗한 모양을 지니고 있었다. 초고속 디지

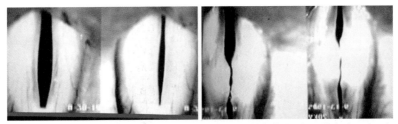

서양 성악가, 일반인의 성대(왼쪽)와 소리꾼들의 성대(오른쪽). 모양이 서로 다르다.

털 카메라로 촬영한 서양음악가의 성대 영상 자료도 봤다. 완벽한 좌우 대칭과 깨끗한 형태를 유지하고 있었다.

반면에 판소리 명창의 성대는 양쪽 성대 근육이 비대칭일 뿐만 아니라 이곳저곳에 굳은살이 박혀 있고 성대 사이도 심하게 벌어져 있었다. 따라서 성대의 양쪽 부위가 서로 완벽하게 닫히지 않아 그 사이로 소리가 새어나올 수밖에 없다. 이렇게 새어나오는 소리를 쉰 소리, 즉 탁음이라고 한다.

이처럼 성대를 인위적으로 변화시켜 쉰 소리와 탁한 소리를 얻기 위해 소리꾼들은 평생을 두고 피나는 훈련을 한다. 그런데 변화된 성대라 하더라도 그대로 두면 다시 원상태로 돌아가버린다. 따라서 끊임없이 성대에 무리를 줘서 결국은 '병적인 상태가 자연스러운 상태가 되게' 해야 하는 것이다.

국내 명창들의 다양한 성대의 모습을 사진으로 봤다. 서로 다른 성대의 모양만큼이나 국내 명창들의 성음도 각양각색이었다. 같은 이야기를 전혀 다른 목소리로 청중들에게 전달할 수 있는 것도 바로 이런 이유 때문이다.

그러나 수련을 많이 한다고 해서 반드시 좋은 목소리를 얻는 것은 아니다. 때로는 성대를 너무 혹사해서 더 이상 소리를 내지 못하는 경우도 있다. 이것을 '성대가 부러졌다. 혹은 목이 부러졌다'고 한다. 바로 성대 결절이다.

목이 부러지면 소리를 포기하고 고수로 만족할 수밖에 없다. 근대 5

명창 중 한 사람인 정정렬의 경우도 그랬다. 그는 한때 '목이 부러져' 소리가 나지 않자 몇 번이고 자살을 결심했다고 한다. 그러나 각고의 노력 끝에 다시 소리를 얻어 마침내 국창의 반열에 오를 수 있었다.

조통달 명창도 한때 '목이 부러져' 더 이상 소리를 낼 수 없어 상심한 나머지 나무에 올라가 손을 놔버린 적도 여러 번 있었다고 토로했다. 득음, 참 멀고도 고통스러운 길인 듯하다.

지금이야 좋은 약도 많지만 과거 어려웠던 시절 소리꾼들 중에는 목에 문제가 생기면 똥물을 마셨다는 전설 같은 이야기가 전해온다. 보성 득음정에서 소리공부를 하던 이재영 보성국악원장도 그중 한 사람이었다. 정 원장의 말이다.

> 산속에서 공부할 때 하루 종일 소리를 지르고 악을 쓰면 뼈 마디마디가 쑤신다. 몸이 아팠을 때 똥물을 한 사발 쭉 들이켜고 한숨 푹 자고 일어나면 몸이 아주 가뿐해진다

박동진 명창도 산 공부 중에 자신에게 있었던 경험을 그의 책 『우리 소리가 좋은 것이여』에 썼다. 소리공부 할 때 부친이 가져다준 똥물을 마시고 건강을 회복했다는 것이다.

똥물이 직접 목의 상처를 치료해주기보다는 소리공부로 허해진 몸을 보호해주는 기능이 더 강했던 것으로 보인다. 『동의보감』 인중현 편에는 똥물을 만드는 방법이 자세히 기록돼있다.

과거에 똥물을 만들어 본 경험이 있다는 최갑진 씨를 담양군 수북면 그의 집에서 만났다. 그는 뒤뜰 대나무 밭에서 직경 10㎝ 크기의 대나무를 잘라오더니 두 마디 크기만큼 잘라 끝을 사선으로 날카롭게 쳐냈다. 그런 다음 대나무 껍질을 모두 벗겨냈다. 똥물이 대나무 속으로 잘 스며들게 하기 위해서이다. 준비된 대나무 통에 감초를 넣고 밀봉한 다음 끈을 매달아 인분 속에 집어넣었다. 서너 달 후에 대통을 건져내 약 1~2주

동안 물에 담가 냄새를 제거한 후에 내용물을 복용하면 된다고 했다. 똥물과 감초가 전신에 작용해서 어혈과 염증을 제거해 준다는 것이다.

한편 정권진 명창은 목구성을 높이기 위해 쑥뜸 요법을 애용했다고한다. 정권진 명창의 아들 정회천 전북대 교수가 소장하고 있던 릴 테이프에 부친의 관련 육성이 생생하게 담겨 있었다. 정권진 명창의 말이다.

> 통성을 오래 내면 힘이 들어 얼굴도 붓고, 배도 불러온다. 힘찬
> 소리를 내기 위해서는 단전에 힘을 얻어야 한다. 그래서 아침에 단
> 전, 즉 배꼽 밑에다 쑥불을 뜬다. 아주 뜨겁다. 아랫배에 힘을 주고
> 꾹 참아야 한다.

이처럼 과거 소리꾼들은 마땅한 치료약이 없어 인분에 의지하거나 자기 몸을 태우면서까지 득음이라는 고난의 길을 걸었던 것이다.

천신만고 끝에 얻은 곰삭은 소리엔 슬픔이 깃들어 있다. 그러나 그것은 너그러움이 깃든 슬픔이다. 이러한 슬픔과 한이 밴 소리를 판소리에서는 애원성이라 하여 최상의 가치를 부여한다.

애원성이 판소리의 주요성음으로 자리 잡게 된 것은 국운이 기울기시작한 19세기 말~20세기 초 무렵부터였다. 고달프고 서글픈 삶이 계속되던 시대상황 속에서 심금을 울리는 슬픈 소리가 오히려 청중들에게는위안이 되었을 것이다. 슬픈 영화를 보면서 눈물 한 번 흘리고 나면 카타르시스를 맛보듯.

더불어 주로 남도 잡가나 육자배기로 소리를 시작한 많은 여류명창들이 대거 유입되면서 판소리계의 주류가 계면조로 바뀌는 경향을 보이기시작한 것도 애원성이 득세하는 또 다른 이유였다.

일제시대 공전의 히트를 기록한 국창 임방울의 「쑥대머리」는 바로 이애원성의 한 극치를 보여준다. 중요무형문화재 5호이자 임방울의 제자인 정철호의 말이다.

임방울 명창이 창을 마치고 무대에서 퇴장하면 다른 소리꾼이 나와야 하는데 청중들이 못 나오게 한다. '임방울 나오라' 며 소리를 지르니까 할 수 없이 선생님이 또 나와 소리를 할 수밖에 없다. 그래서 보통 4창, 5창, 어떤 경우는 7창까지 할 때도 있었다.

그 무렵 임방울의 「쑥대머리」 음반은 국내는 물론 일본, 만주에서도 큰 인기였다. 100만 장 이상 판매될 정도였으니 말 그대로 당시의 최대 히트상품이었던 셈이다. 전남대 국악과 전인삼 교수의 말이다.

일설에 의하면 임방울 선생은 젊어서 아주 떡목이었다고 한다. 높은 소리가 잘 안 나왔는데 부단한 노력으로 수리성을 얻은 것이다. 우리가 음반으로 확인할 수 있는 20세기 명창들 중 가장 대표적이고 전형적인 판소리 성음을 임방울 선생이 갖고 있었다. 그런 소리가 판소리에서 가장 좋은 소리, 즉 수리성이다.

1990년대 초 공전의 히트를 기록한 영화 〈서편제〉에는 의붓아버지가 소리공부에만 전념하도록 딸의 눈을 멀게 하는 장면이 나온다.

국창 임방울.

소리인생을 소리공부 10년, 독공 10년, 유랑 10년이라고 한다. 불고가사 불고처자(不顧家事 不顧妻子), 집안일, 처자식에 매이면 명창이 될 수 없다는 말도 있다. 모든 것을 버리고 목숨을 건 혹독한 훈련을 하지 않으면 발을 들여놓을 수 없는 것이 바로 득음의 세계인 것이다.

판소리 문화학교를 취재했다.

학생들은 대부분 선생님과 1대1로 공부를 시작한다. 선생의 선도창을 제자가 한마디씩 따라 부르는 식이다. 이른바 구전심수 학습법이다. 따라서 좋은 선생을 만날 수 있느냐 없느냐가 소리공부의 성패를 좌우한다.

동초 김연수를 사사했던 오정숙 명창은 젊은 시절 엄한 스승 밑에서 소리 공부할 때의 어려움을 회상하면서 '당시에 녹음기라도 있었으면 얼마나 좋았을까' 하면서 쓴웃음을 지었다.

박봉술 명창으로부터 판소리를 배웠던 송순섭 명창 역시 여관방에서 사제가 함께 이불을 뒤집어쓰고 소리공부를 했던 과거를 얘기하면서 눈시울을 붉혔다.

독공

온갖 고생을 감내하면서 십여 년 동안 소리 선생으로부터 판소리의 전승형을 습득한 후 소리꾼들은 독공을 시작한다. 말 그대로 혼자 하는 공부, 독공의 전형적인 예가 백일공부다. 불자들이 절에서 백일기도하듯, 번잡한 속세를 떠나 일정 기간 동안 스스로를 유폐시킨 채 무언가를 완성해보겠다는 소리꾼들의 결의와 소망이 백일공부 안에 오롯이 담겨 있는 것이다.

권삼득이 소리공부를 했다는 전북 완주군 용지면에 있는 소리굴을 찾아 나섰다. 8월 짙은 녹음이 우거져 있어서 굴을 찾는데 무척 애를 먹었다. 수풀을 헤치고 찾아낸 소리굴은 깊이 4~5m, 넓이 2~3m 크기의 아담한 석굴이었다. 이곳에서 권삼득은 소리를 얻어 당대의 손꼽히는 명창이 됐다고 한다.

소리 굴 앞에 있는 권삼득의 묘, 생전의 처지에 비추어 보면 그의 묘는 화려해 보이기까지 했다.

권삼득을 흔히 양반 출신의 광대라 하여 '비가비'라고 부른다. '천한' 판소리에 빠졌다는 이유로 안동 권씨 가문으로부터 파문을 당하면서까지 그는 일생을 판소리에 바쳤다. 사람과 새와 짐승을 웃기고 울리는 세 가지 재주를 가졌다고 해서 삼득(三得)이라는 예명도 얻었다. 군산대 최동현 교수의 말이다.

예전에는 양반 가문에서 소리를 한다면 부끄러워할 정도가 아니라 가문이 망하는 것으로 생각하고 있었기 때문에 당대에는 묘단장도 제대로 못했다. 세상이 바뀌어서 명창이 명창 대접을 받으니까 이렇게 묘지가 훌륭하게 꾸며졌다.

지금도 비 내리는 밤이면 소리 굴에서 카랑카랑한 그의 소리가 들려온다고 한다. 소문이 그렇다는 얘기다.

소리꾼들은 백일 공부를 위해 주로 산이나 절간을 찾는다. 특히 지리산이 예부터 100일 공부하기에 가장 좋은 장소로 꼽혔는데 판소리의 고장이 인접해있고 환경도 좋기 때문이다. 그러나 명창 강도근은 또 다른 이유 때문에 지리산에 들어갔다고 한다. 지리산 계곡에 지천으로 널려있는 마을 양껏 캐먹을 수 있었기 때문이다. 당시 소리꾼들의 생활이 그

전북 완주군 용지면에 있는 권삼득의 소리굴. 지금도 비오는 밤이면 이곳에서 카랑카랑한 그의 소리가 들린다고 한다.

만큼 어려웠던 모양이다.

당시 명창들의 소리에서 짙은 그늘과 깊이를 느낄 수 있는 것은 그들의 소리가 바로 이런 고통 속에서 얻어진 것이기 때문은 아닐까?

요즘은 100일 공부 대신 이보다 짧은 일정의 산 공부를 주로 한다. 지리산 칠선 계곡에서 산 공부를 하고 있던 학생들을 취재했다.

모두 미래의 명창을 꿈꾸며 소리공부에 여념이 없었다. 그중 한 여학생은 소나무에 동여맨 광목을 자신의 배에 두르고 마치 나무를 뽑아낼 듯이 몸을 앞으로 끌면서 발성 연습을 했다. 복근의 힘을 기르기 위한 훈련법이라고 했다. 차디찬 계곡 물속에 들어가 소리 연습을 하는 학생, 바위에 누워 북채를 두드리면서 목을 틔우는 학생, 공부하는 방법도 각양각색이었다. 판소리의 맥을 잇기 위해 분투하는 젊은이들의 모습이 대견하고 믿음직스러웠다.

폭포는 소리꾼들이 가장 좋아하는 공부장소 중 하나다. 아마추어 소리꾼 백금렬의 말이다.

옛날 선배 명창들 말씀을 들어보면 소리가 폭포수를 뚫고 나갔다고 한다. 나도 여기서 폭포 소리를 이겨내고 이 계곡 전체를 한번 뒤흔들어 봐야겠다는 그런 욕심으로 하고 있다.

폭포수의 포말이 풍부한 습기를 제공해 줘 소리꾼들의 피곤한 목을 보호해준다는 점도 폭포의 또 다른 미덕이다. 폭포와 맞서는 이런 훈련을 통해 소리꾼들의 음역은 자연스럽게 넓고 깊어진다.

그럼 여기에서 판소리 창자와 서양 성악가의 공명 주파수 간 차이를 살펴보자. 서양음악가의 경우 말할 때와 노래할 때의 주파수 강도가 확연히 구분된다. '말소리 따로, 노랫소리 따로' 라는 얘기다.

반면에 판소리 창자의 공명 주파수는 말할 때나 소리할 때 차이를 보이지 않는다. 노래할 때도 저음과 고음의 주파수 분포가 비교적 일정하

고 높다. 그래서 판소리하는 사람들과 대화를 나눠 보면 그들은 항상 약
간 쉰 듯한 목소리로 크게 말한다. 그 목소리 그대로 창을 한다. 이와 같
이 튼튼한 성대와 넓은 음역, 빛나는 기교를 지녔기 때문에 과거 명창들
은 마이크 시설 없이도 소리판을 휘어잡을 수 있었던 것이다. 전남대 전
인삼 교수의 말이다.

> 이날치 선생이 새타령을 하면 쑥국새, 뻐꾹새가 같이 울었다,
> 귀신 소리를 내니까 일시에 촛불이 꺼졌다, 마당에서 소리를 하는
> 데 대청 문고리가 흔들렸다는 이야기가 전해 온다. 얼마나 소리가
> 컸으면 큰 대갓집 대청 문고리가 흔들리겠나?

제와 바디, 더늠

전남 보성군 대야리를 사람들은 강산마을이라고도 부른다. 마을 앞에
서편제와 강산제의 시조 박유전의 옛 초분 터가 있기 때문에 붙여진 이
름이다. 한때 이곳에서는 '내 소리 받아가라' 는 박유전의 음성이 들렸다
고 한다. 전설 같은 얘기지만 마을 사람들은 이를 사실로 믿고 있다.

소리꾼에게 가장 중요한 것은 자기 소리로 표현된 예술이다. '내 소리
받아가라' 는 의미는 바로 전(全) 생애를 바쳐 이룩한 자신의 소리가 헛되
이 사라지지 않게 누군가가 계승해주기를 바라는 소망의 상징적 표현인
것이다.

판소리는 크게 '제' 와 '바디' 로 나뉜다. 흔히 동편제, 서편제 하는 것
이 제다. 그런데 제는 다시 수많은 바디로 구분된다. '받다' 에서 나온 바
디는 같은 선생에게서 배웠지만 자기만의 개성을 살려 판소리 작품을 훌
륭하게 표현해낼 수 있는 소리꾼의 이름 뒤에 붙여지는 일종의 훈장인
셈이다. 군산대 국문과 최동현 교수의 말이다.

소나무에 동여맨 광목을 자신의 배에 두르고 소리 연습을 하는 여학생. 복근의 힘을 기르기 위한 훈련법이다.

전통예술을 하는 사람은 일단 처음에 누군가에게 전통형을 배우게 된다. 그 다음에 자기만의 것을 만들어내야 한다. 예술가라는 것은 뭔가 창조를 하는 사람에게 붙이는 명칭이다. 그냥 옛날 선생님이 하던 것과 똑같이 한다, 그러면 그 사람은 예술가가 아니다. 소리 흉내나 내는 기계일 뿐.

판소리는 말 그대로 판에서 벌어지는 성음 놀음이다. 창자에 따라, 판의 분위기에 따라 소리의 내용과 형식이 바뀐다. 이런 점에서 판소리는 고정적인 것이 아닌 역동적이며 변화무쌍한 소리 예술인 것이다.

이처럼 자신만의 바디를 갖기 위해서는 수많은 '더늠'이 필요하다. 예를 들어 쑥대머리가 임방울의 더늠이라면 제비노정기는 김창환의 더늠이다. 임방울과 김창환이 그 대목을 특별히 잘 부른다는 뜻이다. '더넣다'에서 유래하는 더늠을 더 많이 갖기 위해 소리꾼들은 수십 년을 하루같이 소리공부에 매진하는 것이다. 300년 역사의 판소리는 이처럼 끊임없는 변이를 통해 꾸준히 생명력을 공급받아왔다.

소리꾼들에게 힘찬 추임새를

유네스코는 지난 2003년 판소리를 인류구전 및 무형 문화유산 걸작에 선정했다. 판소리가 전 세계적으로 그 가치를 인정받았다는 뜻이다. 그러나 다른 한편으로는 판소리가 보호해야 할, 즉 소멸위기에 처한 예술이라는 의미이기도 한 것이다.

오래전 나는 한국의 창극, 중국의 경극, 일본의 가부키를 취재한 적이 있다. 사실 중국과 일본 역시 전통문화의 보존과 전승에 애를 먹고 있었다. 경극이나 가부키에 대한 국민들의, 특히 젊은 세대의 관심이 과거 같지 않다고 걱정이었다. 그러나 한국 실정에 비하면 그들의 걱정은 괜한 엄살로 보였다. 베이징에 있는 경극전용극장은 매일 관객들로 가득 찼다. 상하이도 마찬가지였다. 물론 그중 상당수는 관광객들이었지만. 일본 도쿄 긴자거리에 있는 가부키 전용극장 역시 관객들이 노인들 위주이긴 했지만 매일 두 차례씩 공연을 계속하고 있었다. 한국의 창극이나 판소리 공연 실정은 어떤가? 두 나라에 비하면 참담할 정도다. 과문한 탓인지 우리나라에 판소리나 창극 공연이 매일 열리는 전용극장이 있다는 얘기를 나는 아직 들어보지 못했다.

우리가, 또는 정부가 판소리는 우리의 소중한 전통문화유산이라고 아무리 떠들어도 말 따로 행동 따로 라면 판소리는 언젠가 우리 곁을 떠나 영원히 사라지고 말 것이다.

세계적 가치를 지닌 우리의 전통음악 판소리, 그리고 득음을 통해 우리의 판소리를 더욱 풍성하게 만들려고 노력하고 있는 이 땅의 모든 소리꾼들을 위해 이제 우리 모두의 힘찬 추임새가 필요할 때다.

서커스의 재발견

2010년 5월 방송

서커스의 재발견 2010년 5월 방송

자식가진 부모에게 두 가지 질문을 한다고 가정해 보자.

첫 번째 질문 : 당신의 자녀들이 연예인 하겠다면 어떻게 하시
겠습니까?

예상되는 답변 : 글쎄요, 공무원이나 했으면 좋겠습니다만 본인
이 원한다면 할 수 있나요? 힘닿는 데까지 뒷
받침해 줘야죠. 혹시 알아요? 송중기나 혜리
같은 스타가 우리 집안에서 나올지?

두 번째 질문 : 그러면 서커스 단원이 되겠다고 하면은요?

예상되는 답변 : 뭐라고요? 절대 안 돼요. 서커스 그거 뼈 부드
럽게 한다고 식초 먹여서 막 고생시키는 거 아
니에요? 우리 애한테 그런 건 절대 못 시키죠.
사람을 뭘로 보고!

내가 서커스에 관심을 갖지 않았을 때, 다시 말하면 서커스 관련 프로
그램을 제작하겠다는 생각을 하기 전에 이런 질문을 받았다면 아마 나도
위의 부모처럼 대답했을 가능성이 높다. 지금은 애들이 뼈가 굳어서 시
킬 수도 없지만.

서커스에 대한 우리 사회의 인식이 그만큼 낮다는 얘기다.

반대로 캐나다나 중국, 헝가리의 부모가 같은 질문을 받았다면 대답은 상당히 달라졌을 것이다. 이와 같은 차이는 어디에서 비롯된 것일까?

2009년 말 국내 유일의 서커스단인 '동춘서커스'가 경영난을 이기지 못하고 문을 닫을 위기에 처한다. 서커스를 사랑하는 국민들과 일부 기관의 도움으로 기사회생했지만 한국 서커스는 여전히 바람 앞의 촛불처럼 위태롭다.

나는 초등학교에 다닐 때 광주천변이나 시내 공터에서 천막을 치고 공연하던 서커스를 몇 번 보기는 했지만 그 후 서커스는 자연스레 나의 관심 밖으로 밀려났다. 하지만 서커스만큼은 어떻게든 살아남았으면 좋겠다는 생각을 늘 해왔다. 헤어진 애인이 가난한 집에 시집갔지만 잘 살기를 바라는 심정이라고나 할까?

그런데 2010년 초, 동춘서커스 관련 기사를 읽고 나는 '동춘서커스의 창립자 박동수가 그의 호를 따서 서커스단의 이름을 지었고 그의 고향이 광주이며 첫 공연을 목포에서 했다'는 사실을 알게 됐다. 관심이 생겼다.

빈사 상태에 빠진 국내 서커스와, 예술의 한 분야로 당당하게 인정받고 있는 해외 서커스의 실태를 비교해서 한국 서커스의 발전 방향을 모색해 본다면 나름의 의미가 있겠다고 생각하고 제작에 들어갔다.

제1부_ 쇼는 계속되어야 한다

동춘서커스단의 탄생

3월 말 수원성 옆에 자리한 동춘서커스단 천막 공연장을 찾았다. 토요일 오후 공연이어서 그런지 제법 손님이 들었다. 남녀노소 관객층도 다양했다. 특히 가족단위의 손님들이 눈에 많이 띄었다. 그날 공연에서는 아크로바틱, 접시돌리기, 자전거 타기, 인간 탑 쌓기, 동물 쇼 등 모두 15가지의 다채로운 프로그램이 1시간 반 동안 이어졌다. 공연에 참여한 단원은 스텝을 포함해서 모두 서른 명 남짓, 10대에서 50대까지 단원들의 구성도 다양했다.

때론 아름답고 때론 손에 땀을 쥐게 하는 묘기가 펼쳐질 때마다 관객들은 뜨거운 박수와 환호로 답했다. 아슬아슬한 오토바이 묘기로 그날의 공연이 막을 내렸다.

우리나라에서 처음 서커스가 시작된 것은 1925년, 동춘 박동수에 의해서였다. 광주에서 나고 자란 박동수가 일본으로 건너간 것은 그의 나이 17살이던 1920년, 일본에서 그는 처음으로 서커스와 인연을 맺는다.

당시 경기도 양주에서 농사를 짓고 살던 박동수의 아들 박용수 씨를 수소문 끝에 만났다. 한때 그는 아버지의 뒤를 이어 동춘서커스단을 운영하기도 했다. 그의 말에 의하면 "부친이 일본에서 무엇을 할까, 이것저것 찾다가 우연히 서커스 관람을 했는데 흥미를 느끼고 일본인 단장에게 부탁해서 처음 서커스와 인연을 맺게 됐다"는 것이다.

동춘서커스단 공연천막. 단원들에게는 넓은 공터를 장기간 확보하는 것이 무엇보다 중요하다.

동춘서커스단 공연 모습.

일본 서커스단에서 5년 동안 경력을 쌓은 박동수는 조선인 곡예사를 이끌고 식민지 조국으로 돌아온다. 전남 목포에 터를 잡은 박동수는 1925년, 모두 30명의 단원들을 모아 동춘서커스단을 창단한다. 첫 조선인 서커스단이 탄생한 것이다. 당시만 해도 목포는 전국에서 6번째로 큰 도시였다. 흥행을 보장할 수 있는 기반을 갖추고 있었던 셈이다.

목포시 호남동 10-7번지, 지금은 고층빌딩과 주차장이 들어서 있지만 이곳은 지난 1927년 동춘서커스단이 창단 공연을 가졌던 곳이자 주요 활동 무대였다. 어렸을 때 아버지와 함께 이곳에서 몇 차례 서커스 공연을 봤다던 당시 84세의 박신규 할아버지의 말이다.

정말 대단했다. 단원들이 불을 마셨다 내뿜고 불붙은 링을 맨몸으로 통과하고 코끼리나 사자로 동물 쇼도 했다. 큰 지구본 안에서 오토바이를 타고 빙글 빙글 돌기도 했다.

1930년대에 이미 오토바이 공연을 했다니 놀랍다. 목포에서 싹을 틔운 동춘서커스는 1927년부터 활동 무대를 전국으로 넓혀갔고 마땅한 구경거리가 없었던 당시 서민 대중들의 사랑을 독차지하기 시작한다.

동춘의 성공 뒤엔 박동수라는 큰 버팀목이 있었다. 그는 따뜻한 카리스마로 서커스단을 완벽하게 관리했으며 일제 때 독립운동가를 숨겨주고 몰래 도와줬다는 일화는 유명하다.

젊은 시절의 동춘 박동수(왼쪽)과 동춘서커스단이 창단 공연을 했던 목포시 호남동 10-7번지(오른쪽).

1960년대에는 소속단원이 300명까지 늘어난다. 한때 동춘서커스단에 소속된 동물이 창경원 다음으로 많다는 말이 있을 정도였다. 코끼리, 기린, 사자, 호랑이, 침팬지, 말 등 동춘서커스단은 말하자면 '작은 동물의 왕국'이었다.

동춘서커스단이 큰 성공을 거두자 곳곳에서 크고 작은 서커스단이 만들어지기 시작한다. 전국을 무대로 활동하던 곡예단이 한때 18개에 이르기도 했다.

당시 서커스 공연은 각종 기예, 동물묘기, 마술, 국악, 판소리 등이 어우러진 종합 예술무대였다. 특히 동춘서커스단은 갖가지 재능을 가진 예인들이 일정기간 머물다 연예계로 진출하는 징검다리 역할도 했다.

허장강, 남철, 남성남, 심철호, 서영춘, 백금녀, 정훈희, 이주일, 장항선 등이 동춘서커스단 출신의 연예인들이다. 인터뷰를 위해 몇 사람에게 연락을 해봤지만 거절했고 어떤 사람은 화를 내기까지 했다. 자신이 서커스단 출신이라는 사실을 감추고 싶었던 모양이다.

소설가 한수산의 대표작 『부초』, 곡예사들의 애환을 다룬 이 소설을 쓰기 위해 그는 1970년대 중반 2년 남짓 동춘서커스 단원들과 함께 생활했다고 한다. 그의 말이다.

곡예단을 가만히 살펴보니까 그게 하나의 소집단이고 소사회였

과거 동춘서커스단의 공연 모습.

다. 거기에도 탄생이 있고 영광이 있고 소멸이 있고 재생의 몸부림
이 있고 구성원 간의 갈등이 있고… 그래서 이걸 가지고 근대화 시
기 우리 사회의 한 상징으로 그려보자 그런 생각을 했던 것이다.

소설 『부초』의 한 대목.

> 하명이 허공에 몸을 날렸다.
> 아무것도 없었다.
> 천장이 거꾸로 뒤집혔다가 쏟아지고,
> 객석은 하늘로 떠오르고 있었다.
> 좌르르 사람들이 쏟아지려는 순간
> 하명은 그네를 놓으며
> 몸을 허공에서 비틀었다
>
> – 소설 『부초』 중

공중그네 장면이 바로 눈앞에서 펼쳐지듯
생생하다.
1970년대 최대의 문제작으로 꼽히던
『부초』는 그 후 영화로 만들어지기도 했

다. 황해, 윤미라, 선우용녀 등 당시 쟁쟁한 배우들이 출연했다.

한국 서커스의 몰락

　오랜 세월 동안 전국 방방곡곡을 누비며 서민들의 애환을 달래주던 서커스는 그러나 1970년대부터 사양길에 접어든다. 영화와 TV라는 새로운 볼거리가 강력한 경쟁자로 등장한 것이다. 특히 TV드라마 〈여로〉는 결정타였다.

　동춘서커스단 박세환 단장의 회고다.

　　1972년 4월 12일 〈여로〉라는 드라마가 첫 방송된다. 낮에는 새마을 사업한다고 사람들이 모두 빠져나가고 저녁에는 〈여로〉를 방송하니까 방법이 없었다. 그래도 동춘서커스는 어찌어찌 견뎌냈는데 나머지 서커스단 17개가 5개월 만에 다 없어지고 순회공연 다니던 임춘앵 국극단, 악극단, 농악단도 전멸해 버렸다.

영화 〈여로〉 포스터.

　　이런 어려움 속에서도 수십 년을 꼿꼿이 버텨오던 동춘에 또 다른 역경이 찾아든다. 2008년 세계를 강타한 '미국발 금융대란'과 연이은 '신종플루 사태'였다. 관객이 평소의 10분의 1로 줄어들면서 서커스단 살림이 극도로 어려워지자 생활고에 시달리던 단원들이 하나둘씩 동춘을 떠나기 시작한다.

　　2009년 11월 말, 동춘서커스단이 경영난을 이기지 못하고 문을 닫는다는 소문이 돌자 전국에서 동춘 살리기 운동이 일어난다.

국민들은 십시일반 성금도 보냈고 한국 마사회 측에서는 과천 서울경마공원 안 공터를 공연장소로 무료 제공하기도 했다. 서커스단에게 넓은 터를 확보하는 것은 사활이 걸린 문제라는 점에서 마사회의 배려는 그 의미가 컸다.

수원 공연과 함께 동춘서커스단에서는 2010년 4월부터 과천 공연을 시작했다. 4월 초 취재팀이 과천 공연 현장을 방문했을 때 마사회 소속 직원과 가족들이 객석을 가득 메우고 있었다. 공연장소를 빌려준 데 대한 보답이었다.

이날 공연에는 아크로바틱, 항아리 묘기, 공중그네 등 모두 13개의 프로그램이 선을 보였다.

여러 가지 곡예 중에서도 박광환의 저글링 묘기는 인기최고였다. 당시 곡예 생활 22년째를 맞은 그의 저글링 묘기가 인기를 끌면서 언제부턴가 그의 별명도 '저글링 박'이 되었다. 멋진 묘기뿐만 아니라 유쾌한 농담으로 관객들을 즐겁게 해주는 것 또한 그의 장기였다.

취재하면서 나는 여러 차례 서커스를 봤다. 곡예사들의 아슬아슬하고 역동적인 묘기를 바로 눈앞에서 보는 느낌은 새로웠다. 그들의 몸놀림, 표정 하나 하나가 재미와 감동을 주었다. 영화나 TV가 주는 것과는 전혀 다른 차원의 재미였다. 그래서 서커스에도 고정 팬덤이 생기는 모양이다.

2008년까지만 해도 동춘서커스 단원의 90%는 한국인 곡예사가 차지하고 있었다. 그러나 2010년 취재 당시, 한국인 곡예사는 단 3명뿐이었다. 한 해 전 동춘서커스를 떠났던 단원들 대부분이 아직 돌아오지 않았기 때문이다.

강아지쇼와 공중그네 연기를 하던 김영희 씨, 순간적으로 얼굴 모양이 바뀌는 '변검' 연기로 무대에 선 형광도 씨, 그리고 저글링 박 박광환 씨가 동춘을 지키고 있었다. 박광환 씨 역시 2009년 말 동춘을 잠시 떠났다가 단장의 권유로 얼마 전에 다시 돌아왔다고 했다.

나머지는 모두 계약을 맺고 들어와 잠시 연기를 하고 떠나는 중국 곡예사들이었다. 따라서 관객들은 사실상 중국 서커스를 보고 있는 셈이었다.

인력이 부족해 곡예사들이 공연 스태프 역할도 함께했고 단장이 표를 팔았다. 일부 단원들은 공연장 옆 컨테이너에서 생활하고 있었다. 김영희 단원의 숙소 한쪽에 가족사진이 놓여 있었다. 공연 때문에 가족과 한 달째 떨어져 있다고 했다. 마음이 짠했다.

한국 서커스의 회생방안

세계는 지금 서커스에 주목하고 있다. 서커스를 예술의 경지에 올려놓은 캐나다 서커스, 빛나는 기예로 세계인의 사랑을 받고 있는 중국과 유럽의 서커스, 이들 나라들은 서커스를 문화 상품으로 개발해 세계시장에 진출하고 있다. 매년 새로운 레퍼토리를 가지고 한국을 찾는 태양의 서커스, 서크 엘루아즈, 중국 오교 서커스단 등을 보라.

그렇다면 90년 역사의 한국 서커스가 경쟁력 있는 공연예술로 거듭나기 위해서는 어떤 노력이 필요할까?

먼저 '서커스 전문학교'의 설립이다. 판소리 전수방식도 그렇듯이 과거 우리나라 서커스단원의 교육 역시 철저하게 도제식으로 이루어졌다. 동춘서커스 김영희 단원의 말이다.

> 옛날에는 공연이 주로 연극, 쇼, 서커스로 구성되었다. 연극 가르치는 선생님, 쇼 가르치는 선생님, 서커스 가르치는 선생님, 동물 연기 가르치는 선생님 다 따로따로 있었다. 그러니까 배우기가 쉬웠다. 요새는 가르치는 사람도 없고 또 배우려고 하는 사람도 없어서… 우리나라 서커스의 장래가 걱정스럽다.

지금은 그나마 도제식 교육마저 어려워져 버렸다는 얘기다. 경쟁력 있는 곡예사 양성을 위해 더 늦기 전에 우리도 외국처럼 서커스 전문학교를 세워서 어릴 때부터 체계적인 교육과 훈련을 해보자는 것이다. 능력 있는 곡예사들을 양성해 국내 서커스 시장에 공급한다면 제2, 제3의 동춘서커스단이 생겨날 것이며 그렇게 되면 서커스단 끼리 서로 프로그램으로 경쟁하면서 국내 서커스의 수준도 크게 향상될 것이다.

이동식 천막 공연장과 별도로 '서커스 전용극장'을 확보하는 것도 곡예사들의 오랜 꿈이다. 박세환 동춘서커스 단장의 말이다.

> 서커스 전용극장은 서커스 좀 한다는 나라에는 다 있다. 북한에
> 도 서너 개 있는 걸로 안다. 서커스 공연에는 엄청난 장비가 필요
> 하다. 지하에서 무대가 올라오고, 공중을 날아야 되고, 빙빙 돌아
> 야 되고… 이런 시설이 되어 있는 전용극장만 있다면 우리나라 서
> 커스의 수준도 그만큼 올라갈 것이다.

전용극장 건립을 위한 노력이 그동안 없었던 건 아니다. 경기도 부천시 원미구에는 짓다 만 건물이 하나 있는데 당초 예정대로 2006년 5월 완공됐다면 국내 최초의 서커스 전용극장으로 기록됐을 것이다. 지하 2층, 지상 3층 규모로 '동춘서커스 상설공연장'으로 이름 붙여진 원형 건물은 완공을 눈앞에 두고 이런저런 이유로 공사가 중단돼 버렸다. 극장이 완공돼 본래의 용도로 쓰이고 있다는 소식을 그 후 듣지 못했다.
한국 서커스의 발상지 목포 시에서도 한때 원도심에 서커스 전용극장 건설을 추진했다가 시장이 바뀌면서 흐지부지 돼버렸다.

다음은 '콘텐츠' 문제이다.
제주도에서 그해 3월부터 국내 최초의 '아트서커스'가 공연되고 있다

제주도에서 공연된 아트서커스. 예술적이긴 했지만 뭔가 부족해보였다.

는 소식을 듣고 찾아갔다. 제주도의 '개벽 신화'를 모두 10개의 주제로 엮어낸 작품인데 우리가 평소에 봐왔던 서커스와는 다른 느낌을 주었다.

곡예사가 연기를 펼치는 동안 가수가 노래를 부르고 각 부문별로 주제의 특성에 맞게 음악도 따로 작곡해 넣었다. 예술적인 무대와 조명, 그리고 의상까지 마치 서커스와 서양 오페라를 동시에 보고 있는 느낌이었다.

공연에는 모두 여섯 개 나라 아티스트들이 참여했다. 우크라이나, 카자흐스탄, 중국, 러시아, 필리핀에서 온 곡예사들이 곡예와 연기, 노래를 담당했다. 한국팀은 타악기 연주로 공연에 참여하고 있었다.

그런데 뭔가 부족했다. 공연의 내용이 제주도와 관련됐다고는 하지만 출연자가 거의 모두 외국인이고 전체적인 분위기도 우리의 정서와는 동떨어진 것이었다. 한국적인 콘텐츠 개발이 필요하다는 얘기다. 한국예술종합학교 홍승찬 교수의 말이다.

과거부터 해왔던 곡예, 연극, 쇼와 별도로 우리의 전통 문화를 서커스와 결합할 수 있으면 좋겠다. 예를 들면 전통연희나 남사당놀이를 포함시킨다면 우리 서커스도 그만큼 내용이 풍부해질 것이다.

경기도 안성 시립 남사당패 바우덕이 풍물단의 공연 현장을 취재했다.

먼저 그날 저녁 본 공연을 앞두고 틈새공연을 하고 있던 청소년 풍물단 삐리를 만났다. '삐리'란 남사당을 갓 시작한 새내기를 말한다. 우리가 '중삐리', '고삐리' 할 때 그 '삐리'이다. 그들의 목표는 한국 최고의 광대가 되는 것이었다. 스물다섯 명의 남녀로 구성된 삐리의 공연은 흥겹고도 역동적이었다. 무엇보다도 스스로 광대가 되겠다고 나선 청소년들과 이를 허락해준 부모들의 결정에 경의를 표한다.

남사당패 바우덕이 풍물단의 공연이 시작됐다. 풍물단은 줄타기 묘기로 첫 무대를 열었다. 관객들의 반응도 뜨거웠다.

오랜 세월 동안 전국을 떠돌아다니며 서민 대중에게 오락거리를 제공해온 남사당패, 그들은 놀이를 통해 천대받던 자신들의 한을 풀었고 양반들의 위선을 풍자하기도 했다.

그런데 남사당패 놀이를 자세히 들여다보면 서커스의 원형이라고 할 수 있는 여러 동작들을 쉽게 발견할 수 있다. 먼저 '얼음'이라고 불리는 줄타기 놀이, '얼음 위를 걷듯 조심스럽다'는 뜻에서 붙여진 말로 줄을 타는 '얼음산이'가 3m 높이의 외줄에서 펼치는 기예다. 서커스 공연에서도 흔히 볼 수 있는 장면이다. 덤블링과 비슷한 '살판놀이', '잘하면 살판, 못하면 죽을 판'이라고 해서 유래된 놀이로 '땅재주' 혹은 '곤두'라는 이름으로도 불린다. '곤두서다'는 우리말이 연상되듯 역동적인 기예이다. 다산을 기원하고 신동을 받든다는 '무동놀이', 서커스의 인간 탑 쌓기와 비슷해 보인다. '버나 놀이', 중국 서커스에선 접시를 돌리지만 남사당패에서는 긴 막대기나 담뱃대를 이용해 사발이나 놋대야 등을 돌린다. 어깨춤이 절로 나오는 '풍물놀이'는 과거 손님을 끌기 위해서 동네를 한 바퀴 돌았던 서커스 행렬과 비슷하다. 서양 서커스에 마술이 있다면 남사당놀이엔 '얼른'이 있었다. '얼른 빼고 얼른 집어넣는다'는 얼른놀이가 지금은 사라지고 없어 아쉽다.

화려한 의상과 기예, 흥겨운 우리 가락, 해학과 재담, 이런 소중한 자산을 우리 서커스에 접목 시킬 수는 없을까? 박세환 동춘서커스 단장의 말이다.

과거의 서커스는 기예뿐만 아니라 연극, 쇼, 마술, 국악이 총망라 됐었고 손님을 끌기 위해 풍물패가 마을을 돌았다. 자금이 확보돼 작품을 제대로 할 수 있는 여건이 되면 1960, 1970년대의 서커스에 전통연희를 접목해서 세계무대에 내놓고 싶다.

다음으로는 '정부의 적극적인 지원'이다.

남사당패 '바우덕이'의 줄타기 놀이 공연. 서커스에 이런 전통기예를 접목해 보면 어떨까?

당시 정부에서도 한국 서커스가 소멸위기에 있다는 점을 인정하고 나름의 지원책을 마련했다. 동춘서커스가 농어산촌이나 문화 소외지역에서 공연을 할 경우 교통비와 사례비, 무대 설치비 일부를 지원한다는 내용이었다. 그러나 대규모의 장비와 함께 40~50명이 함께 움직이는 비용, 작품비, 홍보비를 생각할 때 정부의 지원 금액은 언 발에 오줌 누기 정도라는 것이 관계자들의 생각이었다. 과거 공산권 국가뿐만 아니라 캐나다나 유럽 국가들의 체계적인 지원에 비하면 한심할 정도의 지원규모였던 것이다.

　　다음으로는 서커스에 대한 국민들의 인식 변화이다.
　　'촌스러운 서커스, 뭐 볼 게 있겠어?' 라는 고정관념을 버리고 기회가 있을 때 한 번만이라도 직접 관람해 보기를 권한다. 특히 서커스는 온 가

남사당패 '바우덕이' 의 '무동놀이'. 서커스의 인간 탑 쌓기와 흡사하다.

족이 공감하면서 즐길 수 있는 몇 안 되는 공연 예술 중 하나이다. 아주 재미있다. 보장한다.

서커스를 문화의 한 갈래로 인정한다면, 천연기념물에 대해 우리가 그렇게 하듯, 우리 서커스도 보호하고 육성해야 한다. 그렇지 않으면 90년 역사의 한국 서커스는 영원히 소멸하고 말 것이다.

이 글을 쓰면서 동춘서커스 관련 자료를 찾아봤다. 다행히 아직 살아 있었다. 그동안 전국각지를 순회하면서 공연을 해왔고 2016년 5월 현재 50명의 단원으로 경기도 안산 대부도에 터를 잡고 장기공연 중이라고 한다.

지금은 서커스단 살림이 좀 나아졌는지, 떠났던 단원들은 돌아왔는지, 동물 쇼를 하던 김영희 씨는 아직도 컨테이너에서 생활하고 있는지 궁금하다.

제2부_ 세계 서커스의 강국들

우리가 벤치마킹할 세계 서커스의 강국을 어디로 결정할 것인지 작가와 함께 고민했다. 우선 아트서커스로 세계 서커스의 맹주로 등장한 캐나다, 같은 동양권인 중국, 그리고 서커스를 국책사업으로 지원해온 사회주의 국가였던 헝가리로 최종 결정했다.

캐나다의 '서크 엘루아즈'

아트서커스의 대명사 태양의 서커스 취재를 타진해 보았지만 전 세계 언론의 밀려드는 취재요청으로 우리 차례가 오려면 몇 달을 기다려야했다.

캐나다 벤쿠버의 서커스 전용극장. 서크 엘루아즈의 〈레인〉이 이곳에서 장기공연되었다.

한국에도 여러 차례 왔다 간 태양의 서커스는 1984년 창립 이후 지금까지 전 세계 2,500개 이상의 도시에서 1억 명의 관객을 동원했고 매년 1조원 이상을 벌어들이는 세계최대의 서커스 기업이다.

태양의 서커스취재가 어렵다고 판단되자 우리는 태양의 서커스와 함께 캐나다 아트서커스를 대표하는 서크 엘루아즈를 취재 대상으로 결정했다. 1993년 재노팽쇼를 중심으로 태양의 서커스 출신 단원 7명이 힘을 모아 설립한 서커스단이다.

태양의 서커스가 거대한 스케일로 관객을 압도한다면 서크 엘루아즈는 탄탄한 스토리와 예술성으로 팬들을 사로잡는다. 서크는 '서커스'를, 엘루아즈란 '7개의 번개'라는 뜻의 프랑스어이다.

캐나다 몬트리올에 본사를 두고 있는 서크 엘루아즈를 방문하기 전에 우리는 태평양 연안 벤쿠버에 먼저 들렀다. 그곳에서 서크 엘루아즈의 〈레인〉이라는 작품이 장기 공연되고 있었기 때문이다.

10시간의 비행 끝에 벤쿠버에 도착했다. 공항에 내린 취재팀은 괜히

아트서커스 〈레인〉의 공연장면.

어깨에 힘이 들어가기 시작했다. 불과 보름 전에 끝난 벤쿠버 동계올림픽에서 대한민국이 금 6개, 은 6개, 동 2개로 세계 5위를 차지했을 뿐만 아니라 김연아 선수가 여자 싱글 부문에서 역대 올림픽 최고 점수로 금메달을 땄기 때문이다.

현지 가이드 역시 "요즘 목에 힘 좀 주고 다닌다"고 했다.

공연 시간이 다가오자 관객들이 밀려들기 시작했다. 1,700석 규모의 서커스 전용극장이 금세 관객들로 가득 찼다. 광고 한 번 안 했지만 우리 돈으로 7~8만 원 하는 공연 티켓이 3일째 매진이었다. 가이드의 전언에 의하면 '공연이 인기를 끌자 미리 표를 사재기해 뒀다가 비싸게 되파는 사람까지 생겼다'고 한다. 한국이나 캐나다나….

〈레인〉은 이탈리아 출신의 연출가 다니엘 피니파스카가 어느 비 오는 날 느꼈던 어릴 적 추억을 작품화한 것이다.

공연의 중심은 역시 아크로바틱, 배우들의 몸짓에서 인간의 육체가 그토록 아름다울 수 있다는 걸 새삼 확인했다. 작품 전반에 걸쳐 끊임없이 이어지는 익살과 풍자도 관객들에게는 큰 즐거움이었다. 집시풍의 음악도 좋았다. '레인'이라는 제목대로 종반 부분에 비가 내리기 시작했다. 여기저기에서 관객들의 탄성이 터졌다. 천장에서 무대 바닥으로 굵은 빗줄기가 쏟아지고 12명의 배우들은 빗속에서 물장구를 치고 공놀이를 하면서 동심의 세계를 재현해냈다. 음악에 맞춰 남녀배우들이 노래도 불렀다. 멋진 피날레였다.

공연이 끝나자 관객들의 기립박수가 터졌다. 아크로바틱, 연극, 오페라의 특성을 절묘하게 결합한 아름다운 무대였다.

극장 로비에서는 서크 엘루아즈가 그동안 공연했던 관련 캐릭터들이 기념품으로 판매되고 있었다. 기념품은 특히 어린이들에게 인기였다. 공연에 쓰였던 음악을 모은 CD 앨범도 날개 돋친 듯 팔려나갔다. 나도 한 장 샀다. 감상용으로도 손색이 없을 만큼 수준이 높았다. 관람 소감을 적는 노트도 준비돼 있었는데 관람객들의 의견은 다음 공연에 좋은 참고자료가 된다고 했다.

작품 〈레인〉의 성공은 배우, 현장 스태프 뿐만 아니라 스토리, 음악, 무대, 의상 등을 만들어 낸 12명 젊은 창작자들의 노력이 있었기에 가능한 일이었다. 서크 엘루아즈는 당시 〈레인〉을 비롯한 4개 작품을 공연 중이었는데 〈레인〉의 경우 콜롬비아, 멕시코, 벨기에, 프랑스, 네덜란드 공연 일정이 다음 해 6월까지 빡빡하게 잡혀 있었다.

벤쿠버에서의 취재를 끝내고 우리는 몬트리올로 날아갔다. 태평양 연

캐나다 몬트리올에 있는 서크 엘루아즈의 연습실. 단원들은 이곳에서 훈련도 하고 작품도 구상한다.

안에서 대서양 연안까지 대륙을 횡단하는데 비행기로 5시간이 넘게 걸렸다. 나는 '나라 안에서 두 시간 이상 비행기를 탈 수 있을 만큼 우리 국토가 넓으면 얼마나 좋을까, 그러려면 우선 통일이 되어야겠고 옛 고구려 땅까지 되찾는다면 가능할까?' 혼자 생각하면서 쓴웃음을 지었던 기억이 난다.

캐나다 속의 작은 프랑스라고도 불리는 퀘백 지역, 그리고 그 중심도시 몬트리올은 프랑스의 라틴 문화와 영국의 앵글로 색슨 문화가 혼재하고 있는 곳이다. 이런 독특한 문화적 배경이 '아트서커스'라는 새로운 형태의 공연예술을 창조해낸 것은 아닌지.

다음 날 아침 우리는 몬트리올시 외각에 위치한 서크 엘루아즈를 방문했다. 원래 기차역이었던 건물은 1981년부터 캐나다 국립서커스학교로 쓰이다가 1993년 서크 엘루아즈가 사들여 본부 건물로 사용하고 있었다.

건물의 중앙에 자리 잡은 빅탑 모양의 대형 홀은 단원들의 훈련과 리

캐나다 몬트리올 외곽에 위치한 국립서커스학교 전경.

허설 장소이자 작품 창작의 산실이었다. 업무를 보는 사무실 외에 의상 제작실, 소품실, 자료실도 따로 마련돼 있었다.

깃발이 가득 꽂힌 세계지도가 걸려 있어서 담당 직원에게 물어봤더니, "깃발은 지금까지 순회공연을 갔던 세계의 여러 도시를 나타내며 당시까지 32개국 372개 도시에서 공연했다"고 설명했다. "한국에도 〈레인〉과 〈네비아〉 공연차 두 차례 방문한 적이 있다"고 했다.

캐나다 국립서커스학교에 들렀다.

학교에 들어서자 먼저 눈에 띈 것은 기부자 명단이었다. 학교의 발전을 위해서 정부, 사회단체, 기업, 서커스단, 개인들이 적지 않은 기부금을 냈다고 한다.

5대 1의 경쟁률을 뚫고 세계 여러 나라에서 온 학생들은 8년 동안 이 학교에서 캐나다 아트서커스를 배운다. 이곳에서는 5가지 서커스 기술을 주로 가르친다. 아크로바틱, 균형 잡기 기술, 마술, 광대 같은 서커스 연기, 그리고 춤과 연기도 가르친다고 한다. 완벽한 시설에서 학생들이 행복한 표정으로 훈련에 열중하고 있었다.

한 남학생의 말이다.

> 서커스를 처음 만났을 때 그냥 좋았다. 서커스는 모든 예술을 포함하고 있다. 서커스 기술뿐만 아니라 댄스, 연극, 노래… 그 점이 내가 서커스를 좋아하는 이유이다.

"부모님도 아들이 서커스 하는 걸 좋아하느냐"고 물었다. "아주 자랑스럽게 생각하고 있다"는 대답에 내가 괜히 머쓱해졌다.

2층에 있는 교실에서는 학생들이 중간고사 시험을 보고 있었다.

이 학교에서는 반나절은 수업을 하고 반나절은 서커스 훈련을 하도록 커리큘럼이 짜여 있었다. 영어, 프랑스어, 수학, 과학, 역사 등 정부에서 지정한 과목은 필수적으로 공부해야 한다.

퀘백주 정부 내에 있는 예술과 문학협회 사무실을 찾았다. 협회에서는 15년 전부터 서커스와 연극 관련 예술단체를 집중적으로 지원하고 있다.

알랭 필리옹 예술과 문학협회담당자의 말이다.

퀘백주의 예술과 문학협회는 1994년 투표를 통해 법적 지위를 갖게 됐다. 협회는 서커스의 예술적 훈련을 통한 창작과 작품 공연 그리고 실험 추구를 장려하고 지원한다.

주정부에서 서커스단에 지급하는 보조금은 한 해 약 20억 원, 예술과 문학 협회 외에 산업 문화 발전협회에서도 매년 크고 작은 서커스단을 지원하고 있다. 캐나다 서커스의 성공 뒤에는 서커스 종사자들의 노력뿐만 아니라 이처럼 정부와 민간의 뜨거운 관심과 지원이 있었다.

중국의 '오교서커스월드'

중국 천진에서 자동차로 4시간을 달려 하북성 오교현에 도착했다. '오교 사람이 없으면 서커스단을 꾸리기 어렵다'는 속담이 있을 정도로 오교는 중국 서커스의 고향이다.

그래서 그런지 오교 거리 곳곳엔 서커스나 마술도구를 파는 가게가 즐비했다. 실제로 30만 오교 인구 중 10%가 서커스와 관련된 일에 종사하고 있다.

오교가 서커스의 본고장으로 널리 알려지게 된 것은 지난 1992년 서커스 월드가 문을 열면서부터다. 중국정부와 홍콩기업이 합자해 서커스를 테마로 한 세계 최초의 관광단지를 건설한 것이다.

서커스 월드 안에는 서커스 상징탑뿐 아니라 오교에서 태어나 중국 서커스를 창시한 '손복유'의 동상이 서있다. 중국 사람들은 서커스를 잡기(雜技)라고 부른다. 잡기란 모든 종류의 기예를 총칭하는 말로, 서커스보다 넓은 개념이다. 서커스월드를 방문한 관람객들은 먼저 서커스의 거리에서 펼쳐지는 갖가지 공연을 즐길 수 있다.

먼저 나팔곡예, 담당 곡예사는 한국 방송에도 출연한 적이 있어 낯이 익었다. 그리고 발로 붓글씨 쓰기, 차력 쇼, 흰쥐 묘기, 오토바이 묘기 등 모두 8개의 잡기가 노천에서 펼쳐졌다.

중국 오교서커스월드 입구에 선 취재팀.

홍문단이라는 이름의 서커스 전용극장도 서커스 월드를 찾는 사람들이 꼭 한 번은 들르는 곳이다. 오교서커스도 시대의 흐름에 맞춰 줄거리가 있는 프로그램을 만들어내기 위해 노력하고 있었다. 중국 전설에 바탕을 둔 내용이어서 그런지 공연의 전체적인 분위기가 신비스러웠다. 역시 중국 서커스의 강점은 현란한 아크로바틱, 배우들의 신기에 가까운 몸놀림이 보는 이들의 탄성을 자아냈다. 오교서커스단의 단원은 모두 130명. 이 중 상당수는 당시 해외공연 중이었다.

중국 천진 교포이자 취재팀을 안내했던 유형규의 말이다.

중국인들에게 서커스는 생활의 일부라고 할 수 있다. 시간 날
때마다 가족들이 함께 서커스를 보러 다니는 모습을 보면 한편으
론 참 부럽기도 하다.

오교의 자랑, 서커스 박물관을 둘러봤다. 천여 점의 각종 서커스 관련
자료들이 전시돼 있었다. 오교 출신 곡예사들의 과거 활동사진이 눈길을
끌었다. 제2차 세계대전 직전 오교서커스단은 독일 베를린에서 공연하
기도 했다. 아마 히틀러도 공연을 봤을 것이다. 과거에 쓰였던 갖가지 곡
예용품도 전시돼 있고 모택동이나 주은래 등 과거 권력의 핵심들이 오교
서커스 단원들과 함께 찍은 사진도 자랑스럽게 걸려 있었다.
스지인량 오교서커스단장의 자랑이다.

중국뿐만 아니라 전 세계적으로 서커스와 같은 공연 문화에 대

중국 오교서커스단 공연 모습. 기예의 수준이 신기에 가깝다.

한 수요가 점점 높아져가고 있고 오교 출신 10여 개의 공연팀이 지
금도 외국에서 공연을 하고 있는데 해마다 공연요청이 늘어나고
있다.

오교 사람들 중 상당수가 잡기 하나씩은 할 수 있다는 말이 사실인지
확인하기 위해서 마을의 한 가정을 방문했다.
　네 자매 중 둘째가 먼저 사발 돌리기와 뜨거운 물을 담은 단지 세우기
묘기를 보여줬다. 맏언니는 우산 돌리기 묘기를 취재팀에게 선보였다.
단지 취미라고 하기에는 상당한 실력이었다. 부모들이 서커스 일에 종사
하다 보니 자식들도 어려서부터 배워 따라한다는 것이었다.
　중국 최대의 서커스 학교 역시 오교에 있었다. 1985년 문을 연 오교
국립서커스학교에서는 7살부터 12살 사이의 어린이 300여 명이 6년 과
정의 서커스교육을 받고 있다.
　치즈이 교장의 말이다.

오교서커스단을 방문한 주은래 전 수상.

서커스는 기본기를 익히는 데 필요한 일정 연령이 있다. 주로 7세에서 12세에 서커스 교육을 시키는 것은 이 나이 때의 신체 상태가 서커스의 기본기를 익히는 데 아주 적합하기 때문이다.

저학년들은 주로 체력 기르기, 재주넘기, 물구나무서기, 도약훈련을 하고 고학년으로 올라가면 좀 더 높은 단계의 곡예를 익힌다.

한국과 달리 중국에서는 서커스 배우에 대한 사회적인 인식이 일반 연예인과 별반 다르지 않다. 따라서 스타급 서커스 배우는 특히 어린이들에게 선망의 대상이다. 그래서인지 이학교의 입학 경쟁률은 15대 1, 하지만 경쟁력 있는 서커스 배우가 되기 위해서는 6년 동안 말 그대로 피나는 훈련을 거듭해야 한다. 입학 4~5년차에 접어드는 고급반 학생들은 졸업 후 서커스단에 들어갔을 때 관객들에게 선보일 전문기예를 집중적으로 익힌다.

이 학교에서도 캐나다처럼 서커스뿐만 아니라 국어, 수학, 영어, 도덕, 음악 등의 일반 교과과목도 가르친다. 연 10% 정도의 서커스 과목 탈락자에게 제2의 길을 열어주자는 것이다.

외국에서 유학 온 학생들도 있었다. 이 학교에서는 지난 2000년부터 외국인 학생을 받아들이기 시작했는데 취재 당시 아프리카 수단에서 온 학생 20명이 서커스를 배우고 있었다.

오교국립서커스학교에서는 졸업생들로 구성된 자체 서커스단도 운영하고 있었다. 취재팀에게 항아리 돌리기, 덤블링 등 몇 가지 기예를 보여줬는데 곧바로 무대에 서도 될 만큼 실력이 뛰어났다.

체계적이고 철저한 교육, 그리고 학생들의 열의가 한데 어우러져 국립 오교서커스학교 출신 곡예사들은 국내외에서 그 실력을 인정받고 있었다. 지난 2003년 오교국제서커스대회에서 은상을 수상한 것도 오교의 실력을 보여주는 작은 예 중 하나다.

중국이 수출하는 공연예술 상품 중 서커스가 차지하는 비중은 약

80%, 중국뿐 아니라 세계 서커스 무대에 마르지 않는 물줄기를 대주고 있는 오교, 그래서 우리는 중국 서커스의 발원지 오교를 주목한다.

헝가리국립서커스단

헝가리의 수도 부다페스트, '다뉴브의 진주'라는 별칭에 걸맞게 아름답다. 그런데 이 천년고도를 더욱 아름답게 해주는 것은 바로 200년 역사를 자랑하는 서커스다.

좌석수 1,700개의 헝가리국립서커스 전용극장, 이곳에 자리 잡은 지 120년이 넘었다. 공연시간이 다가오자 관객들이 모여들기 시작한다. 오늘 손님은 대부분 초등학교 학생들. 가족과 함께 온 어린이도 있고, 부부가 함께 오기도 했다. 평일 공연치고는 꽤 많은 관객이다.

크리스토프 이스트반, 헝가리국립서커스 단장의 말이다.

> 텔레비전과 비교해 서커스는 인간미가 넘치는, 차원이 다른 매체다. 그리고 서커스는 가족문화를 대변한다. 헝가리에서는 서커스 공연에 대부분 가족이 함께 온다. 텔레비전이나 영화에서 맛볼 수 없는 가족문화의 즐거움을 서커스가 준다. 그것이 서커스의 가장 큰 강점이다.

헝가리 사람들에게 '서커스는 매일 먹는 빵과 같다'는 속담이 있다. 헝가리 국민들의 서커스 사랑이 그만큼 유별나다는 얘기다.

지난 2010년 1월 이곳 전용극장에서는 '제8회 부다페스트국제서커스페스티벌'이 열렸다. 당시 수상한 10개 팀의 작품이 3월 15일까지 갈라쇼 형식으로 공연되고 있었다.

1월부터 3월까지 계속되는 페스티벌과 특별공연 때문에 헝가리국립서커스단 단원들은 이 기간을 이용해 휴가를 보내거나 해외 공연에 나

헝가리국립서커스 전용극장.

선다.

공연 시작을 알리는 전속악단의 라이브 연주와 출연팀을 영상으로 소개하는 순서가 이채로웠다.

중국팀의 공중 그네와 점프 곡예, 리투아니아 팀의 고양이 곡예, 우크라이나 팀의 링 곡예와 사자 공연, 프랑스 팀의 삐에로 공연과 아크로바틱 연기, 헝가리 팀의 로프발레, 이탈리아 팀의 마술, 콜롬비아 팀의 죽음의 바퀴 쇼 등 다채로운 프로그램이 공연됐다. 관객들, 특히 어린이들의 반응은 폭발적이었다.

한자리에서 서커스의 모든 것을 볼 수 있는 특별한 시간이었다. 갈라쇼였지만 아크로바틱, 피에로 연기, 마술, 동물 쇼가 특징인 헝가리 전통 서커스의 분위기를 엿볼 수 있는 공연이기도 했다.

죠르지 우프브쉬 헝가리국립서커스단 기술감독의 말이다.

내가 생각하기엔 요즘 관중은 고도의 기술을 이용한 곡예보다는 엔터테인먼트 위주의 프로그램을 좋아하는 것 같다. 관중은 서커스를 즐기러 온다. 따라서 즐길 수 있는 서커스를 보여줘야 한다. 그런 프로그램을 개발해야 할 뿐만 아니라 외국에서도 팔릴 수 있는 엔터테인먼트 위주의 서커스 공연이 돼야 한다.

정부의 지원도 적극적이었다. 헝가리 정부에는 국립서커스단을 지원하는 부서가 따로 있다.

라즐로 바자시 헝가리국립서커스단 지원부서 담당자의 말이다.

헝가리국립서커스단의 1년 예산 중 1/4이 정부 지원으로 충당된다. 헝가리 정부가 이렇게 지원하는 것은 보다 안정적인 서커스 운영을 위한 것이고 예술로 인정된 공연물을 보장해 주기 위한 것이다.

서커스단 운영비 중 가장 큰 비중을 차지하는 건 역시 공연 수입, 서커스단 임대, 이벤트 수입 등이다. 서커스 관련 기념품 판매도 수입에 큰 보탬이 되고 있다.

헝가리국립서커스학교를 찾았다.

오후 3시, 학교 공부를 마친 학생들이 와자지껄 서커스 학교로 몰려온다. 마치 한국의 초중학생들이 방과 후 학원으로 몰려가는 모습 그대로다.

이 학교는 헝가리 서커스 발전을 위해 평생을 바친 '바로쉬 임레'에 의해 1950년 설립됐다.

입학하는 학생들의 나이는 10살 전후 17살까지로 8년 동안 이 학교에서 교육을 받는다.

그르구 마리아 헝가리국립서커스 학교장의 말이다.

9살 때부터 입학시험을 볼 수 있고 입학조건은 기술력, 운동력, 리듬감각, 반사 신경 등이다. 입학하면 4년 동안 일반과정, 4년 동안 전공 과정을 공부한다.

만만치 않은 경쟁률을 뚫고 이 학교에 들어온 학생들, 왜 그들은 멀고도 험한 서커스의 길로 들어선 것일까
남녀 두 학생의 이야기다.

사람들을 흥분시킬 수 있는 것이 서커스만의 독특한 매력이다. 곡예의 모든 종류가 다 그렇지만 특히나 서커스는 흥분 그 자체이다. 그래서 서커스를 배워 멋진 공연을 펼치고 싶다.

처음에 서커스를 한다고 했을 때 부모님이 걱정을 많이 하셨다. 외국으로 진출해 나가게 되면 많이 보고 싶을 것이기 때문이다. 그러나 부모님은 나의 성공을 위해 항상 격려해주신다.

헝가리 정부에서 운영하는 또 다른 서커스 학교, 이곳에선 14살 이상 17살까지의 중등부 학생들이 교육을 받는다. 4년 동안 서커스의 기초를 닦은 학생들이 나머지 4년 동안 자신의 전공분야를 집중적으로 훈련한다. 국가에서 운영하는 학교이기 때문에 학비는 없다. 학생들은 4년 후 서커스 학교와 일반학교 졸업장을 함께 받을 수 있다. 몇 년째 집중적인 교육을 받아서 그런지 지금 당장 무대에 서도 될 만큼 학생들의 기량이 뛰어났다.

학생들의 가장 큰 꿈은 장차 헝가리 국립 서커스단 단원이 되는 것인데, 여의치 않으면 100개에 이르는 국내 서커스단에 들어갈 수도 있고 해외로 진출할 수도 있다.

헝가리 정부에서는 서커스와 연계한 관광산업증진 방안을 2010년 초

에 마련했다. 부다페스트 시민공원에 있는 서커스 전용극장과 동물원, 대규모 온천장, 헝가리 7대 식당중 하나를 패키지로 묶는 관광 상품을 내놓았는데 관광객들의 반응이 의외로 좋다고 했다.

200년 역사의 헝가리 서커스는 정부의 적극적인 관심과 지원. 체계적인 교육, 그리고 서커스 인들의 열의가 한데 모여 도나우강처럼 큰 서커스의 물줄기를 오늘도 이어가고 있는 것이다.

인종, 언어, 남녀노소의 구분 없이 모두에게 사랑받고 있는 서커스, 세계 서커스 강국들은 지금 서커스라는 문화 상품으로 세계 시장을 석권하고 있다.

그러나 90년 역사의 한국 서커스는 과거의 영광을 뒤로 한 채 존폐의 기로에 서 있다.

곡예사들의 뼈를 깎는 노력과 국민들의 관심, 정부의 지원이 삼위일

헝가리국립서커스학교. 이 학교에 입학하려면 치열한 경쟁을 뚫어야 한다.

체가 되어 활로를 개척한다면 우리 서커스도 분명 되살아날 수 있다. 그렇게 된다면 한국 서커스도 세계시장에서 외국의 서커스단과 당당히 겨뤄볼 수도 있을 것이다.

캐나다 몬트리올 태양의 서커스 본부건물 옆에 빅탑을 세우고 한국 서커스를 공연하지 말라는 법도 없지 않은가?

김덕령과 정탁,
그 아름다운 만남

1996년 9월 방송

김덕령과 정탁,
그 아름다운 만남 1996년 9월 방송

약포 정탁의 상소문

솔직히 얘기하자. 영·호남 간 지역감정 분명히 있다. 누가 지역감정을 조장했고 누가 이익을 봤으며 누가 손해를 봤는지 알 사람은 다 안다.

그나마 다행인 것은 그 망국적인 지역감정이 세월의 흐름과 더불어 점차 옅어지고 있다는 점이다. 지난 4.13 국회의원 총선결과를 보면 어느 정도 희망도 엿보인다.

내가 이 프로그램을 제작하던 20여 년 전만 해도 영·호남 간 지역감정은 만지면 터질 듯 위태로웠다. 당시 호남을 기반으로 하던 정당과 영남 기반의 정당 소속 국회의원 분포도를 보면 바늘 하나 비집고 들어갈 틈이 없는, 완전한 지역구도였다. 대선은 더 말할 것도 없었다.

이와 같은 상황에서 약포 정탁의 「김덕령 옥사계(獄事啓)」라는 상소문이 새삼 세간의 주목을 끌었다. 고서화연구가 최효삼 씨가 경북 안동에서 상소문 초안을 발굴해 낸 것이다. 가로 51cm 세로 69cm 크기의 상소문 초안에는 여기저기 지우고 고친 흔적이 그대로 남아 있어 약포가 얼마나 고심을 거듭하며 글을 썼는지 한눈에 알 수 있다.

역사적으로 누구를 벌주거나 누구를 사면해 달라는 상소문은 수도 없이 많았지만 정탁의 상소문은 그 의미가 각별하다. 동인과 서인이 두 패로 갈려 극심하게 대립하고 있었던 이조 중엽, 동인이었던 영남의 거유, 70세의 약포 정탁이, 서인 계열인 호남 출신 29살 청년 장군 김덕령을 살려내기 위해 목숨을 걸고 왕에게 올린 상소문이 바로 「김덕령 옥사계」
였던 것이다.

400여 년 전 임진왜란의 와중에 있었던 가슴 따뜻한 이야기를 영·호
남 간 갈등이 여전했던 당시, 프로그램으로 만들어보는 것도 나름의 의
미가 있겠다고 생각했다.

서울 인사동 최효삼 씨의 사무실에서 첫 촬영을 시작했다. 김덕령의
후손과 정탁의 후손도 함께 만났다. 김덕령의 후손 단국대 동양학과 김
충호 교수와 정탁의 후손 상지대 중국학과 정재일 교수였다.

그날 처음 만난 두 사람은 서로 뜨겁게 포옹했다. 사실 내가 시켰다.
마치 약포와 충장공이 400년이 지난 후 다시 만난 듯 아름다운 장면이었
다. 그리고 상소문 초본을 모셔놓고 두 후손이 공손히 큰절을 올렸다. 옛

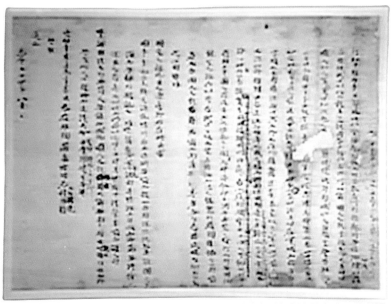

김덕령 옥사계. 이조 중엽 영남의 거유 약포 정탁이 서인 계열의 호남 출신 청년 장군 김덕령을
살리고자 목숨을 걸고 올린 상소다.

충장공 김덕령 초상화.   약포 정탁 초상화.

조상이 쓴 문서 한 장이 까마득한 후손들을 하나로 묶어준 것이다.

무등의 아들 김덕령

충장공 김덕령 하면 먼저 생각나는 것이 충장로, 충장사, 무등산, 의병, 억울한 죽음 등이다.

김덕령은 1567년 12월 무등산 기슭 석저촌에서 태어났다. 당시 무등산은 서석산으로 불렸다. 석저촌은 서석산 아랫마을이라는 뜻이다. 지금은 충효동으로 동네 이름이 바뀌었다. 마을에는 김덕령이 태어나던 해 심었다는 왕버들 나무가 지금도 우람한 자태를 뽐내며 서 있다. 1788년 마을 입구에 세워진 '충효정려표리비각', 김덕령과 일가족의 충효사상을 기리기 위해 정조가 직접 비문을 내렸다.

김덕령은 툇마루에서 훤히 올려다보이는 무등산의 정기를 가슴에 받아 안으면서 소년시절을 보낸다. 집안 어른인 김윤제가 제자를 길러낸 환벽당에서 수학했다. 환벽당은 또한 벼슬에서 물러난 송강 정철이 가사문학을 꽃피웠던 산실로도 널리 알려져 있다.

김덕령은 대단한 용력을 지닌 젊은이였다. 말을 타고 무등산을 누비며 무술을 연마하던 덕령이 자신의 애마와 화살 중 무엇이 더 빠른가를 겨루는 내기를 했는데 자신의 말이 화살보다 더 늦은 줄 잘못 알고 말의 목을 쳐버리자 그때서야 화살이 날아왔다는 전설 같은 이야기가 전해온다. 김덕령, 좀 성격이 급했던 모양이다.

말과 관련한 일화는 또 있다. 신라 29대왕 김춘추가 총각시절 천민 출신 천관녀와 사랑에 빠져 주위의 비난이 일자 내심 고민한다. 그러던 중 그의 애마가 술 취한 김춘추를 태우고 평소처럼 천관녀의 집으로 향하자 말의 목을 단칼에 베어버렸다는 이야기도 유명하다. 아무 죄도 없는 말들만 항상 이렇게 당하는지 모르겠다. 전설을 전설답게 만들기 위해서 희생된 말들의 명복을 빈다.

그의 나이 스물다섯이던 1592년 임진왜란이 발발한다. 부산포에 상륙한 왜군은 파죽지세로 북상해 20일 만에 서울을 점령한다.

나는 조선의 역대 왕 중 선조와 인조를 가장 '짜잔한' 왕으로 생각한다. 여러 차례의 사전 경고에도 불구하고 아무 준비도 없이 외적에게 국토를 내어주고 허겁지겁 의주로 줄행랑치는 왕, 오죽했으면 백성들이 자신들을 버리고 도망가는 어가행렬에 돌을 던지고 경복궁을 불태웠겠는가? 6·25 때 "서울 시민들은 동요하지 말고 생업에 종사하라"며 녹음으

무등산 기슭 광주시 충효동에 위치한 김덕령의 생가.

로 방송해놓고 부산으로 도망친 이승만이 선조를 보고 배웠을까? 배울 걸 배워야지.

선조는 또한 '의심왕'이었다. 이순신이 바다에서 연전연승을 거두면서 백성들 사이에서 일약 스타로 떠오르자 혹시 왕위라도 빼앗길까 봐 불안했던지 기회 있을 때마다 그를 폄하하고 죽이려 하지 않았던가? 전쟁에 이겨도, 져도 어차피 죽을 운명, 충무공은 노량해전에서 장렬한 최후를 맞는다. 강요된 자살이었다.

인조는 또 어떤가? 기울어가는 명 왕조와의 의리를 지킨다며 신흥 강국 청나라에 대들다 남한산성에서 청태종에게 무릎을 꿇고 3번 절하고 9번 땅에 머리를 찧으며 충성을 맹세한 이른바 '삼전도의 굴욕', 우리 역사상 가장 치욕적인 장면이 아닐 수 없다. 이건 순전히 내 생각이다.

임진왜란이 일어나 나라의 운명이 백척간두에 놓이자 전국에서 의병들이 들불처럼 일어난다. 이 중 호남의병들의 활동이 특히 두드러졌다. 호남지방은 임란 내내 의병과 관군, 군량미를 지속적으로 공급하는 보급창고의 역할을 했다. 광주에서 고경명 장군이 의병을 일으키자 김덕령은 형 덕홍과 함께 그의 휘하로 들어간다. 고경명 부대가 전라도 경내로 침입하는 왜적을 물리치기 위해 전주에 도착했을 때, 돌아가서 병든 어머니를 봉양하라는 형 덕홍의 권고에 따라 김덕령은 눈물을 머금고 고향 광주로 돌아온다.

덕홍은 그 후 금산전투에서 고경명 장군과 함께 장렬히 전사한다.

임진왜란과 의병대장 김덕령

김덕령은 노모마저 세상을 떠나자 집안일을 아우 덕보에게 맡기고 본격적인 의병활동에 나선다. 1593년 담양부사 이경린, 장성현감 이귀의 권유로 담양에서 의병을 일으켜 세력을 크게 떨치자 선조로부터 형조좌랑의 직함과 함께 충용장(忠勇將)의 군호를 받는다.

무등산은 김덕령 의병의 본거지였다. 무등산 중턱에 있는 집채만 한 바위에는 '만역계사의병대장김충장공주검동'이라는 커다란 글씨가 음각돼 있다. 충장공 김덕령이 칼을 주조한 장소라는 의미이다. 바위 옆에는

갑옷을 입은 김덕령 장군.

400년 전 쇠를 끓였던 제철로 터도 그대로 남아 있다. 쇠를 끓이고 남은 쇠 찌꺼기가 사방에 흩어져 발에 채였다. 쇠 찌꺼기의 양으로 봐서 얼마나 많은 무기가 이곳에서 생산되었는지 미루어 짐작할 수 있겠다.

김덕령과 정탁이 처음 만난 것은 1593년 12월 전주에서였다. 당시 영위사였던 정탁은 근왕병을 모집하기 위해 광해 세자와 함께 전주로 내려온다. 이곳에서 예순일곱의 노신 정탁은 스물다섯 청년 장수 김덕령과 운명적으로 만난다. 조응록은 『죽계일기』에 당시를 다음과 같이 적었다.

> 장군 김덕령이 철감 차림에 장검을 잡고 들어왔다. 갑옷은 무게
> 가 천근이나 됨직하여 보통사람은 들 수조차 없었다. 그러나 김 장
> 사는 마치 작은 칼을 다루듯 하였으니 그는 진정한 장군이었다.

1593년 정탁과 김덕령의 첫 만남 이후 두 사람이 다시 만났다는 기록은 없다. 그러나 두 사람 사이의 인연은 그 후로도 계속된다.

무예시험에 당당히 합격한 김덕령에게 광해는 익호장군(翼虎將軍)이라는 군호를 내린다. 날개 달린 호랑이처럼 날렵하고 용맹하다는 뜻이겠다.

1593년 11월 김덕령은 5천 의병을 이끌고 경남 진주로 진군한다. 주둔지 월아산 입구에는 지난 1994년 충장공 김덕령 장군의 후손들이 세

경남 진주 월아산. 김덕령은 이곳에 목책성을 쌓고 2년 6개월 동안 머물며 왜적과 싸웠다.

운 전적비가 진주 시내를 내려다보고 서 있다.

김덕령은 천혜의 요새인 이곳 진주 월아산에 목책성을 쌓고 2년 6개월 동안 머문다. 월아산에는 두 봉우리가 있는데 그중 하나가 김덕령 장군이 주둔했다하여 지금도 장군대봉이라 불리고 있다.

성여신이 편찬한 경상도 진주목 읍지인 『진양지』의 기록이다.

월아산 청곡사 봉우리에 목책성이 있는데 바로 충용 장군이 세운 것이다. 그는 광주에서 태어난 김덕령 장군으로 용맹함이 뛰어난 사람이었다.

김덕령은 군량미를 조달하기 위해 요새 앞 들판에 둔전을 일구기도 한다. 조정에서는 전국의 의병을 파한 후 5만 명에 달하는 의병 모두를 김덕령 장군 휘하에 두기로 결정한다. 월아산이 동쪽에서 올라오는 왜군을 막는 최전선이면서 호남으로 들어가는 길목까지 막아주는 천혜의 요새라는 점을 조정에서도 인정했던 것이다.

김덕령은 이곳을 거점으로 1594년 동쪽으로 진군, 곽재우 장군과 함께 진해와 고성전투에서 왜적을 기습하여 섬멸하고 부산 동래에서도 왜군을 크게 무찌른다. 김덕령이 연전연승을 거두자 왜적들 사이에서 그는 공포의 대상으로 떠오른다. 정조의 어명으로 편찬한 『김충장공유사』에는 "기세를 떨치고 있는 김덕령 석저의 칭호를 적국에서 몹시 두려워하였다"고 기록돼 있다.

1595년 5월 26일 김덕령은 곽제우, 이순신과 함께 거제도에서 수륙연합작전을 펼쳐 왜군을 격파하고 조선인 포로 50명을 구출해낸다.

사실 김덕령, 김천일, 고경명 등 호남 출신 의병장들이 각종 전투에서 전승을 거두기 전까지는 호남인물을 등용하는 것은 일종의 금기였다.

고려 왕건의 「훈요십조」에는 차령 이남과 공주강 이남 사람들은 반란을 일으킬 염려가 있으니 벼슬을 주지 말라고 기록돼 있다. 더욱이 임란 직전 있었던 정여립 모반사건은 호남인에 대한 차별을 더욱 심화시켰다. 그러나 정작 정여립 사건은 이전의 어떤 모반사건을 고변하여 출세한 집안의 자식이 '한 건' 더 올려 보려고 조작한 것이며 이를 특정 세력이 부추겼다고 주장하는 학자들도 있다.

어쨌거나 임진왜란을 통해 보여준 호남의병들의 전투력과 희생정신은 선조가 갖고 있던 그간의 고정관념을 크게 바꿔 놓는다. 선조는 그동안 호남인에 대한 차별을 부끄러워하며 이렇게 말했다.

　　멀리 있는 남도 백성들아 짐의 말을 들어라. 지난 기축년 정여
　　립 사건 이후에 도내에 걸출한 인물들도 오랫동안 뽑아 쓰지 아니
　　하고… 난을 당하여 이제야 인재를 구하고자 하니 부끄러움에 얼
　　굴이 뜨겁구나.

임란 5년째인 1596년, 명(明)과 왜(倭) 사이에 강화가 논의되면서 전쟁은 교착상태에 빠진다. 이런 상황에서 미묘한 사건이 하나 터진다.

1596년 김덕령 휘하의 군졸 한 명이 탈영한것이다. 김덕령이 탈영병의 행방을 캐기 위해 종의 아비를 잡아들여 태형을 내렸는데 그만 장독으로 죽고 만다. 죽은 탈영병의 아비는 공교롭게도 임란 후 일등공신으로 추서된 윤두수의 동생이자 도체찰사였던 윤근수의 노복이었다. 윤근수는 이 사건을 빌미로 김덕령을 진주 옥에 가둔다. 명과 왜의 휴전협상으로 극도로 해이해진 군기를 다잡기 위해 군율에 따라 다스린 김덕령이 옥에 갇히자 진주지역 유생들이 적극적인 구명활동에 나선다. 그러나 이런 구명활동에도 불구하고 김덕령은 서울로 압송돼 왕의 처분만을 기다리는 신세가 된다.

이때 우의정 정탁이 나섰다. 정탁이 왕에게 거듭 사면을 주청하자 선조는 마음을 돌려 김덕령을 석방한다. 한 가지 흥미로운 것은 선조가 김덕령을 진주 본진으로 돌려보내면서 어구마, 즉 궁중에서 키우던 말까지 선물로 줬다는 점이다.

역사 다큐를 제작할 때 PD들의 고민 중 하나는 그림을 만들어내는 일이다. 과거의 일을 생생한 화면으로 재현해내야 프로그램의 설득력이 담보되기 때문이다. 나는 호남의병들의 주요활동 상황을 움직이는 CG로 처리했다. 지금 보면 엉성하기 짝이 없지만 20년 전 CG치고는 꽤 잘 만든 화면이라고 생각한다. 김덕령 장군은 기골이 장대하고 잘생긴 연극배우를 동원했고 정탁 역은 광주·전남에서 가장 인자한 인상을 가진 연극배우의 도움을 받았다. 정탁이 탄원서를 쓰는 장면은 서예가를 초대해 손, 붓, 글씨만 따로 잡아 촬영했다. 김덕령을 죽이자고 왕에게 주청하는 신하는 이 지역에서 가장 비열(?)하게 생긴 연극배우를 기용했는데 처음에 싫다고 버텨서 설득하느라 무진 애를 먹었다.

그렇다면 김덕령을 천거하고 그의 목숨을 살리기 위해 구명활동을 펼쳤던 영남의 선비 정탁은 어떤 인물일까?

김덕령이 태어나기 41년 전인 1526년, 정탁은 경북 예천에서 태어났다. 요즘으로 말하면 TK지역이다. 당시 그가 살았다는 집터는 사라져버리고 우물 터만 남아 있었다.

정탁이 17살 되던 해 그는 퇴계 이황을 찾아가 사사한다. 24세에 문과에 급제, 명종실록 편찬에 참여하기도 한다. 평소 공사의 구별이 분명했던 약포는 당파에도 초연한 인물이었다. 임진왜란이 발발하자 그는 적재적소에 인재를 기용해 국난극복에 힘쓴다. 곽재우도 그가 천거한 인물이었다. 최고관직인 좌의정까지 지낸 정탁은 난민을 구제하는 등 훌륭한 치적을 쌓은 정치가이자 당대의 뛰어난 문장가였다. 군사, 정치, 외교 등 모든 분야에 두루 밝았던 정탁은 『용사일기』와 『임진기록』 등 당시의 시대상을 상세히 기록한 수많은 저서를 남기기도 했다.

뿐만 아니라 정탁은 정이 많은 사람이었다. 그의 후손의 말이다.

남을 위해 항상 배려하는 심성의 소유자였다고 한다. 몸에도 열이 많아 겨울에 손님이 와 자신이 앉았던 자리를 양보하면 그 자리가 항상 따뜻했다고 전해진다.

손님을 위해 자리를 따뜻하게 데워준 것이다.

정탁의 도움으로 진주 본영으로 돌아온 김덕령은 전의를 다지는 편지를 사명대사에게 보낸다. 설법과 책략으로 평양성을 탈환한 사명대사는 의병장들의 스승 같은 존재였다. 당시의 편지 내용이 팔도 의병들의 활동상황을 기술한 『세미록』에 전해 온다.

나라의 국록을 먹는 유학자도 산으로 숨어버리는 이때, 대사께서는 왜적을 물리치기 위해 발 벗고 나서니 존경스럽습니다. 우리 모두 힘을 합쳐 이 국난을 극복합시다.

김덕령의 죽음

그러나 전의를 다지기도 전에 김덕령은 또다시 옥고를 치르게 된다. 두 번째 옥고는 첫 번째와는 사정이 완전히 달랐다. 임란 중에 있었던 이몽학의 역모사건에 그가 가담했다는 혐의가 씌워진 것이다.

1596년 7월 홍산에서 이몽학이 반란을 일으키자 도원수 권율이 김덕령에게 반란을 토평하라는 명을 내린다. 김덕령은 진주에서 군대를 동원해 운봉까지 갔지만 이몽학의 난이 이미 평정됐다는 말을 듣고 다시 진주로 돌아온다. 그런데 이때 충청병사 이시언, 경상병사 김병서 등이 '이번 역모에 충장공이 가담했고 홍의장군 곽재우도 연루됐다'는 유언비어를 퍼뜨린다.

김덕령이 두 번째 투옥되던 당시는 동인과 서인간의 당파싸움이 특히 극심하던 시기였다. 호남인에 대한 선조의 칭찬이 계속되자 동인, 특히 윤두수, 윤근수 일파는 서인들을 모함에 빠뜨리려 한다. 여기에 희생된 인물이 바로 김덕령이었다. 이전에 동인의 노비를 장살했는데도 처벌은 커녕 어구마까지 선물로 받은 김덕령이 그들에게는 항상 눈엣 가시였던 것이다.

당시의 당파싸움이 얼마나 심했던지 선조는 이렇게 한탄한다.

> 짐이 의주에 와서 관산달을 바라보며 막다른 곳까지 왔는데 조신들이여 이런 상황에서도 당신들은 동인, 서인을 찾는가?

전쟁을 치르고 있던 당시의 조선, 명, 왜의 사정도 김덕령이 역모에 몰리는 또 다른 이유가 되었다. 왜군도 전의가 떨어졌고 명나라 역시 국내 사정으로 전쟁을 계속 끌고 가기가 어려웠다. 사실 선조 자신도 전쟁을 빨리 끝내고 싶었을 것이다. 왜군에 쫓겨 이리저리 도망 다녀야 하는 자신의 처지가 얼마나 처량했겠는가? 이런 상황과는 반대로 김덕령은 오히려 휘하장졸들을 이끌고 대마도를 거쳐 일본 본토를 칠 계획까지 세우고 있었으니 선조로서는 참으로 속 터지는 일이 아닐 수 없었을 것이다.

무고한 김덕령이 당쟁의 소용돌이에 휘말려 위기에 처했다는 사실을 간파한 정탁은 선조에게 상소문을 올린다. 이것이 바로 「김덕령 옥사계」이다.

정탁이 선조에게 올린 상소문의 내용을 자세히 살펴보면 당시 상황이 잘 드러난다. 그는 상소문에서 다음과 같이 주장한다.

> …김덕령의 명성은 우리나라는 물론 왜와 중국에까지 널리 알려져 있다. …그가 역모에 가담했다는 주장은 전혀 근거가 없는데다 왜적들이 퍼뜨린 것이다. …아직도 싸움이 계속되고 있는 이때 한 이름난 장수를 죽인다면 남쪽 지방의 장군과 장수들이 불안에 떨게 돼 적의 웃음거리가 될 것이다.

김덕령에 대한 역모 주장은 음모이며 그를 죽이면 관군과 의병들의 사기가 크게 떨어지게 될 것이라며 향후의 문제점까지 조목조목 지적한다.

동인이 득세하고 있던 당시 스스로 동인이면서 서인을, 그것도 역모의 혐의를 받고 있는 김덕령의 구명을 위해 상소를 올린다는 것은 목숨을 거는 모험이 아닐 수 없었다. 그러나 정탁의 이런 노력에도 불구하고 그의 구명운동은 실패로 끝나고 만다. 서해 유성용의 애매한 태도 때문

옥에 갇힌 김덕령과 그의 석방을 위해 탄원서를 쓰는 약포 정탁.

이었다. 『조선왕조실록』에 실린 그의 입장이다.

지금 만일 다시 김덕령을 풀어줬다가는 차후에 다시 변란이 일
어날 경우 용력이 뛰어난 그를 다시 붙잡는 것은 불가능합니다.

유성룡의 이 말 한마디 때문에 김덕령은 영영 풀려나지 못하게 된다.
정탁의 거듭되는 무죄주장과 상소에도 불구하고 김덕령은 선조가 직접
관여한 6번의 형문 끝에 스물아홉이라는 젊은 나이로 눈을 감고 만다.
1596년 8월 21일의 일이었다.

당시 우암 송시열이 광주목사에게 보낸 서한에도 "김장군을 죽인 것
은 유상(유성룡)이다"라고 분명히 밝히고 있다.

김덕령이 죽기 직전, 자신의 억울한 심정을 읊은 「춘산곡(春山曲)」이
지금까지 전해 온다.

춘산에 불이 나니 못다 핀 꽃 다 붙는다.
저 뫼 저 불은 끌 물이나 있거니와
이 몸에 내없는 불 일어나니
끌 물 없어 하노라.

김덕령의 「춘산곡」 시비는 광주공원에 세워져있다.

김덕령이 억울한 죽음을 당하자 많은 사람들이 슬퍼했다. 특히 진주
사람들의 슬픔은 더했다. 뿐만 아니라 김덕령이 타던 말도 따라 죽는다.
김덕령의 용마는 그가 죽기 전부터 아무것도 먹지 않고 결국 굶어 죽었
다는 기록이 『진양지』에 전해온다. 미물마저 장군의 죽음을 슬퍼했던 것
이다. 진주에는 '말뫼등'이라는 산이 있다. 김덕령의 죽은 말을 묻은 산
이라고 해서 붙여진 이름이다.

더욱 안타까운 것은 당시 김덕령이 역모에 가담하지 않았다는 사실을

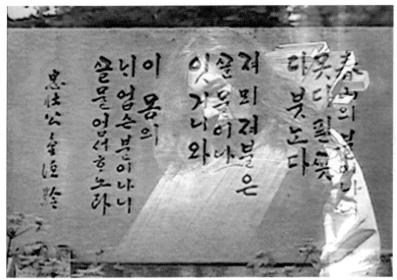

김덕령 장군이 죽기 직전에 읊었던 「춘산곡」 시비. 광주 사직공원에 세워져 있다.

모두가 알고 있었다는 점이다.

취재 당시 우리는 김덕령과 관련한 귀중한 영상을 확보했다. 1975년 김덕령의 묘를 충장사로 이장할 때의 과정을 직접 촬영한 기사로부터 관련 동영상을 건네받았다.

그의 증언에 의하면 이장을 위해 파묘했을 때 관 뚜껑에 '형조정랑광산김공덕령지구'라는 글씨가 선명하게 쓰여 있었는데 햇빛이 닿자 서서히 사라지더라는 것이다. 당시 촬영된 화면에서 우리는 죽은 지 400년이 지났는데도 거의 원형 그대로 남아 있는 충장공의 유해를 확인할 수 있었다. 그러나 장군의 다리뼈는 조각조각 깨져 있었다. 6차례의 형문으로 하반신 뼈가 모두 부서져버린 것이다. 함께 출토된 도포에도 혈흔이 곳곳에 남아 있었다. 당시의 형문이 얼마나 가혹했는지, 그리고 충장공의 고통이 어땠을지 짐작케 하는 장면이었다.

김덕령의 관과 도포, 친필, 교지 등 그와 관련된 유물은 현재 충장사

충장공 김덕령 장군 묘 이장 모습. 장군의 다리뼈가 조각나 있다(오른쪽).

유물관에 전시돼있다.

이장작업을 할 때 사람들은 김덕령의 묘는 공묘, 즉 빈 묘일 것으로 예상했었다.

당시 역모와 관련해 죽으면 절대 가족에게 반장(反葬) 되지 않았다. 김덕령의 시신이 가족에게 반환되고 안치되었다는 것은 그가 역모에 가담하지 않았다는 명백한 증거가 아닐 수 없다.

뿐만 아니라 당시 역모의 죄는 3족을 멸하는 중죄였으나 김덕령 사후 일가족 중 누구도 피해를 입지 않았다. 이순신의 경우와 마찬가지로 백성들의 신임을 받는 사람들에 대한 의심과 조정 간신들에 휘둘린 선조의 판단착오가 전도유망한 젊은 장수를 끝내 죽이고 만 것이다. 참으로 기가 막힐 노릇이다.

무등산 기슭에 자리한 취가정, 충장공의 후손들이 그의 원혼을 달래기 위해서 지은 정자다. 조선시대의 대 문장가 석호 권필의 꿈에 얽힌 사연 때문에 취가정(醉歌亭), 즉 '취해서 부른 노래를 기리는 정자' 라는 이름이 붙게 됐다.

어느 날 권필이 꿈을 꾸었는데 충장공이 술에 취해 나타나 시 한 수를 읊는다.

> 한잔하고 부르는 노래 한 곡조
> 듣는 사람 아무도 없네
> 나는 꽃이나 달에 취하고 싶지도 않고
> 공훈을 세우고 싶지도 않아
> 공훈을 세운다니 이것은 뜬구름
> 꽃과 달에 취하는 것 또한 뜬 구름
> 한잔하고 부르는 노래 한 곡조
> 이 노래 아는 사람 아무도 없네
> 내 마음 다만 원하는 것은
> 긴 칼로 밝은 임금 받들고자

김덕령은 자신의 사무친 원한을 꿈에서라도 알리고 싶었던 것이다. 왕조시대에는 왕이 곧 국가였기 때문에 긴 칼로 임금을 받들고 싶다는 것은 곧 국가를 받들겠다는 뜻으로 해석할 수 있다. 그러나 자신을 역모로 몰아 죽인 '짜잔한' 왕을 죽어서도 받들겠다는 김덕령의 생각에 나로서는 동의하기 어렵다. 나였다면 왕과 더불어 왕의 주위에서 온갖 흉계를 꾸미던 '십상시들'에게 세상에 있는 모든 저주를 모아 퍼부었을 것이다. 하기야 시의 마지막 부분을 '내 마음 다만 원하는 것은 긴 칼로 밝은 임금 받들고자'로 끝냈으니 시가 살아남아 후대에 전해질 수 있었겠지만… 그런 시 많다. 정철의 「사미인곡」, 김진형의 「북천가」, 안조원의 「만언사」 등등.

역사에는 만약이란 없다고 하지만, 만약 김덕령이 스물아홉 그 젊은 나이에 죽지 않고 장군으로서의 역할을 계속할 수 있었다면 임란의 향배도 크게 달라졌을 것이다.

김덕령과 함께 당대 최고의 명장으로 이름을 떨쳤던 곽재우는 아끼던 김덕령이 역모에 몰려 죽자 장군복을 벗어던지고 고향에 '죽은 친구의 집'이라는 뜻의 망우당(亡友堂)을 짓고 은둔한다.

정유재란

김덕령이 세상을 뜨자 그의 동생 덕보도 무등산 기슭에 풍암정을 짓고 은신한다. 인조가 여러 차례 벼슬을 내렸으나 모두 거절하고 후학양성에만 힘쓴다.

벼슬자리를 사양함으로써 형의 억울한 죽음에 저항한 것이다.

그동안 계속되던 명나라와 왜국 간의 강화회담이 파국을 맞자 왜는 다시 조선을 침략해온다. 1597년 정유재란이었다. 김덕령이 옥사한 지 1년도 채 안 돼 일어난 전쟁이었다. 정유재란이 발발하자 사람들은 김덕령의 부재를 더욱 아쉬워했다.

8월, 취재팀은 김덕령의 후손 3명과 함께 추월산에 올랐다. 해발 731m, 그리 높지 않은 산이지만 등반을 해본 사람이라면 추월산이 결코 만만한 산이 아니라는 것을 알 것이다. 우리는 무거운 방송장비를, 후손들은 제물을 이고 지고, 한 여름 그 가파른 산길을 땀을 뻘뻘 흘리며 올라갔다. 우리 일행이 도착한 곳은 추월산 보리암, 정유재란 당시 김덕령의 미망인 홍양 이씨가 순절한 곳이다.

정유재란이 발발하자 왜병들은 '자신들의 원수' 김덕령의 가족을 끈질기게 추적했다. 부인이 보리암으로 피신했다는 사실을 알고 왜군이 이곳까지 쫓아와 몹쓸 짓을 하려 하자 이씨 부인은 왜병을 크게 꾸짖고 수십 척 낭떠러지로 몸을 던져 순절한다. 과연 그 남편에 그 아내이다.

1788년 정조는 그녀에게 정경부인이라는 시호를 내린다. 보리암 절벽 근처에 '정경부인홍양이씨순절비'가 서 있고 담양부사 조철형이 암벽에 새긴 '순절처사대서각서'라는 글씨도 있다. 보리암에 오를 기회가 있으면 꼭 찾아보기 바란다.

한편 정유재란이 한창이던 1597년, 이순신 장군은 왜군과 내통했다는 원균의 모함으로 처형당할 위기에 처한다. 반대파의 모함이 두려워 모두 입을 다물고 있을 때 또다시 정탁이 나서 이순신의 무고함을 적극 주장하면서 그의 구명에 나선다. 정탁의 간곡한 상소로 마음을 돌린 선조는 2차 형벌을 가하려던 계획을 바꿔 충무공을 석방하고 백의종군케 한다. 이것이 그 유명한 '이순신 신구차(伸救箚)'이다. 평소 목숨을 걸고 직언을 해왔던 정탁의 상소를 왕도 어찌할 수 없었던 것이다.

정탁의 도움으로 가까스로 목숨을 구한 이순신은 12척의 배로 133척의 왜선을 격파하는 대승을 거둔다. 세계 해전사상 가장 위대한 승리로 기록된 명량대첩이 바로 그것이다.

만약 이순신이 모함으로 죽었다면? 정말 생각만 해도 끔찍하다.

왜란을 수습하자 약포 정탁은 고향 예천으로 내려가 도정서원을 짓고 후진을 양성하다 1605년 80세의 나이로 생을 마감한다. 그가 세상을 떠나자 선조는 '나라의 빛을 잃었다'며 슬퍼했다고 한다.

충장공 김덕령 장군

1661년 현종 2년에 김덕령의 누명이 벗겨지고 관직도 복구된다. 역모에 몰려 그가 억울하게 죽은 지 65년 만의 일이었다. 1668년에는 증 병조참의에, 1681년 숙종 7년에 증 병조판서에, 1788년 정조 12년에는 의정부좌참찬에 추증된다. 1678년 숙종 4년 광주 벽진서원에 제향되었다 이듬해 의열사로 사액된다. 시호는 충장이다.

1975년, 충장공이 나서 자랐고 의병을 길러냈던 무등산 자락에 충장사가 건립된다.

스스로 애국자임을 참칭하는 정치 모리배들이 날뛰는 대한민국에서 우리는 스물아홉, 짧았던 생을 온전히 조국에 바친 충장공 김덕령 장군을 결코 잊지 말아야 한다. 또 한 사람, 지역과 당파, 세대를 초월해 나라

충장사. 짧았던 생을 온전히 조국에 바친 김덕령 장군과 더불어 우리는 참된 선비, 약포 정탁도 함께 기억해야 한다.

와 인재를 구하기 위해 자신의 목숨까지 걸었던 약포 정탁도 반드시 기억해야 한다. 그리고 그들의 꽃처럼 아름다운 만남도.

세상, 약간 삐딱하게 보기

초판1쇄 찍은 날 2016년 6월 9일
초판1쇄 펴낸 날 2016년 6월 13일

지은이 박태명
펴낸이 송광룡
펴낸곳 심미안
주 소 61489 광주광역시 동구 천변우로 487(학동) 2층
전 화 062-651-6968
팩 스 062-651-9690
메 일 simmian21@hanmail.net
등 록 2003년 3월 13일 제05-01-0268호

값 15,000원
ISBN 978-89-6381-177-2 03680